全新彩色版

金敬梅　主编

中华文史大观

史记故事

下

（全2册）

世界图书出版公司

目 录

列传

史记故事·目录

史记故事·目录

"国学"，产生于西学东渐、文化转型的历史时期，兴起于20世纪初，鼎盛于20年代，80年代又有"寻根"热，90年代"国学"热再次掀起至今，无不是对传统文化在今日中国乃至世界多元文化中的一次次定位固基。

一般来说，国学指以释道儒三家学问为主干，文学艺术、戏剧音乐、武术菜肴、民俗礼仪等等为枝叶的传统中国文化体系。

国学以学科分，应分为哲学、史学、宗教学、文学、礼俗学、考据学、伦理学、版本学等，其中以儒家哲学为主流；以思想分，应分为先秦诸子、儒道释三家等，儒家贯穿并主导中国思想史，其他列从属地位；以《四库全书》分，应分为经、史、子、集四部，但以经、子部为重，尤倾向于经部。

近代学者邓实定义国学说："国学者何？一国所自有之学也。有地而人生其上，因以成国焉。有其国者有其学。学也者，学其一国之学以为国用，而自治其一国者也。……国学者，与有国以俱来，本乎地理、根之民性而不可须臾离也。君子生是国则通是学，知爱其国无不知爱其学。"邓先生的国学概念很广泛，同时也强调了国学的经世致用性。

总的来说，国学是有别于西方学术，独具特点且自成体系的文化形态，是中国固有的文化传统、人文理念和认识方法。其博大精深之内涵，雄厚内敛之魂魄，足以令世人千百年传诵。可以说国学经典是中华文化的根基，其中蕴含着前人洞察世事的精妙哲理。学习国学可以在潜移默化中学会为人处世的方法，增强个人的文化修养，使思想在"润物细无声"中得到浸润和升华。

为让广大读者能够真正与国学亲密接触，我们去芜存菁，在卷帙浩繁的中华传统文化典籍中精心挑选出一系列国学经典。在尊重原著的基础上，通过释疑、修饰、考证、援引等，汇编成本套丛书，以飨读者。

您现在所看到的《史记故事》便是丛书之一。

中国文化史中的某些史学著作是后人难以超越的，司马迁的《史记》就是这样一座后人难以企及的高峰。《史记》是中国纪传体通史的开山之作，鲁迅先生对《史记》赞叹不已，誉之为"史家之绝唱，无韵之《离骚》"，对它的史学价值和文学价值推崇备至。

《史记》记录的历史，从传说中的黄帝开始，到汉武帝太初年间止，大约三千年。其体例为纪传体，多以人物或者家族为单位展开，故事性很强，文笔出众，是后代传记文学的先驱和样板，影响深远。

本部《史记故事》辑录了《史记》中脍炙人口、千古传诵的佳篇，以深入浅出、通俗易懂的故事体编撰而成。编者在每一篇故事前插入了简评，或诗词，使本书的知识含量最大化，同时，大量精美的图片，使本书呈现出丰富的文化内涵。

衷心地希望本系列丛书能成为广大读者的良师益友，使您在品味国学博大精深的同时，能从中汲取源源不断的智慧甘泉。

耻许曰难传器政用典荐之让也虞蓺博
之由尧也天　职兴间乃于夏诗学
逃不让下　示数　试牧舜之虽者
隐受天而　而十然之於尧　缺载
。，下於王者大说斯统下后，位舜将可，籍
及许於者之重授功咸禹，知然於六
夏由　　　　　　　极

列传

桃李不言，下自成蹊。

享誉文坛数千年，被称作"史家之绝唱，无韵之《离骚》"的《史记》，其中"列传"达七十篇之多。

"列传"是中国纪传体史书的体裁之一，司马迁撰《史记》时首创，为以后历代纪传体史书所沿用。

司马贞《史记索隐》云："列传者，谓列叙人臣事迹，令可传于后世。"张守节《史记正义》中说："其人行迹可序列，故云列传。""列传"记载帝王、诸侯以外的各种历史人物，是各种不同类型、不同阶层人物的传记，少数列传则是叙述国外和国内少数民族君长统治的历史。

"列传"有单传，有合传，有类传。单传是一人一传，如《商君列传》《李斯列传》等；合传是记二人以上的，如《管晏列传》《老庄申韩列传》等；类传"以类相从"，把同一类人物的活动，归到一个传内，如《儒林列传》《循吏列传》《刺客列传》等。当时我国四周少数民族和其他国家的历史情况，司马迁也用类传的形式记载下来，如《匈奴列传》《朝鲜列传》《大宛列传》《外国·日本列传》等，这就为研究我国古代少数民族的历史提供了重要的史料来源。

从史学角度审视此部著作，"列传"第一次把政治、经济、文化各个方面整合为一体，包容在历史学的研究范围之内，从而开拓了历史研究的新领域，推动了历史学的发展。

从文学角度来看，"列传"的语言简洁凝练、逻辑性强，历史人物有血有肉、栩栩如生，历史事件的叙述生动有趣、精彩纷呈，不仅构成了一部体大思精、前无古人的历史宏篇，而且成为中国古代文学宝库里一颗璀璨的明珠。

- 管仲夷吾者，颍上人也。少时常与鲍叔牙游，鲍叔知其贤。
- 晏平仲婴者，莱之夷维人也。事齐灵公、庄公、景公，以节俭力行重于齐。
- 老子者，楚苦县厉乡曲仁里人也，姓李氏，名耳，字聃，周守藏室之史也。
- 伍子胥者，楚人也，名员。员父曰伍奢。员兄曰伍尚。
- 苏秦者，东周雒阳人也。东事师于齐，而习之于鬼谷先生。
- 张仪者，魏人也。始尝与苏秦俱事鬼谷先生，学术，苏秦自以不及张仪。
- 孟尝君名文，姓田氏。文之父曰靖郭君田婴。
- 平原君赵胜者，赵之诸公子也。诸子中胜最贤，喜宾客，宾客盖至者数千人。
- 魏公子无忌者，魏昭王少子而魏安釐王异母弟也。
- 春申君者，楚人也，名歇，姓黄氏。游学博闻，事楚顷襄王。
- 屈原者，名平，楚之同姓也。为楚怀王左徒。博闻强志，明于治乱，娴于辞令。
- 吕不韦者，阳翟大贾人也。往来贩贱卖贵，家累千金。

伯夷和叔齐，是孤竹君的两个儿子。孤竹君去世以后，叔齐把君位让给伯夷。伯夷坚决不从，于是就逃离了。伯夷逃离之后，叔齐还是不肯继承君位，也逃离了。

据说，尧帝将要退位的时候，把帝位让给了舜，舜在位一些年，又让位给了禹。无论是舜，还是禹，获得帝位都是很不容易的。首先，要经过很多人的推荐，才有机会得到一个职位，然后，任职几十年，如果真的很有功绩，才能被委以重任，管理天下。这说明，天下是最贵重的财宝，帝王是最尊贵的职位！

可是，却有人对最贵重的财宝、最尊贵的职位不感兴趣。据说，尧帝曾想把天下让给许由，可是许由不肯接受，认为那是一种耻辱，所以就隐居起来，谁也找不到他了。到了夏朝的时候，又有卞随、务光这样的隐士，也和许由一样，不愿意统治天下，不愿意做帝王。这到底是怎么回事呢？

伯夷 [1] 和叔齐，是孤竹 [2] 君的两个儿子。孤竹君年岁大了，准备让叔齐来继承自己的位置，成为国君。孤竹君去世以后，叔齐把君位让给了伯夷。伯夷推辞说："应该由你继承君位，这是父亲的遗命。"可是叔齐还是坚持让伯夷继位，伯夷坚决不从，于是就逃离了。伯夷逃离之后，叔齐还是不肯继承君位，也逃离了。

两个人都逃走不见了，国都里的人没办法，只好让孤竹君中间的那个儿子继承君位。

伯夷、叔齐逃走之后，听说西伯（也就是后来的周文王）善待老人，心想：为什么不去归附他呢？于是他们就出发去找西伯。可是，当他们到达的时候，西伯已经去世了。

当时，西伯的儿子周武王没有服丧，而是用车载着父亲的牌位，向东去征伐商纣王。伯夷、叔齐挡住武王的车马进谏说："父亲死了不安葬，却要发动战争，这样做，怎么能合乎孝道呢？而且，你作为臣子，却要去杀害君王，怎么能合乎仁义呢？"

周武王的左右臣子想杀掉他们。太公望却说："他们是有义气的人，杀不得！"于是武王扶起两人，让他们赶快离开。

周武王讨伐商纣王，大获全胜，平定了天下，天下人都来归顺周朝。但是，伯夷、叔齐却认为，归顺周朝是可耻的。他们坚持自己的看法，

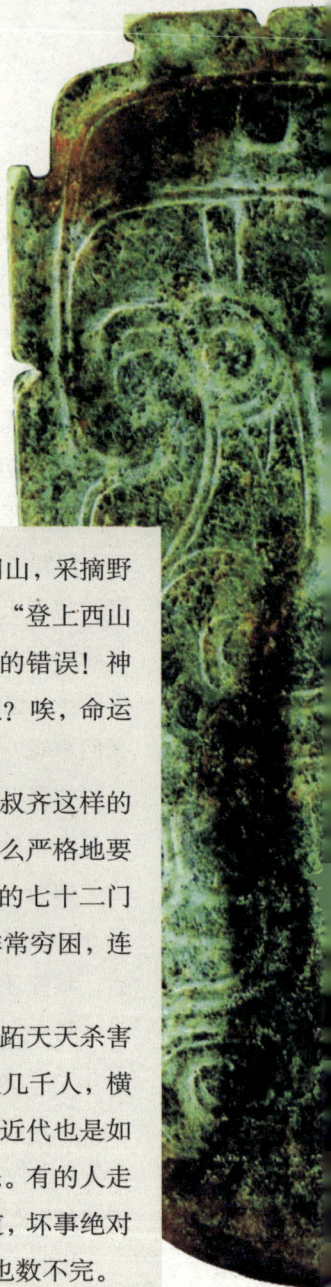

凤纹刀（西周）此器体扁薄，上部和两侧有对称的背齿，下部为两面刃，两面纹饰相同，皆以双勾阴刻线作凤纹。

坚持不向周朝妥协，坚决不吃周朝的粮食。他们隐居在首阳山，采摘野菜充饥度日。两人饿得快死的时候，作了一首歌，歌词是："登上西山啊，采摘那里的野菜！以暴臣取代暴君啊，你们不知道自己的错误！神农、虞舜、夏禹的时代一去不复返了，我的归宿到底在哪里？唉，命运如此艰难，不如死去！"最后，他们都饿死在首阳山上。

有人曾说："天道大公无私，总是帮助好人。"像伯夷、叔齐这样的人，到底是不是好人呢？他们那么善良，那么讲究节操，那么严格地要求自己的行为，但是最后竟然饿死在首阳山上。再说孔子的七十二门徒，颜渊是最好学的人，人品也最无可挑剔，但是颜渊却非常穷困，连最粗劣的饭食都吃不饱，最终却英年早逝。

老天为什么总是报应好人，为什么总是放纵坏人呢？盗跖天天杀害无辜，甚至吃人肉、喝人血，残暴放纵到了极点，聚集同伙几千人，横行天下，无恶不作，反而享尽天年。这到底是怎么回事呢？近代也是如此，那些行为不正、专门违法乱纪的人，却一辈子安逸快乐。有的人走路怕踩伤了蚂蚁，该说话的时候才敢说话，从不搞邪门歪道，坏事绝对不敢去做，可是反而会一辈子遭殃。这样的事情，简直数也数不完。

如果这就是天道，那么，这样的天道是对呢，还是错？

相关链接

[1] 伯夷：商朝末年孤竹君长子，叔齐是他的弟弟，为墨胎氏。孤竹君以叔齐为继承人，父亲死后，叔齐让位于哥哥伯夷，伯夷不受而逃走，叔齐亦逃，二人入周，反对武王伐纣，商灭后隐居首阳山，不食周粟而死。

[2] 孤竹：古国名，又叫觚竹，相传为姜姓，国君墨胎氏，存在于商、西周及春秋时代，范围在今河北卢龙一带。

管仲被任用之后，不久就掌握了齐国的大政，齐桓公称霸，一度统治天下，都是靠管仲的计谋。

管仲名夷吾，颍上人。管仲年轻的时候，有个好朋友叫作鲍叔牙，鲍叔牙知道管仲贤良而有才能。管仲曾因贫困欺骗过鲍叔牙，可是鲍叔牙并没有怀恨在心，一直都很友好地对待他，从不提起这些事情。

后来，鲍叔牙侍奉齐公子小白，管仲则侍奉公子纠。后来，小白即位，成了齐桓公，而公子纠失败去世。管仲作为公子纠的谋臣，被齐桓公小白抓了起来。鲍叔牙了解管仲的才能，就向齐桓公推荐管仲，于是管仲被释放，而且得到任用。

管仲被任用之后，因为才能出众，不久就掌握了齐国的大政，齐桓公因此而称霸，多次会合诸侯，一度匡正天下，都是靠管仲的计谋。

管仲一直感激鲍叔牙，他说："当初我处境艰难、一贫如洗的时候，曾经和鲍叔牙一起做生意。在分配钱财时，我经常给自己多分点，鲍叔牙都知道，但是并不认为我贪财，因为他知道我贫困。我还曾经替鲍叔牙出主意，但是主意没出好，反而使他进退维谷。可是，鲍叔牙不认为我愚蠢，因为他知道，办事能否成功，与时机也有关系。我还曾经几次做官，但几次都被君王罢免，可是鲍叔牙没有因此而怀疑我的才能，因为他知道，我没有碰上合适的机会。我还打过几次仗，但都败退了，可是鲍叔牙并不认为我胆怯，因为他知道我还有个老母亲。公子纠失败以后，召忽为此自杀，我没有自杀，而是被抓起来，遭到了侮辱。鲍叔牙没有因此而把我看作无耻之徒，因为他知道，我不会因为小事而羞耻，而是以功业不能闻名天下为耻。可以说，生育我的是父母，而了解我的是鲍叔牙。"

鲍叔牙向齐桓公推荐了管仲以后，管仲得到重用，鲍叔牙自己反而要听从管仲指挥。但是鲍叔牙没有怨言。

管仲的子孙世世代代都在齐国做官，有的封邑经过十几代而不灭绝，还有人成为著名的大夫，为齐国立下很大的功劳。可是，天下人并不怎么记得管仲的贤能，而是称道鲍叔牙的知人善任。

管仲做了齐相、掌管了政务以后，利用齐国处在东海之滨的有利条件，大力发展运输业，还做买卖积累资财，使齐国迅速富裕起来，军事

○ 品画鉴宝

黑漆朱绘鸟足漆案（战国）此器为家具，全器由面板、腿、托子组成。通体黑漆，阴刻纹饰内填以朱彩。技法精细，庄重典雅。

力量也得到了增强，人民信心十足，安居乐业。

管仲一向认为："国家富裕，人民才会懂得礼节；丰衣足食，人民才会有荣誉心。身居高位的人遵守法度，上下左右才会团结一致。如果人民不知道礼义廉耻，那么国家就会灭亡。向人民发布命令，要合乎人性人心，政令必须符合民心。"

所以政令符合民情，立论简单，但却易于推行开来。民众需要什么，就顺应他们的要求满足他们；民众不需要的，就顺从他们的愿望予以废除。

管仲处理政务，善于根据事务的轻重缓急，谨慎地权衡利弊得失。齐桓公曾经因为少姬而发怒，南下袭击蔡国，管仲却趁机劝谏，顺路征伐楚国，找个理由说楚国没有向周王室进贡包茅[1]。齐桓公本来是北上征伐山戎[2]，而管仲却趁机劝说燕国实行召公的政教。在柯地会盟时，齐桓公本想背弃跟曹沫的盟约，而管仲则顺应形势，让齐桓公恪守盟约，各诸侯国因此都归附齐国。

管仲功勋卓著，其财富可以和国君相比，拥有三归台，还拥有与诸侯们举行宴会时用来搁置酒杯的反坫，但是，因为他的确为齐国立下了无与伦比的功劳，所以齐国人并不认为他奢侈。

管仲死后，齐国仍然遵循他的政令，齐国的强盛，在很大程度上是因为管仲的缘故。

相关链接

[1] 包茅：古代祭祀时用来滤酒的菁茅，因以裹束茅置于匣中而得名。

[2] 山戎：又称北戎，活动于今河北北部，为匈奴的一支，后来逐渐成为北方少数民族的泛称。

管仲

老庄无为

老子写了一本书，一共五千多字，内容都是阐述道德的。书写完之后，他就离开了，谁也不知道他最后的归宿。

老子是楚国人，姓李，名耳，字聃，做过周朝掌管藏书室的史官。

孔子来到周朝都城，找到老子，向他请教礼制。老子说："您所说的那种懂礼的人，早就已经去世，连尸骨都找不到了，只留下有关礼制的只言片语。我不懂礼制，没有什么好说的。我只知道，君子如果遇到合适的时机，就可以去做官；如果遇不到合适的时机，就应该随遇而安，不该强求。我听说，会做生意的商人，总是把货物严密地收藏起来，仿佛什么也没有，君子如果有高尚的德行，总是在表面上看起来很愚钝。所以说，做人用不着太外露、太强求。抛弃您的傲气和过高的理想吧！这些对您的身体没有好处。我所要告诉您的，就是这些罢了。"

孔子离开周都后，曾对学生们说："鸟，我知道它能飞；鱼，我知道它能游；兽，我知道它能跑。能跑的兽类可以用网去捉它；能游的鱼类可以用线去钓它；能飞的鸟类可以用箭去射它。至于龙，我无法知道它是怎样乘着风云而升天的，我今天看到老子，与龙是多么相像啊！"

老子研究道德，他的学说以自我隐遁和不求名分为宗旨。他在周朝的都城住了好多年，后来看到周朝实在太过衰落，就离开了。走到散关[1]的时候，关令尹喜说："您就要隐居了，请为我写本书作为纪念吧！"

老子于是就写了一本书，分上下两篇，一共五千多字，内容都是阐述道德的。书写完之后，老子就离开了，谁也不知道他最后的归宿。

老子大概活了一百六十多岁，也有人说是两百多岁。因为他研究道德，调养自己的心灵，所以有益于健康长寿。

庄子[2]名周，是蒙地人。庄周曾经担任过蒙地漆园的官吏，和梁惠王、齐宣王是同代人。庄周学问广博，几乎在所有方面都做过探索，然而他的指导思想是来自老子的学说。

庄周著书十多万字，大体上都是寓言之类。他写了《渔父》《盗跖》《胠箧》等文章，用来反驳孔子学派，同时也用来阐明老子的观点。庄周善于文辞，善于描摹事物、抒发情感，喜欢攻击儒家、墨家，就算是当代最有名的学者，也无法避免他的攻击诘难。庄周言辞潇洒自如、随

心所欲，才气很高但是常常得罪人，因此，王公大人和平民百姓都不喜欢他。

楚威王听说庄周很贤能，就派遣使者用厚礼去邀请他，许诺要任用他为国相。庄周笑着对使者说："千金的确是厚重的利禄，卿相的确是尊贵的职位。但是，您难道没有见过郊祭时所用的牛吗？饲养几年之后，让它穿上有花纹的衣服，为的就是把它送进太庙当作祭品。到了那个时候，即使它想做一只孤独的小猪，难道还能如愿吗？您赶快离开吧，不要玷污了我！我宁可在污水沟里滚爬，自娱自乐，也不愿被统治者所束缚；我宁可终身不做官，只要心里轻松愉快就行！"

相关链接

[1] 散关：即大散关，在今陕西宝鸡西南大散岭上。

[2] 庄子：约公元前369－前286年，名周，字子休，宋国蒙（今河南商丘东北）人，战国时期著名的哲学家、思想家、文学家，继承并发展了老子的道家思想，为道家主要代表人物，与老子并称"老庄"，有《庄子》一书传世。

○ 品画鉴宝

老子骑牛图（明）张路／绘　图绘老子手握《道德经》，骑跨青牛出函谷关的情景。用笔简练而传神。

齐景公欣赏穰苴的为人和能力，于是封赏他为大司马。此后，田氏在齐国一天天地尊贵起来。

司马穰苴[1]是田完的后代。

齐景公在位时，晋国征伐齐国的东阿和甄城，同时，燕国也侵犯河上，齐国军队两面受敌，抵挡不住，因而大败。齐景公为此而忧虑万分。

这时候，晏婴向齐景公推荐田穰苴："穰苴虽然是田氏偏房所生，但是他有文才武略，他的文才能归服众人，武功能威逼敌人，希望君王能给他机会试一试。"齐景公没有更好的选择，就召见了穰苴，跟他谈论军事。两人谈论得非常愉快，齐景公感到非常满意，就任用穰苴为将军，率军前去抵抗燕、晋两国的军队。

穰苴说："我出身卑贱，君王把我从平民之中提拔起来，安排在大夫的上面，恐怕士兵们一时无法适应，不可能马上亲附我，百姓也不会信任。我出身卑微，权势轻薄，希望您能派一个深得宠信、备受敬重的人来督察军队。"齐景公答应了他，派庄贾前去督察军队。

穰苴辞别了齐景公，与庄贾约定说："明天正午，我们在军营门口会合。"第二天，穰苴一大早就先出发，尽快赶到了军营，立木表、下漏水计时等待庄贾。

虽然穰苴那么认真，但是庄贾并不着急。他一向地位显贵、待人骄横，觉得带领自己的军队并且自己又是监军，用不着太紧急。亲戚下属为他送行，留他饮酒，他就坐下来痛饮。

已经是正午了，但庄贾还没有到来。穰苴于是不再等待，仆倒了木表，放掉了漏壶[2]里的水，然后进入军营，巡视军队，整治士兵，宣布军令。这些工作做完，已经是傍晚时分了，这时候庄贾才醉醺醺地到来。

穰苴问道："为什么迟到呢？"

庄贾歉疚地说："大家为我送行，因此耽搁了。"

穰苴严厉地说："将帅一旦接受命令，就应该忘记自己的家庭；身在军队，要受纪律的约束，就应该忘记自己的亲属；击鼓进军的危急时刻，就要忘掉自己的生命。如今敌国入侵，大敌当前，国内人心惶惶、骚乱不安，士兵们在边境上日晒雨淋，风餐露宿，连国君也睡不安席，食不甘味，你还敢说什么送行？"

说完，穰苴叫来军法官，问道："依照军队法令，约定时间却又迟到了的人，应该如何处理？"

军法官回答道："应当斩首。"

庄贾一听，吓得半死，派人飞马报告齐景公，请求景公下令救命。可是，派去的人还未回来，庄贾就被拉了出去斩首示众。全军士兵大为震惊。

过了很久，齐景公派使者带着符节来赦免庄贾，使者飞马进入军营。穰苴说："将帅在外，国君的命令有时可以不接受。"然后，又问军法官说："飞马闯入军营，依法应该如何处置？"

军法官说："应当斩首。"

使者非常害怕。穰苴说："国君的使者不能杀，但是违反了军纪，必须要有所表示。"于是下令杀了使者的随从，砍了车子左边的车杆，杀了左边驾车的马，以此告诫全军。穰苴打发使者回去报告国君，然后就率军出发了。

穰苴讲究军纪，非常严厉，但是对士兵的生活也非常关心。士兵的宿舍、水井、炉灶、饮食、诊病、医药，他都亲自安排。他甚至把自己的粮食和其他物资全都拿来款待士兵，特别照顾那些瘦弱的人，而自己的饮食则与士兵一样。这样过了三天，穰苴开始整编军队，决定出征与留守的名额。士兵们感戴穰苴将军，连生病的都要求出征，争先恐后，都想为他去决一死战。

晋国的军队听到这种情况，没等齐军到来，就撤军离开了。燕国的军队听到这种情况，也渡过黄河，向北撤兵。这时候，齐军趁势追击他们，一举收复了沦陷的国土，然后领兵凯旋而归。

齐景公带领着各位大夫到郊外迎接，气氛非常热烈。穰苴虽然非常疲劳，但是仍然坚持自己的职分，慰劳军队礼毕，然后才回寝室休息。齐景公欣赏穰苴的为人和能力，于是封他为大司马。此后，田氏在齐国一天天地尊贵起来。

大夫鲍牧、高昭子、国惠子等人对田氏的兴盛很担心，都想陷害穰苴，就在齐景公面前诽谤他。齐景公听信谗言，辞退了穰苴。穰苴被辞退之后，不久就生病去世了。他的族人田乞、田豹等人为穰苴感到不公，从此怨恨高昭子、国惠子等人。过了一些年，田常谋杀了齐简公，消灭了高昭子、国惠子家族。到了田常的曾孙田和的时候，就自立为齐侯；

而到了田和的孙子田因齐的时候，就开始称王，他就是齐威王。齐威王田因齐带兵打仗，完全仿照穰苴的做法，威力无比，因而各诸侯国都朝服齐国。

后来，齐威王指派大臣整理古代的《司马兵法》，把穰苴的兵法也附在了里面，因而命名为《司马穰苴兵法》。

相关链接

〔1〕司马穰苴：生卒年代不可考，姓田，名穰苴，官至司马，故人称司马穰苴，春秋时代齐国大夫，深通兵法。

〔2〕漏壶：古代用滴水多少来计时的工具，可以分为两种：一种是水从壶中流到外面，另一种是水从外面进入壶中。

屈原来到江边，披头散发，一位渔翁见了问他："您不就是三闾大夫吗？怎么到了这里？"屈原回答说："世道黑暗，唯我清白；众人昏醉，独我清醒。因此，我被放逐了。"

屈原 [1]，是楚怀王时期的大臣。他博闻强记，深通治国之道，并且长于辞令，善于与人交往。对内，屈原可以与君王商议国事，颁发命令；对外，他可以接待宾客，应付诸侯。楚怀王十分信任他。

楚怀王手下有个上官大夫，官位与屈原平级。上官大夫为了争夺宠信，很嫉妒屈原的才能。有一次，楚怀王指派屈原拟订法令，屈原刚起草，还没有定稿，上官大夫看见了，想夺取这份草稿，屈原不给。上官大夫于是面见楚怀王，诽谤屈原说："大王总是委派屈原拟订法令，屈原很得意。每颁布一项法令，屈原就夸耀自己的功劳，扬言道：'除了我，没有谁能做得出来。'"怀王听后，非常恼怒，从此就疏远了屈原。

屈原觉得委屈，对楚怀王的轻信和愚昧也感到痛心。忧愁之极，就写了《离骚》，借古讽今，表现自己心志的无比高洁，抒发自己出污泥而不染的高尚情怀。

屈原被贬之后，楚国朝廷里就没有了主心骨。当时，秦国打算攻打齐国，而齐国跟楚国关系很好，秦惠王怕楚国帮助齐国，很忧虑，就派张仪假装离开秦国，带了丰厚的礼物去投靠楚国，欺骗楚怀王说："秦国憎恨齐国，楚国如果能跟齐国断交，秦国愿意献出商、於一带的六百里土地。"楚怀王非常贪心，听信了张仪的鬼话，急忙跟齐国断交，然后就派使者到秦国去接受土地。

这时候，张仪耍赖说："我跟楚怀王约定的是六里，没听说过六百里。"楚国使者愤然回国，报告楚怀王。楚怀王被耍弄，非常愤怒，大肆兴兵攻打秦国。秦国出兵迎战，大败楚军，杀了八万人，俘虏了楚军将领，还乘势夺取了楚国汉中一带地区。楚怀王不服，就出动全国兵力，深入秦国境内，与秦军在蓝田交战。魏国得知这个消息，就趁机袭击楚国，一直打到了邓邑。楚军惶恐之极，只好从秦国撤军回国。

本来，齐国是楚国的盟友，但是楚怀王已经主动与齐国断交，所以，虽然现在楚国处境艰难，但齐国一直袖手旁观，不肯援救。

第二年，秦国说愿意割让汉中地区，跟楚国议和。楚怀王说："我

不要土地，只要能得到张仪就行。"张仪听后，就对秦王说："我一个张仪就能抵得上汉中土地，太抬举我了，请让我到楚国去。"张仪到了楚国，用丰厚的礼物贿赂楚国重臣靳尚，还编造花言巧语打动楚怀王的宠姬郑袖。郑袖替张仪求情，楚怀王心软，就释放了张仪。当时，屈原已经被疏远，官职也没有了，正在国外逗留，等他回国后，马上向楚怀王进谏："为什么不杀张仪？"楚怀王后悔了，派人追捕张仪，可是没能追上。

秦昭王为了进一步吞并楚国，就跟楚国结为姻亲，还邀请楚怀王去秦国会晤。楚怀王打算前往，屈原不同意："秦国是虎狼一样凶狠的国家，不可信任，绝不能去！"可是楚怀王的小儿子子兰劝楚怀王前往："秦国这么友好，为什么要拒绝人家的好意呢？一定要去！"

结果，楚怀王还是去了秦国。一进入武关，秦国的伏兵就断了楚怀王的退路，就地扣留楚怀王，要求割让土地。楚怀王坚决不从，并且看准了机会逃了出来，到了赵国。赵国不敢接纳，他只好又回到秦国，最后死在秦国。

楚怀王的长子顷襄王继位，他的弟弟子兰担任令尹。

楚国人知道，如果不是因为子兰，楚怀王不会到秦国去，不至于客死他乡，所以，楚国人都很讨厌子兰。屈原对子兰更是恨之入骨，并且写文章来表达自己对楚国的眷恋，还有对奸臣和小人的愤慨。

子兰看到屈原的文章，大为恼怒，指使别人在顷襄王面前说屈原的坏话，顷襄王发怒，就把屈原放逐到了更偏远的地方。

屈原来到江边，披头散发，慢步低吟，一副容貌憔悴、失神落魄的样子。

一位渔翁看见了就问他："您不就是三闾大夫吗？怎么到了这里？"

屈原回答说："世道黑暗，唯我清白；众人昏醉，独我清醒。因此，我被放逐了。"

渔翁说："圣人应该能够顺应时势。世道混浊，那您为什么不随波

逐流？大家都喝醉了,那您为什么不也跟着喝一点？为什么偏要孤芳自赏，以至于落得个被放逐的下场呢？"

屈原说："我听说，刚洗了头的人，必定要弹一弹帽子，刚洗过澡的人，必定会抖一抖衣服。是啊，谁愿意让自己清洁的身体，去接触污秽的东西呢？我宁愿投江自尽、葬身鱼腹，也不愿让自己委曲求全、成为世俗小人！"

最后，屈原抱着石头，沉入汨罗江[2] 自尽了。

屈原去世以后，楚国有宋玉、唐勒、景差等人，都喜欢学习屈原的辞赋，但是都不敢直言进谏。楚国小人当道，一天比一天衰弱，几十年以后，终于被秦国攻灭。

相关链接

[1] 屈原：约公元前340－前278年，名平，字原，又自云名正则，字灵均，战国末期楚国贵族、大臣，遭到排挤和流放，后在楚国地方文艺的基础上，创造出了"骚体"这一崭新的文学形式，为我国最早的浪漫主义诗人，作品多保存在《楚辞》一书中。

[2] 汨罗江：在今湖南省东北部，为湘江支流。

孙武对吴王说："我既然已经奉命做了将领，那么将在外，君令有所不受。"于是坚持己见，杀了两个队长来示众。

孙子名武，齐国人。

孙武精通兵法，因而受到吴王阖闾的接见。阖闾说："你的十三篇兵法，我都读过了，很不错。能用来试一试练兵吗？"

孙武回答："当然可以。"

阖闾又问："能用妇女来试一试吗？"

孙武回答："没问题。"

阖闾于是把宫里的美女叫出来，一共有一百八十人。孙武把她们分成两队，分别让吴王宠爱的两个侍妾做队长，叫她们都拿着戟[1]站好。孙武问她们："你们知道你们的心、左右手和后背吗？"美女们齐声回答："知道！"孙武说："向前看，就是朝心胸所对的方向看；向左转，就是朝左手方向转动；向右转，就是朝右手方向转动；向后转，就是朝后背方向转动。"美女们回答："是，知道啦！"

孙武把规则说清楚之后，就摆设了斧钺等武器，然后三令五申有关规则。等一切都已经妥当，孙武击鼓命令她们向右转，可是美女们哈哈大笑，笑弯了腰。孙武严肃地说："规则不明确，号令不熟悉，这是将帅的过错。"又三令五申之后，孙武再次击鼓命令她们向左转，可是美女们再次大笑起来，又笑得东倒西歪。

孙武说道："规则不明确，号令不熟悉，这是将帅的过错。规则、号令申明无误，而士兵仍不服从，这就是队长的罪过！"于是孙武想要命人斩杀两位队长。吴王在台上观看，见孙武要杀自己宠爱的侍妾，大吃一惊，急忙派人传令说："我已经知道将军善于用兵了。如果没有这两个侍妾，我会食不甘味，希望将军不要杀她们。"孙武说："我既然已经奉命做了将领，那么将在外，君令有所不受。"于是坚持己见，杀了两个队长来示众。然后，孙武又任命另外两个人做队长。再次击鼓为号时，美女们左转、右转、前进、后退、下跪、起立，都符合规则要求，再没有人敢吭一声。

这时，孙武派人报告吴王说："队伍已经训练整齐，大王可以下去看一看，大王可以任意调遣她们，即使让她们赴汤蹈火，她们也不会畏缩不前了。"吴王还在为那两个侍妾伤心,说:"请将军停止训练,回馆舍去吧,我不忍心下去观看。"孙武于是说:"看来大王只是爱好我的理论而已,并不是真的想把我的理论付诸实践。"

从此以后,阖闾知道孙武善于用兵,就任用他为将军。由于孙武参与了吴国的军事,所以吴国军力大增。吴国向西攻破强大的楚国,进驻郢都;向北威震齐国、晋国,在诸侯中扬名称霸,都是孙武的功劳。

孙武去世一百多年以后,有个后代叫作孙膑,也擅长兵法。

孙膑曾经和庞涓一起,向鬼谷子[2]学习兵法。后来,庞涓去了魏国,被魏惠王任命为将军。庞涓虽然贵为将军,但他知道自己的才能比不上孙膑,心里很不平衡,便暗中派人召见孙膑。孙膑到来以后,庞涓就借口孙膑犯法,私自对他施行刑罚,砍断了他的两只脚,并且在他脸上刺字,想让他从今以后不能见人,无法再威胁自己的地位。

恰好在这个时候,齐国的使者到了魏国,孙膑听说之后,就以罪犯的身份偷偷会见齐国使者,并说服他把自己带回齐国。齐国使者认为孙膑是个奇特的人,便偷偷地把他藏起来,用车带回齐国。齐国将领田忌知道之后,就以客人的礼遇来接待孙膑。

田忌经常与齐国的贵族子弟赛马赌钱。孙膑注意到,那些马分为上、中、下三等,每一等的脚力大致相同,差不了多远。于是孙膑给田忌出主意说:"您尽管下大赌注,我保证能让您获胜。"田忌听信了他的话,就跟齐王和其他贵族子弟赛马,押下了千金赌注。比赛即将开始时,孙武说:"现在用您的下等马去对付他们的上等马,用您的上等马对付他们的中等马,用您的中等马对付他们的下等马。"比赛之后,田忌一负两胜,赢了齐王和贵族子弟的所有赌注。

趁着这个机会,田忌向齐威王推荐了孙膑。齐威王向孙膑请教兵法,获益匪浅,就把他当作老师看待。

后来,魏国征伐赵国,赵国危在旦夕,急忙向齐国求救。齐威王想让孙膑做将帅,带兵出征,孙膑推辞说:"我是受过刑罚而侥幸活命的人,不宜做将帅。"于是齐威王就任命田忌为大将,而孙膑则作为军师,坐在斗篷车里随军出征,专门替田忌出谋划策。

田忌想率军直接前往赵国,与魏军开战。孙膑劝阻说:"要想解开杂乱纠缠的东西,绝对要讲究技巧,不能使劲捏紧拳头;劝解斗殴的人,也不能插手进去搏斗,否则容易伤了自己。处理这样的问题,应该避实击虚。如今，梁国攻打赵国，精锐部队都在国外竭尽全力，而老弱病残在国内为军人提供后援，必定是疲劳不堪。您与其到赵国去跟魏军硬碰硬，不如率军急奔魏国的大梁，占据它的交通要道，冲击它最空虚的地方，这样一来，魏军必定会舍弃赵国，回来解救自己。这样，我们一举两得，既解除了赵国的危机，又能挫败疲于奔命的魏军。"

田忌听从了孙膑的建议。魏国军队果然离开了赵国，跟齐国军队在桂陵交战，齐军大胜，魏军失败撤退。

十三年后，魏国和赵国联合，进攻韩国，韩国向齐国告急。齐国派田忌带兵前去救援，直奔魏国的大梁。正在围攻韩国的魏将庞涓听到消息之后，马上离开韩国回国防守，当时，齐国军队已经越过韩国的边境了。

孙膑

孙膑听说庞涓已经回师魏国，就对田忌说："魏国士兵向来强悍，很轻视齐国的士兵，把齐国士兵称作胆小鬼。善于作战的人，应该利用这种情况，变不利为有利。兵法说：行军百里，会使主帅无精打采；行军五十里，会使全军一半人半途而废，走不到目的地。我们现在远道而来，按理说应该在途中损失很多人马。我们可以让庞涓以为我们的确是这样。请马上命令齐国军队，进入魏国境内的第一天，要建筑供十万人伙食的炉灶，第二天建筑五万人的炉灶，第三天只建筑三万人的炉灶。"

庞涓行军的第三天，听说了齐军一天比一天少的消息，非常高兴地说："我早就知道齐国军队胆小，进入我们的国境才三天，逃跑的士兵就已经超过半数了。"庞涓于是就舍弃了他的步兵，只带着精锐部队日夜兼程追逐齐军。

孙膑计算好了庞涓的行程，晚上应当到达马陵。马陵道路狭窄，而且两旁地势险要，可以埋伏军队，于是孙膑就在这里设兵埋伏，还把一棵大树的树皮削掉，在白色的树干上刻了几个字："庞涓必定死在这棵大树底下。"同时，孙膑命令齐军中善于射箭的一万人，在道路两旁埋伏，约定说："晚上只要一见火光亮起来，就一齐朝这里射箭。"晚上，庞涓果然到了马陵，来到被削掉树皮的大树下，模模糊糊地看到白色的地方写着字，就取火把来照。那上面的字还没读完，齐国军队就万箭齐发，魏国军队一片混乱，溃不成军。庞涓知道自己中了埋伏，败局已定，就刎颈自杀，死前还不服气地说："还是成全了这小子的名声！"

齐军乘胜出击，彻底打垮了魏国的军队，还俘虏了魏惠王的太子。孙膑因为这次胜利而名扬天下，他的兵法著作开始在天下流传，影响非常深远。

相关链接

〔1〕戟：古代将戈和矛的特点加以优化组合，从而具有勾啄和刺击双重功能的格斗兵器，按规格有长戟、短戟、手戟之分。

〔2〕鬼谷子：相传为战国时期楚国人，真实姓名及生卒年代不可考，因隐居于鬼谷，故以此自号，长于修身养性及纵横捭阖之术，现传有《鬼谷子》一书，多认为是后人委托之作。

善战将军吴起

吴起逃跑，离开卫国与母亲诀别时，吴起咬牙切齿地发誓说："我吴起如果做不了卿相，就誓不再回卫国！"

吴起[1]是卫国人，喜欢用兵之道，曾经向孔子的弟子曾参学习，侍奉鲁国国君。齐国人进攻鲁国时，鲁国本打算让吴起带兵抗齐，但吴起的妻子是齐国人，因而鲁国信不过他，就想把这个任务交给别人。吴起当时醉心于功成名就，于是杀了他的妻子，以此表明他不会亲附齐国。鲁国于是就任命他为将帅，让他带兵进攻齐国。结果，吴起大败齐军。

鲁国有人非常厌恶吴起，就去劝说鲁君："吴起为人不正，喜欢猜疑，待人残忍。他年轻的时候，家里积累了千金资财，他把这些钱都用来游历求官，什么官都没有求到，但把钱花得一干二净，家境开始破落。同乡人讥笑他，吴起便杀了那些人，一共有三十多名。杀人之后，吴起逃跑，不得不离开卫国。在跟他的母亲诀别时，吴起咬牙切齿地发誓说：'我吴起如果做不了卿相，就不再回卫国！'后来吴起拜在曾子门下。没过多久，吴起的母亲死了，但他始终没有回家。吴起的老师曾参因为这件事而鄙视他，以至于跟吴起绝交。吴起于是来到鲁国，学习兵法来侍奉国君。国君怀疑他的忠诚，吴起就杀死妻子来谋求将帅的职位。鲁国是个小国，没有多大实力，如果这样一个国家却以善战闻名，那么诸侯国就会把鲁国看成一个威胁，也就有了灭亡鲁国的借口。再说，鲁国和卫国是兄弟国，任用吴起，就是对不起卫国。"鲁国国君听后，开始疏远吴起，后来干脆辞退了他。

吴起被辞退后，听说魏文侯很贤明，就想去侍奉他。魏文侯问李克说："吴起是个什么样的人？"李克回答说："吴起贪财好色，为人也不好。但是要说带兵打仗，即使司马穰苴也无法超过他。"于是魏文侯任用了吴起，让他做将帅，率军攻打秦国，攻占了五座城。

吴起身为将帅，却与士兵们打成一片，与最下等的士兵生活在一起，饮食起居没有分别。他睡觉不铺席子，行军不骑马乘车，还亲自背负军粮，与士兵一起劳动。有个士兵生了毒疮，吴起就亲自为他吮吸脓汁。士兵的母亲听说了这件事，哭了起来。有人问道："你儿子是士兵，将军却亲自为他吮吸毒疮，你还嫌不够吗，为何还要哭呢？"

士兵的母亲回答说："不是这样的。当初，我儿子的父亲也在吴将军手下当兵，也生了毒疮，吴将军也给他吸吮毒疮，他非常感动，于是

在战斗中勇往直前、决不后退，终于死在敌人手里。吴将军现在又给我儿子吮吸毒疮，我不知道儿子将会死在哪里。所以我替他哭泣。"

魏文侯因为吴起善于带兵打仗，廉洁公正，能够获得士兵的爱戴，就任命他为西河太守，来抵御秦国和韩国。

魏文侯死后，吴起侍奉文侯的儿子魏武侯。有一次，魏武侯沿黄河顺流而下，在河流中间，回头对吴起感叹说："壮美啊，山河如此险固！这可是魏国的珍宝啊！"吴起回答说："国家的珍宝，在于国君的恩德，而不在于山河的险固。从前三苗氏左有洞庭湖、右有彭蠡湖，但是因为不讲求德行信义，被夏禹所灭。从前的夏桀，左有黄河、济水，右有泰山、华山，南有伊阙山[2]，北有羊肠坂，但他不施行仁政，最后被商汤流放。殷纣的国都，左有孟门山，右有太行山，北有常山，南有黄河，但他不行德政，被周武王所杀。由此看来，国家的珍宝在于国君的恩德，而不在于山河的险固。如果国君不施恩德，连这艘船上的人都会成为仇敌。"魏武侯说："不错！"

吴起做西河太守，很有政绩，名声很大。当时，魏国设置了相国，由田文担任。吴起自以为劳苦功高，却没有得到相国的位置，很不高兴。

他找到田文说："我们来比一比谁更有功劳，你看怎么样？"

田文说："可以。"

吴起于是问道："统率三军，使士兵们勇于战死，让敌国不敢暗算我国，在这一点上，您和我相比，谁更厉害？"

田文回答道："我不如您。"

吴起又问："管理百官，亲服百姓，充实仓库，您和我相比，谁更有办法？"

田文答道："我不如您。"

吴起再问："镇守西河，让秦国军队不敢侵扰我们，让韩国和赵国也顺服听从我国，在这一点上，您和我相比，谁更有能力？"

田文说："我还是不如您。"

吴起说："这三条，您都在我下面，可是职位却排在我上面，这是为什么？"

田文回答说："国君年少，国内人心惶惶，大臣无所适从，百姓无法安心。在这样一种情况下，是应该把国家托付给您呢，还是托付给我？"

吴起沉默了很久，最后说："还是托付给您好了。"

田文于是说："这就是我职位排在您上面的原因。"这时吴起才知道自己确实不如田文。

田文死后，公叔做相国，娶了魏公主为妻。公叔害怕吴起，想把吴起赶走，他的仆人说："赶走吴起也很容易！"公叔问道："你说怎么办？"他的仆人说："吴起为人清高，喜欢名声。您可以向魏武侯进言说：'吴起是个贤明的人，但君侯的国家小，又与强大的秦国接壤，我担心吴起不可能一直留在魏国，他肯定会有自己的打算。'魏武侯如果问：'怎么办？'那您就趁机对魏武侯说：'可以试着把魏公主重新许配给他，吴起要是有久留的心意，就肯定会接受她；如果没有久留的心意，那就一定会推辞。可以用这个办法试探他。'然后，您可以找个机会，邀请吴起跟您一起回家，让公主生气而对您表示蔑视。吴起见公主连您都敢蔑视，就肯定会推辞。"果然，吴起见到公主蔑视魏国的相国，就谢绝了魏武侯。魏武侯于是怀疑吴起对魏国的诚意，不再信任他了。吴起遭到怀疑，害怕获罪，就离开了魏国，立即前往楚国。

楚悼王一向听说吴起非常贤明，所以吴起一到楚国，就任命他为相国。吴起上任之后，大刀阔斧地进行改革。他明确了各种法规，审定了各种命令，裁减无关紧要的官员，废除了贵族的一些特权。更重要的是，他提高了军费，安定了军人的思想，大大加强了楚国的军队。军队加强之后，楚国开始四面出击，向南平定了百越，向北兼并了陈国和蔡国，击退了三晋，向西讨伐秦国。

楚国的强盛，让各位诸侯非常忧虑。而吴起的出众政绩，也让楚国的贵族心里嫉妒，于是都想谋害吴起。楚悼王去世之后，楚国宗室大臣马上发动内乱，群起攻击吴起。吴起跑到楚悼王尸体那里，伏在上面，痛哭流涕。追杀吴起的那伙人趁机射杀吴起，同时也射中了楚悼王的尸体。

不久之后，太子登位，命令令尹把射杀吴起并射中了楚悼王尸体的人全部处死。因为射杀吴起而被灭族的共有七十多家。

相关链接

〔1〕吴起：？-公元前381年，卫国左氏（今山东定陶西）人，善于用兵，曾事鲁、魏、楚各国，主张"明法""强兵"，后为楚国贵族所杀，有《吴子》传世，但为后人伪托之书。

〔2〕伊阙山：山名，在今洛阳城南十三公里处，又名龙门，因香山、龙门山两山东西对峙，如若天然门阙，而伊水又自南向北经流其间，故名。

父兄之仇

费无忌搞臭了太子，开始陷害伍奢。他对楚平王说："伍奢有两个儿子，都很精明强干，如果不杀了他们，肯定会成为楚国的祸害。我们可以用他们的父亲作为人质，把他们都叫来，然后斩草除根。"

伍子胥是楚国人，名叫员。伍员的父亲叫伍奢，哥哥叫伍尚。他们的祖先叫作伍举，在楚庄王的时代因为直言进谏而很有声望，所以他的后代在楚国也很有名气。

楚平王有个太子，叫作建，楚平王派伍奢做太子太傅，派费无忌做太子少傅。费无忌对太子建不忠诚，只想讨好楚平王。有一次，楚平王派费无忌到秦国去，让他为太子迎娶秦国公主。秦国公主非常漂亮，费无忌见后，马上飞驰回国，报告楚平王说："秦国公主貌若天仙，大王您可以自己娶她，再另外给太子找一个。"楚平王动了心，就自己娶了那个秦国女子，而且非常宠爱她，生了个儿子叫轸。太子则另外找了一个。

费无忌凭这个秦国美女讨好了楚平王，得到了平王的欢心，于是就离开太子建，转而侍奉平王。但他又担心楚平王去世之后，太子继位了会杀害自己，所以就在平王面前诋毁太子建。平王听信谗言，越来越不喜欢太子。太子建的母亲是蔡国女子，不受楚平王宠爱，因此平王也越来越疏远太子建。后来，平王干脆把太子建派到边关守卫城父[1]，以防备边境兵乱。

可是，费无忌还嫌不够，整天在楚平王面前说太子建的坏话，他说："太子因为那个秦国美女的缘故，不可能没有怨恨，希望大王多加防备。自从太子驻守城父以来，越来越熟悉领兵打仗，另外，他还对外交结诸侯，建立声势。恐怕在不久的将来，他肯定会回来作乱！"

楚平王听后很担心，就召见太子建的太傅伍奢来审问。伍奢知道费无忌在楚平王面前诋毁太子，就趁机说："小人善于搬弄是非，最爱讲坏话害人，大王您难道看不出来？大王可千万不要因为这个而疏远自己的亲骨肉啊！"可是费无忌对平王说："太子正在谋反，大王如果不制止，他的阴谋就要得逞了，到那个时候，大王后悔都来不及了！"

楚平王听信了费无忌，囚禁了伍奢，并派城父司马奋扬去杀掉太子。司马奋扬知道这件事的是非曲直，就提前派人通知太子："太子赶快离开！要不然会被杀害！"太子建于是逃亡到了宋国。

费无忌已经搞臭了太子，又开始陷害伍奢。他对楚平王说："伍奢

有两个儿子，都很精明强干，如果不杀了他们，肯定会成为楚国的祸害。我们可以把他们的父亲作为人质，把他们都叫来，然后斩草除根。如果不这么做，楚国将会后患无穷！"

于是楚平王派人对伍奢说："如果你能把你的两个儿子招来，我就放了你；否则，就是死路一条！你看着办吧！"

伍奢说："伍尚为人仁慈，我叫他，他一定会来。伍员为人刚毅坚强，能忍辱负重，是个做大事的人，他如果知道来了就会被捕，那肯定不会来。"

楚平王派人去召见伍奢的两个儿子，对他们说："如果你们来，我就让你们的父亲活命；如果不来，我今天就杀死他。"

伍尚打算前往都城，伍员劝阻哥哥说："楚王召见我们兄弟，并不是真的要放我们的父亲，而是担心有人逃脱，留下祸根。他用父亲做人质，诈骗我们两人，我们两人一到，三个人就会一起处死。我们去见父亲，根本不可能挽救父亲！我们要是去了，只能是白送性命，使我们无法为父报仇！倒不如逃到别的国家，借助外力来为父亲雪耻。白白地一起送死，是无谓的牺牲。"

伍尚说："我也知道，即使我们去了，还是不能保全父亲的性命。但是父亲叫我们去，如果我们不去，而且以后又不能雪耻，那就只能被天下人耻笑而已。"接着，他又对伍员说："这样吧，你马上离开，寻找机会为父亲报仇！我去见父亲，如果你日后能为我们报仇，我们死而无憾！"伍尚于是走出去，被使者拘捕起来。使者又要拘捕伍员，伍员拉弓搭箭对着使者，使者不敢上前，伍员就逃跑了。

伍员听说太子建在宋国，就前往宋国跟随太子建。伍奢得知伍员逃跑的消息，感叹说："唉，楚国君臣以后就要苦于战争了！"不久，伍尚到了楚都，楚王就把他和伍奢一起杀害了。

相关链接

〔1〕城父：古地名，在今安徽亳县东南，原为陈国所有。

377

鞭尸楚平王

　　伍子胥终于带领吴国军队打进了楚国国都。伍子胥到处寻找楚昭王，可是楚昭王已经逃跑。伍子胥就挖开了楚平王的坟墓，弄出他的尸体，鞭打三百下，然后才算完。

　　伍子胥到了宋国之后，正碰上宋国发生叛乱，无法安身，于是就跟太子建一起逃到了郑国。郑国人对他们非常友好，他们就住了下来。

　　不久之后，太子建到晋国去办事，晋顷公对太子建说："你受到郑国人的礼遇，说明郑国人信任太子。我现在想攻打郑国，如果太子能够做我的内应，我们肯定能灭掉郑国。灭掉郑国之后，我肯定把它封给太子。"太子于是返回郑国，开始阴谋接应晋国。

　　事情还没准备妥当，正碰上太子建因为私事要杀死他的随从，随从知道他的阴谋，就向郑国告密。郑定公和子产一气之下，杀掉了太子建。伍子胥害怕被株连，就带着太子建的儿子胜一起逃往吴国。跑到昭关 [1] 时，守关的官兵发现了他们，穷追不舍，他们两人就分头逃跑，差一点都被抓住。

　　在这个紧要关头，伍子胥来到了江边，江上有个渔翁驾着船送伍子胥过江。过江之后，伍子胥解下身上的佩剑说："我现在没有什么可以答谢您，这把剑价值百金，希望您老人家能收下。"渔翁很不高兴："楚国悬赏捉拿你，捉到你的，奖赏五万石谷子，还封给执圭的官爵，这只值百金的剑算得了什么？"渔翁坚持不肯接受。

　　伍子胥于是上了岸，只身逃亡。还没到达吴国，就生病了，只好停留在半路上，讨饭为生。到了吴国之后，吴王僚刚刚掌权，公子光做将军。伍子胥就通过公子光求见吴王。吴王和伍子胥谈得来，伍子胥就留在了吴国。

　　楚国的边城钟离和吴国的边城卑梁氏紧挨着，两个城市都养蚕，两地女子为了争夺桑叶而互相斗殴，没完没了。楚平王很生气，就派兵攻打吴国边城卑梁氏，吴国吃了亏，也发兵攻打楚国。吴国派出去的是公子光，公子光占领了楚国的钟离和居巢，然后回师向吴王报告。

　　伍子胥趁机劝说吴王："楚国可以攻破，现在就是个机会。希望再派公子光去攻打。"公子光知道了，就对吴王说："伍子胥的父兄都被楚国杀了，所以他才劝大王攻打楚国，这是想公报私仇。现在楚国还很强大，吴

国没有把握打败它。所以不要轻易出兵。"于是吴王打消了攻打楚国的念头。

伍子胥知道公子光对内有野心，想谋杀吴王、取而代之，根本就不想在外攻城略地，只想在宫廷里搞阴谋，于是就向公子光推荐了专诸，让他帮助公子光搞阴谋。之后，伍子胥就假装隐退，跟太子建的儿子胜一起到乡下去耕田。

过了五年，楚平王死了。当初，楚平王曾经夺取了太子建的秦国美女，秦女生了个儿子名叫轸，现在楚平王死了，轸继位为王，这就是楚昭王。吴王趁楚国办丧事的时机，派自己的两个弟弟率领军队袭击楚国。楚国出兵迎战，断绝了吴国军队的后路，使它无法后退，困在了那里。

吴国内部空虚，公子光命令专诸暗杀了吴王，然后马上自立为王，这就是吴王阖闾。阖闾继位以后，感谢伍子胥的帮助，就召见他来做掌管外交事务的行人，并同他商量国家大事。

这个时候，楚国内乱，大臣郤宛和伯州犁被杀。伯州犁的孙子伯嚭逃亡到了吴国，吴国接受了他，还任用他为大夫。而从前吴王派出的两个弟弟，攻打楚国进不能进、退不能退，困守在那里，后来听说阖闾杀了吴王自立为王，就率军投降了楚国，楚国把他们封在了舒地。

阖闾登位三年，就与伍子胥、伯嚭率兵攻打楚国，占领了舒地，俘虏了原来吴国的那两个反叛将军。阖闾想趁势攻打楚都，灭掉楚国，将军孙武不同意："现在国内百姓已经疲惫不堪了，不能再动用武力、劳民伤财。等两年再说吧！"

六年之后，吴王阖闾对伍子胥和孙武说："当初，孙将军说楚都不能打，打也打不进去，现在怎么样？"两个人回答说："现在要比当初合适得多，但是还得智取，不能硬攻。楚国将领囊瓦贪财，曾经借攻打唐国和蔡国的机会，搜刮民脂民膏，因此唐蔡两国都非常怨恨他。大王如果要大举进攻楚国的话，应该先争取唐国和蔡国的配合，这样才有把握。"

阖闾听从了两位大臣的建议，出动了吴国几乎全部的军队，并且联合唐国和蔡国，一起去攻打楚国，跟楚军在汉水两岸摆开阵势。吴王阖闾的弟弟夫概带着部队，要求跟随吴王出征，吴王不答应，夫概就私自带领自己的五千人，去攻击楚将囊瓦。囊瓦兵败逃跑，投奔郑国。于是吴军乘胜前进，一连打了五次胜仗，很快就打到了楚都。楚昭王仓皇逃窜，吴王进入了楚都。

楚昭王外逃，在云梦遇到了强盗，遭到强盗的猛烈袭击，楚昭王和手下被打得落花流水，于是逃到了郧国。郧公的弟弟说："想当初，楚平王杀了我父亲，现在他儿子落到我手里了。杀掉他，这是天经地义！"于是就准备动手。可是郧公不想杀死楚昭王，就带着楚昭王一起逃奔到了随地。

吴国军队听说楚昭王在随地，就来围攻，随地人害怕了，想杀掉楚昭王来解围。这时候，楚昭王的哥哥把楚昭王藏了起来，自己站出来，冒充楚昭王来对付他们。随地人经过占卜，认为把楚昭王送给吴国不吉利，就谢绝了吴国，没有交出楚昭王。

当初，伍子胥在楚国的时候，跟申包胥[2] 是知交。伍子胥逃跑时，曾对申包胥说："我一定要打回

○ 品画鉴宝

鹿纹瓦当（战国）

此瓦当圆形，有界。瓦当中饰一奔驰的巨鹿。

来，灭掉楚国，报我的深仇大恨！"申包胥说："我是楚国的大臣，我肯定会保卫楚国！"

这么多年过去了，伍子胥终于实现了自己的诺言，带领吴国军队打进了楚国国都。进入楚都之后，伍子胥到处寻找楚昭王，可是楚昭王已经逃跑，找不到了。伍子胥的愤恨之情无处发泄，就挖开了楚平王的坟墓，拖出他的尸体，鞭打了三百下，才算出了这口恶气。

这时候，申包胥已经逃到了深山里，他听说了伍子胥鞭尸的事情，就派人对伍子胥说："你这样报仇雪恨，不嫌太过分了吗？你原本也是平王的臣子，曾经面北待奉过平王，如今却弄到侮辱已死之人的地步，这难道不是没有天理到极点了吗？"

伍子胥回答："他曾经让我走投无路，把我逼到日暮途穷的境地，现在我终于有了报复的机会，我不可能不违背天道，不可能不倒行逆施。"

申包胥听了伍子胥的答复，急忙跑到秦国，向秦国求救，可是秦国无动于衷，就是不答应出兵援救。申包胥无可奈何，只好站在秦国的朝廷上，日夜哭泣，整整哭了七天七夜。秦哀公被感动了："唉！楚国虽然无道，但有这样的臣子，怎么能坐视不救呢！"于是，秦国派出了五百辆战车去救援楚国，攻击吴国。六月，秦军在稷地打败了吴国军队。

当时，吴王阖闾一直留在楚国，到处搜索楚昭王，吴王的弟弟夫概趁机偷偷回国，自立为吴王。阖闾听到这个消息，马上离开楚国，回国去攻打他的弟弟夫概。夫概战败逃亡，投奔了楚国。这时候，正躲藏在随地的楚昭王看到吴国发生内乱，就逃回了楚都。在楚都，昭王召见了夫概，封他为堂溪氏。紧接着，楚国进攻吴军，吴军战败，吴王这才返回都城。

过了两年，阖闾派太子夫差带兵攻打楚国，占领了番地。楚国害怕吴国再次大举进攻，就离开了郢都，把都城迁到了鄀邑。当时的吴国，由于重用伍子胥和孙武，国富民强，在西边攻破了强大的楚国，在北边威迫着齐国和晋国，在南边则征服了越国。

相关链接

〔1〕昭关：在今安徽省含山县北，春秋时为吴楚界地。

〔2〕申包胥：生卒年代不可考，申氏，名包胥（一作勃苏），春秋时期楚国贵族，楚君蚡冒后代，故又称王孙包胥，曾与伍子胥是好友。

小人不可得罪

吴国太宰伯嚭一向忌恨伍子胥，找到机会就在吴王面前谗毁伍子胥。吴王说："就是你不说，我也早就怀疑他了。"说完，吴王马上派人赐给伍子胥一把宝剑，让他自杀。伍子胥仰天长叹说："唉！搬弄是非的小人作乱，可是大王竟反而杀我。"临死之前，伍子胥告诉自己的门客说："等我死后，别忘了在我的坟上种植梓树，它长大以后，可以用作棺材，来装殓吴王的尸体；别忘了挖掉我的眼睛，把它们悬挂在吴都的东门上，让我看到越寇入侵，让我看到吴国的灭亡。"说完就自刎而死。

五年之后，吴国进攻越国。越王勾践亲自率军迎战，在姑苏[1]打败了吴军，还刺伤了吴王阖闾的脚趾。阖闾受伤感染而病倒，临死的时候，对太子夫差说："你会忘记是勾践杀了你父亲吗？"夫差说："不敢忘记！"当天晚上，阖闾就死了。

太子夫差继位为吴王，任用伯嚭做太宰，负责训练军队。两年以后，吴国起兵讨伐越国，在夫椒大败越军。越王勾践带领残兵五千人逃跑，驻扎在会稽山上，然后派大夫文种用厚礼贿赂吴国太宰伯嚭，请求议和，表示越国愿意臣服于吴国，归吴国统治。吴王准备答应越国的请求。伍子胥劝谏吴王说："越王的为人，能够忍辱负重，也能含辛茹苦。如果大王现在不消灭他，将来一定会后悔。"吴王不听，而是采用了太宰伯嚭的意见，跟越国议和。

又是五年过去了，齐景公去世，大臣争宠，新君年幼，齐国国内一片混乱。吴王夫差听说了，就发动部队，准备北上攻打齐国。

伍子胥劝谏说："现在越王勾践正在蓄积力量，吃饭从不超过两道荤菜，吃过粗茶淡饭之后，就去笼络人心，悼念死者，慰问病人，偷偷加强军事，打算有所作为。这个人不死，是吴国最大的隐患。越国的存在，就是吴国最可怕的心病。但是大王不先去对付越国，却要去攻打齐国，这实在是舍本逐末啊！"吴王不听，照样攻打齐国，在艾陵[2]大败齐军。打了胜仗，吴王更加骄傲，更是不愿听从伍子胥的计谋了。

四年之后，吴王再次准备北上攻打齐国。越王勾践采用了子贡的建议，率领自己的部下来帮助吴王攻打齐国，博取吴王的欢心；同时，还花大本钱继续贿赂太宰伯嚭。

太宰伯嚭多次接受越王的贿赂，就日日夜夜为越王说好话。吴王听信伯嚭，越来越不把越王看作对自己的威胁。伍子胥看到这种情况，很

担心吴国的安危，就劝谏吴王说："越国可是吴国最大的隐患啊！千万不能掉以轻心！而齐国对我们吴国并没有什么威胁，为什么非要打它不可呢？希望大王权衡利弊，不要去攻打齐国，当务之急是要先打越国。如果不这样，以后可能要追悔莫及啊！"

然而吴王坚持己见，对伍子胥的意见置若罔闻，还嫌他烦心，于是支使他出使齐国。伍子胥出使完毕，将要离开齐国回国的时候，对自己的儿子说："我屡次劝谏吴王，但吴王从不接受我的意见。吴国离灭亡不远了。你不要再回吴国了，否则会很危险。"于是，他把儿子托付给了齐国的鲍牧，然后自己回国去向吴王汇报工作。

吴国太宰伯嚭一向讨厌伍子胥，就趁这个机会在吴王面前谗毁伍子胥："伍子胥的为人，刚强暴烈，寡恩少德，心胸狭窄，而且待人狠毒，他要是怨恨谁，那可了不得，肯定会酿成大祸！前几年，大王想要攻打齐国，伍子胥认为不行，结果呢，大王打了大胜仗。伍子胥对这件事耿耿于怀，觉得丢了自己的脸面，于是就对您产生了怨恨。现在大王又要再次攻打齐国，伍子胥还是像上次一样，总是打击您，想挫伤我们的军事行动，一心希望吴国失败，这样才能显示他的看法高明。如今大王亲自率军出征，用尽全国兵力去攻打齐国，但伍子胥却装病不出征。这件事较为蹊跷，大王不得不防。我已经派人暗中侦察过他，他出使齐国的时候，竟把自己的儿子托付给了齐国的鲍牧。作为人臣，在国内不得志，

就在国外倚靠别人，这可是叛国啊！况且，他一直以前朝元老自居，如今不被重用，心里非常不满，所以早就有想法。这很危险，希望大王趁早考虑一下这件事。"

吴王说："就是你不说，我也早就怀疑他了。"说完，吴王马上派人赐给伍子胥一把宝剑，让他自杀。伍子胥仰天长叹说："唉！搬弄是非的小人作乱，可是大王反而要杀我。当初，是我辅佐你父亲称霸；在你还没当政的时候，各位公子争夺王位，是我冒死在先王面前为你争取，如果不是我，你根本就不可能得到王位。你继承王位以后，想把吴国分一部分给我，我忠心为国，自然予以推辞。可是现在，你却听信谄媚小臣的话，来杀害长辈！"

临死之前，伍子胥告诉自己的门客说："等我死后，别忘了在我的坟上种植梓树[3]，它长大以后，可以用作棺材，来装殓吴王的尸体；别忘了挖掉我的眼睛，把它们悬挂在吴都的东门上，让我看到越寇入侵，让我看到吴国的灭亡。"说完就自刎而死。

吴王听了伍子胥临死前的话，非常愤怒，就把伍子胥的尸体装进皮革袋子里，让它在江里漂浮。吴国人可怜他的结局，专门为他在长江边上建造了祠堂，并把这个地方命名为胥山。

相关链接

〔1〕姑苏：旧地名，即今江苏苏州。

〔2〕艾陵：在今山东莱芜东北。

〔3〕梓树：又叫黄金树，紫葳科落叶乔木，分布于我国东北南部至长江流域，生长速度较快，多栽培为道旁树或遮阴树。

伍子胥死后不久，越王勾践羽翼已经成熟，几年以后，越王勾践重兵出击，一举消灭了吴国。吴王夫差被杀，太宰伯嚭也没有活命。

伍子胥死后不久，吴国就去攻打齐国。齐国的鲍氏趁乱杀掉了齐悼公，拥立阳生为君。吴王于是就以讨伐齐国乱臣的名义出战，但是没有获胜，不久就离开了。几年后，越王勾践羽翼已经成熟，于是开始进攻吴国，杀掉了吴国的太子，击败了吴国的军队。吴王当时在国外，听到这个消息，就急忙赶回国内，派人用重礼跟越国议和。越王考虑到尚无实力灭掉吴国，就同意议和。

九年以后，越王勾践重兵出击，一举消灭了吴国。吴王夫差被杀，太宰伯嚭也没有活命，因为他对吴国国君不忠，接受越国的贿赂，里通外国，违背了为臣之道。

当初，楚国太子建的儿子胜，曾跟随伍子胥一道出逃，后来到了吴国。吴王夫差还在世的时候，楚惠王想要把胜接回楚国，叶公[1]劝谏楚惠王说："胜喜欢打仗，现在正暗中建立自己的敢死队，这个人野心太大，不要接他来！"楚惠王不听，召回了胜，让他住在楚国的边城鄢邑，号称白公。白公胜回到楚国三年之后，吴国诛杀了伍子胥。

白公胜回到楚国之后，念念不忘郑国杀了他的父亲，就暗中招纳不怕死的人，建立自己的敢死队，准备报复郑国。五年之后，白公胜请求攻打郑国，楚国的令尹子西答应了他。楚军还没出发，晋国却先出兵攻打郑国，郑国向楚国求援。楚派令尹子西前往救援，子西跟郑国订立了盟约，就回国了。

白公胜很愤怒："我现在不憎恨郑国了，我现在只憎恨子西。"白公胜还怒气冲冲地亲自磨剑，有人

○ 品画鉴宝 龙凤云纹皮盾（战国）

问他："磨它干什么？"白公胜说："我要用它杀死子西。"子西听说了这件事，付之一笑说："白公胜简直像鸡蛋一样脆弱，他哪能做出什么大事！"

四年后，白公胜跟石乞上朝，在朝廷上突然袭击，杀掉了令尹子西和司马子綦。之后，石乞对白公胜说："事已至此，要是不杀掉楚王，我们以后也好不了。"

于是就劫持了楚王。这个时候，叶公听说白公胜作乱，就率领自己封地的人来攻打白公胜。白公胜失败，逃到山里，自杀身亡。叶公俘虏了石乞，审问白公胜的尸体在什么地方，如果不说，就要烹煮他。

石乞说："大事成功了，就做卿相，不成功就被烹煮，这本来就不奇怪。"他始终不肯说出白公胜尸体在哪里。叶公于是就烹杀了石乞，然后找到了楚惠王，楚国重新恢复了正常。

相关链接

〔1〕叶公：生卒年代不可考，名子高，封于叶（今河南叶县一带），故人称"叶公"，为春秋时楚国贵族。世有《叶公好龙》的讽喻故事，或非一人。

○ 品画鉴宝
象首纹禹（西周）此器宽平沿，束颈，三蹄足，底呈弧形。腹上有三扉棱，腹饰象首纹。

商鞅变法

公叔座对魏惠王说："大王如果不任用商鞅，就一定要杀掉他，不要让他走出国境。"

商鞅本姓公孙，也叫公孙鞅；因为是卫国国君的公子，所以也叫卫鞅。

商鞅年轻的时候，就推崇法制，精通刑法，以此来侍奉魏国相国公叔座。公叔座知道他贤能，想把他推荐给魏王，可是还没来得及推荐，公叔座就病倒了。魏惠王亲自前来探病，问道："您如果发生意外，国家怎么办好？"公叔座回答道："我的手下商鞅，年纪虽然轻，却有奇才大略，大王可以把国家大事委托给他。"魏惠王沉默不语，未置可否。

魏惠王探病完毕，准备离开时，公叔座把旁人支开，单独对魏惠王说："大王如果不任用商鞅，就一定要杀掉他，不要让他走出国境。"魏惠王答应之后，就离开了。

魏惠王一走，公叔座马上召见商鞅，抱歉地说："刚才大王问我谁能担任相国，我推荐你，但看大王的脸色，肯定不会同意我的意见。所以，我为魏国考虑，对大王说，如果不任用商鞅，就应该杀掉他。大王答应了我。你现在得赶快离开了，不然肯定会死在这里。"商鞅回答说："大王既然不能听您的话任用我，又怎么可能听您的话杀掉我呢？"于是坚决不离开，一直陪伴着公叔座。

魏惠王离开之后，对左右随从说："公叔座的病很严重，真是让人伤心。他竟然建议我把国事委托给商鞅，这实在是太荒谬了！"

不久，公叔座去世。商鞅在魏国成了孤家寡人。正好在这个时候，秦孝公在全天下物色贤人，准备重振秦穆公的霸业。商鞅听说之后，就来到秦国，通过秦孝公的宠臣景监去求见秦孝公。

秦孝公接见商鞅，交谈了很久。但是在交谈的过程中，秦孝公越来越没兴趣，总是打瞌睡。商鞅走了以后，秦孝公很生气地批评景监："您的客人只不过是个狂妄之徒罢了，哪里值得任用呢？"景监受到批评，就去责备商鞅，商鞅说："我用五帝之道劝说秦孝公，但他的志向不在于此，因而无法接受。"

五天后，景监再次请求秦孝公召见商鞅。商鞅又进见秦孝公，谈得更多，可还是不能打动秦孝公。交谈结束以后，秦孝公又责备景监，景监也责备商鞅。商鞅说："我这次是用三王之道开导他，但仍未被采纳。请他再给我一次机会。"

不久，商鞅再次进见秦孝公，秦孝公认为他说得很好，但还是没有采纳。交谈结束以后，秦孝公对景监说："你的客人还不错，值得好好聊聊。"景监转告了商鞅，商鞅说："我这一次是用五霸之道劝说秦孝公，看他的样子，很感兴趣，好像是愿意采纳。如果他再召见我，我就知道该说什么了。"

商鞅又去进见秦孝公。秦孝公跟他越谈越投机，不知不觉中都把膝盖挪到座席前头了。两人一连交谈了几天，却不觉得厌倦。景监很奇怪，问商鞅："你是凭什么迎合了国君的心意？他现在特别高兴啊！"商鞅说："刚开始，我用五帝、三王之道说服他，劝他向三代帝王学习，但是他说：'学习他们太费时了，我等不起。每个国君都想趁自己在位的时候就扬名天下，怎么能默默无闻地等待几十乃至上百年呢？'了解了他这种心态之后，我就告诉他怎样才能尽快使国家富强起来，他对这些特别感兴趣。"

商鞅得到任用之后，想立刻变革法度，但秦孝公担心天下人议论自己，所以犹豫不决。

商鞅劝说秦孝公："行动犹豫不决，就无法成名；事业摇摆不定，就不会成功。况且，比一般人高明，就会受到世人的非难，这是无法避免的。愚蠢的人，即使面对既成事实，还是不能明白，可是，聪明的人却能在事先看到未来。老百姓大多愚钝，用不着在事前跟他们讨论，只能在事成之后跟他们一起享乐。德行高尚的人不会刻意迎合习俗，成就大业的人也不会跟众人商量。因此说，只要能够使国家富强，就用不着拘泥于旧的法规；只要能够有利于人民，就不必遵循旧的礼制。"秦孝公被商鞅说服了，准备让商鞅放手改革。

○ 品画鉴宝
弧面旋纹案（战国）此案面呈
弧形，两头较宽，中段稍窄，造
型凝练大方。

可是，大臣甘龙不同意商鞅的看法："商鞅说得不对。圣人用不着改易民俗，也可以教化人民，聪明人用不着变更法规，也可以治理好国家。因循原先的民俗来教化民众，不用费力就能成功；沿袭成法来治理国家，官吏容易习惯，百姓也容易相安无事。"

　　商鞅答辩说："甘龙所说的，是低层次的道理。一般人都习惯于旧的风俗，学者们也往往拘泥于自己的见闻。这两种人，做官守法是可以的，但是无法跟他们谈论常法以外的事情。三代礼制不同，却都能成就王业；五霸法度不同，却都能成就霸业。这就说明大业要有创新精神才行。聪明的人制定新的法度，愚蠢的人被旧的法度所制约；贤能的人更改礼制，平庸的人受礼制所束缚。"

　　大臣杜挚反对商鞅的看法："还是旧的礼制好。如果没有百倍的利益，就不要变革法度；要是没有十倍的功用，就不应该改换器物。效法古制，可以不犯错误；遵循旧礼，可以避免偏差。"

　　商鞅说："治理天下，办法可不止一种。要是想使国家有大的发展，就不能效法古制。古代已经有了先例，商汤和周武王不效法古制，最后都能成就了王业，而夏桀和殷纣王因循守旧，最终自取灭亡。事实证明，应该改革。"

　　秦孝公对各位大臣的看法权衡一番之后，还是决定听从商鞅的建议。于是，商鞅被任命为左庶长，开始变革国家的法度。

　　商鞅的新法清晰而且严厉。全国百姓每十家成为"什"，每五家成为"伍"，一家有罪，其余九家都要检举，否则十家连坐。不告发坏人的，要处以腰斩[1]，告发坏人的，跟斩了敌人的首级一样受赏，而窝藏坏人的，跟卖国投敌一样被罚。百姓里面，如果一家有两个以上的男丁，要加倍收取他们的赋税。在军队立功的，按功劳大小受封爵禄；因为私事斗殴的，按情节轻重处罚。百姓要努力从事农业生产，如果耕田织布获得丰产，可以免除本人的徭役或赋税。从事工商业的，还有因为懒惰而贫困的，都要抓到官府里做奴婢。王朝宗室里面，如果没有立下什么军功，那就不能列入贵族名册。另外，明确规定爵位和食禄的等级，每个人只能按照等级占有土地、房屋，家臣、侍妾等等。

　　新法制定之后，并没有马上公布。商鞅担心老百姓不相信，于是就在国都市场的南门树立了一根三丈长的木头，然后对百姓说，如果谁能把它搬到北门，就赏他十金。百姓对这件事感到很奇怪，没有人敢去搬它。商鞅于是再次对百姓宣布："谁要是搬走它，赏他五十金！"

　　终于，有一个人斗胆搬走了这根木头，他果然得到了五十金。百姓听说此事之后，知道商鞅的确是言出必行、说话算话。商鞅就是用这种办法来向百姓表明，秦朝的法律决不欺骗百姓。不久之后，终于公布了新法。

　　新法在民间实行的第一年，到国都来控诉新法的人数以千计。正当这个时候，太子触犯了新法。商鞅说："新法之所以无法真正得到推行，无法发挥它的作用，是由于上层人物总是触犯它。"于是就准备依法惩办太子。可是太子是国君的继承人，不能受刑，只好将他的太傅公子虔处以刑罚，他的太师公孙贾也被处以黥刑[2]。

　　上层受罚，百姓感到公平，就不再说新法的坏话。不久之后，秦国的所有人都能遵守新法。新法实施十年之后，秦国民众受益匪浅，全国上下安定团结，形势一片大好，路不拾遗，夜不闭户，家家富裕，丰衣足食。百姓服从大局，不敢为个人私利而争斗，连偏僻的乡村都非常安定。那些当初控诉新法的人，现在都交口称赞新法的好处，可是商鞅并不感激这些人，而是对国君说："这些人，都是扰乱教化的人。"于是把他们迁移到边远城邑，让他们抵御蛮夷。从此以后，百姓再也不敢议论新法。

　　几年后，秦国在咸阳修筑宫殿，然后把国都从雍地迁到了咸阳。之后，把全国各地的小乡小邑和村落合并为县，设置县令、县丞，一共有三十一个县。开荒种田，使百姓耕地平均，从而平衡了赋税。另外，还统一了度量衡[3]制度。

　　新法实行四年之后，公子虔又犯了法，被处以割鼻子的刑罚。新法再次让百姓心服口服。

　　又过了几年，秦国已经非常富强，天子把祭神的肉赐给秦孝公，诸侯都来庆贺。秦国在诸侯之中开始占有与众不同的地位。

相关链接

〔1〕腰斩：即将罪犯的身体从腰部截断，为古代最为残酷的刑罚之一。
〔2〕黥刑：又叫墨刑，就是在犯人的脸上刺字，然后涂上墨汁，伤口愈合后墨汁就会侵到皮肤里面，很难清除掉。
〔3〕度量衡：古代对计量长短、容量、轻重的标准的统称。度，即度量长短；量，即计量容积；衡，即衡量轻重。

六国合纵成功。苏秦做了合纵联盟的盟长，同时挂六国相印。

苏秦是东周洛阳人，曾经在齐国师从鬼谷先生。

苏秦在外游说[1]多年，一无所获，穷困潦倒，不得不回家休整。兄弟、嫂子、姐妹、妻妾都暗地里嘲笑他，还挖苦说："正常人都知道，农耕和工商是财富之道，可是你连最基本的东西都没有抓住，却去卖弄口舌，怎么可能不穷困潦倒呢？你是活该啊！"

听到这些话，苏秦很惭愧，暗自伤心，就关起门来读书。读了一段时间之后，他感到很茫然，自言自语道："这些书空疏无用，即使烂熟于心，也不可能带来荣华富贵。这样的书，读得再多，又有什么用呢？到底有没有实用一点的书呢？"后来，他终于找到了周书《阴符》[2]，非常喜欢，就伏案研读。一年后，他终于从中读出了治国之道，于是就走出书房，重新开始游说诸侯各国。他先去求见周显王，周显王的手下都见识过苏秦，根本就不相信他那一套，所以，苏秦连周显王的面都没见到。

苏秦于是西行，到了秦国。当时，秦孝公刚刚去世，苏秦便游说秦惠王道："秦国四面都有天险，东面有函谷关和黄河，西面有汉中，南面有巴郡和蜀郡，北面有代郡和马邑，这可是天然的宝地啊！而且，秦国人口众多，兵员充足，军事教育也很普及，以秦国的强大，足以吞并天下，建立万世帝王的基业！"秦惠王不以为然地说："鸟的羽毛如果还不够丰满，就不可以高飞；国家的政治经济如果还不够强大，就不要妄想兼并天下！"其时惠王刚诛杀了商鞅，对辩士仍有嫌恶之心，所以不可能采用苏秦那一套。苏秦自讨没趣，只好离开了秦国。

苏秦又往东到了赵国。当时，赵肃侯任用他的弟弟公子成做相国，号称奉阳君。奉阳君不喜欢苏秦，苏秦只好离开赵国。

之后，苏秦去了燕国。苏秦在燕国逗留了一年多，才得到燕文侯的召见。他对燕文侯说："燕国东有朝鲜、辽东，北有林胡、楼烦，西有云中、九原，南有嘑沱、易水，国土纵横两千多里，士兵几十万，战车六百辆，战马六千匹，粮食足够维持好几年。而且，燕国物产丰富，百姓即使不耕种田地，光是枣子和栗子方面的收入，就足以丰衣足食了。这就是人们所说的天然府库啊！当今燕国百姓安居乐业，国家太平无事，没有任何一个国家能比得上燕国。这是为什么呢？这是因为，赵国

紧挨着燕国的南部边境，成了燕国的屏障。秦国和赵国五次交战，秦国两次获胜，赵国三次获胜，秦赵双方都伤得不轻，而燕国却平安无事。即使秦国想攻打燕国，也要越过云中、九原，经过代郡和上谷，要走几千里路，即使得到燕都，秦国也根本无法镇守。秦国自己很清楚这一点，所以不敢加害燕国。可是，如果赵国要攻打燕国的话，那可就是两码事了。赵国只要号令一出，不到十天，就会有几十万军队进驻燕国东部，再过四五天，就可以抵达燕国的首都。秦国要是攻打燕国，得在千里之外作战，而赵国要是攻打燕国，只须在百里之内作战就可以了。燕国要是不担心百里之内的隐患，却重视千里之外的敌人，那就太失策了。希望大王能跟赵国合纵[3]，那么燕国肯定可以解除后顾之忧。"

燕文侯说："您说的好倒是好，不过，我们国家实在太弱小，西面是强大的赵国，南面接近齐国，齐、赵都是强国，我不敢轻举妄动。您如果真的能通过合纵来保护燕国，那我可以任你为相国，去办这件事。"

于是，燕文侯给苏秦配备了车马和金银布帛，让他出使赵国。当时，赵国的相国奉阳君已经死了，苏秦就趁机劝说赵肃侯：

"一个国家要强盛，就必须安定人民；而能否安定人民，关键就在于邦交。邦交得当，人民就安定；邦交不得当，人民就不可能安定。那么，赵国应该怎样处理邦交问题呢？第一，如果与齐、秦两国为敌，那么赵国人民无法安定；第二，如果倚仗秦国去攻打齐国，那么赵国人民也无法安定；第三，如果倚仗齐国去攻打秦国，那么赵国人民还是不能安定。所以，这三条道路都不可取。

"邦交问题的确难办。如果大王支持秦国，那么秦国就肯定会去削弱韩国和魏国；如果大王支持齐国，那么齐国也肯定会去削弱楚国和魏国。魏国一被削弱，就会割让黄河以南的土地，韩国一被削弱，就会奉献宜阳。宜阳一献出去，赵国的上郡就危险了；河南一割让，那么赵国就没有了出口；楚国一削弱，那么赵国就没有了外援。这三条道路，也都不可取。

"当前，在关东一带的国家中，再也没有比赵国更强大的了。赵国领土纵横两千多里，军队几十万人，战车千辆，战马万匹，粮食可以维持好几年。可以说，天下各国之中，最让秦国害怕的，没有哪一个比得上赵国。但是，秦国就是不出兵攻打赵国，为什么呢？是因为害怕韩国和魏国在后面暗算它。所以说，韩、魏两国其实是赵国南方的屏障。而韩、魏两国作为秦国的邻居，就没有这么幸运，秦国要是想进攻它们，很快就可以打到它们的国都。如果韩国和魏国真的遭到秦国的入侵，肯定就无法抵挡，肯定会向秦国俯首称臣。而这样一来，赵国就失去了屏障，那么秦国肯定很快就会来攻打赵国。这是赵国最大的隐患。

"怎样解决这些问题呢？

"我根据天下的地图，对各国做过估算。诸侯国的土地加在一起，是秦国的五倍，而诸侯国的士兵加在一起，是秦国的十倍。所以，只要六国团结一致，合力攻打秦国，那么秦国肯定会被灭亡。而一旦秦国灭亡，那么赵国和其他国家都去除了一个最大的隐患，对国家、对人民，都是难得的好事。可是，您现在却服从秦国，对秦国称臣。这又是何必呢？本来有打败别人的机会，却不去争取；本来有统治别人的机会，却安心地被别人统治，这是何必呢？

"贤明的君主，要善于决断，摒弃谗言，广开门路。我为大王和赵国考虑，您与其臣服于秦国，不如统一韩、魏、齐、楚、燕、赵六国，一起反对秦国。您可以号召天下将相，互相交换人质，订立盟誓，规定具体的合作方式，以便应付各种可能的情况。诸侯国中要是有不遵守盟约的，就用五国的军队共同讨伐它。如果六国真能合纵友好，一起对抗秦国，那么秦军一定不敢越过函谷关，也就无法危害关东各国了。这样一来，赵王您作为六国合纵事业的首脑，就可以成就霸主的事业了！"

赵肃侯听了苏秦的话很动心，说道："我年纪轻，登位日子短，至今尚未听到像您这样深刻的见解。如果您真的有心保全天下，安定诸侯，我愿意任命你为相国，委托你去办这件大事。"随后，赵肃侯专门拿出纹车一百辆、黄金一千镒、白璧一百双、锦绣一千匹，让苏秦带着这些东西，去游说各国诸侯。

苏秦离开赵国，马上去韩国游说韩宣王：

"韩国北有天险，西有要塞，东有大河，南有高山，土地纵横九百多里，军队有几十万人。而且，全天下最强劲有力的弓箭都出产于韩国。韩国的士兵善于征战，张弓就能连发百箭，不用歇息，射得远的，能穿身而过，近的也足以致人死地。韩国的刀剑武器也超过其他各国，能斩杀牛马，也能斩断敌人坚固的甲盾和铁制的战衣。凭着韩国士兵的勇敢，凭着韩国武器的先进，要是与人交战，以一当百是不在话下的。可是，大王您没有利用这些优越条件，却委屈地侍奉秦国，使国家蒙受了耻辱，使自己遭到了天下人的嘲笑。再也没有什么比这更可悲了。希望大王您能好好反省一下。

"秦国一向贪得无厌，这您是知道的。大王如果侍奉秦国，那么它必定会不停地向您索要土地，今年给它几座城，明年它又会来要。给吧，没有那么多地方给它，不给吧，就会前功尽弃，还是得罪秦国。韩国的土地有限，而秦国的贪心无限，用有限的土地去迎合无限的贪婪，这可是自取其辱、自求死路。俗话说：'宁可做鸡的尖嘴，也不做牛的肛门。'您现在向秦国俯首称臣，这跟做牛的肛门有什么不同呢？凭大王的贤明，又拥有韩国的强大军队，却落得个做牛的肛门的名声，我真替大王感到羞耻。"

韩王听到这里，气得变了脸色，挥舞着手臂，瞪大了双眼，仰天长叹说："我尽管不成器，但也不会再侍奉秦国。今天我有幸得到您的开导，愿意任命您为相国，帮助我办成这件事。"

苏秦又去游说魏襄王：

"大王的国土，纵横千里。虽然看上去小，但是房屋密集，农村密集得连放牧的地方都没有了。城市里更是人来人往、车马众多，日日夜夜络绎不绝。我估计，魏国的实力不会在楚国之下。然而，那些主张连衡的人想引诱您，让您协助如狼似虎的秦国侵吞天下，却没有替您考虑魏国的将来。魏国是天下的强国，大王是天下的明君。可是，您身为魏国国君，却去侍奉秦国，自称是秦国在东方的属国，为它建造帝宫，接受它的服饰制度，还春秋贡奉，为秦国助祭，我真的替大王感到羞耻。

"我听说，越王勾践只用了三千名疲惫的士兵，就擒获了吴王夫差。周武王只带领士兵三千人，战车三百辆，就制服了商纣王。他们的大业，难道是靠人多势众吗？不是的，他们的成功，是因为他们能够充分发挥自己的力量。而大王的兵马，有精锐部队二十万人，苍头军二十万人，前锋部队二十万人，后勤部队十万人，战车六百辆，战马五千匹。这样看来，大王的兵马已经远远超过越王勾践和周武王了。可是，以您的实力，却听信群臣的话，打算向秦国称臣！

"希望大王能听从我的建议，让六国合纵相亲，通力合作，那么一定会消除强秦的祸患。"

魏王说："唉！我真糊涂，如果早一些听到您的指教就好了。我愿意以你为相国，去帮我办好这件事。"

苏秦离开魏国，又到齐国去游说齐宣王：

"齐国南有泰山，东有琅邪山，西有清河，北有渤海，四面都有天险。齐国国土纵横两千多里，军队几十万人，粮食堆积如山，三军精良善战，相当于五国的军队。齐国首都临淄有七万户人家，而每户不少于三个男子，那么，根本不需从边远县城征兵，光是临淄的士兵，就已经有二十一万人了。临淄又非常富饶，街道上，人们摩肩接踵，要是人人都甩一把汗，就会像下雨一样。可以说，齐国是家家殷实、人人富足、士气昂扬。但是，凭着大王的贤明和齐国的强大，竟要向西侍奉秦国，我真替大王羞耻。

"齐国与韩魏两国不同。韩魏两国之所以害怕秦国，是因为它们与秦国接壤，一旦与秦国交战，不超过十天，就很可能败亡；即使战胜了秦国，自己的兵力也要损失一半。这就是韩魏两国之所以向秦国屈服的原因。可齐国就不是这样。秦军要是想打齐国，必须要穿过卫国阳晋的通道，经过亢父的险要之地，那里都非常险峻狭窄，车不能并驾，马不能齐驱，只要有一百人守卫，那么即使秦国出动十

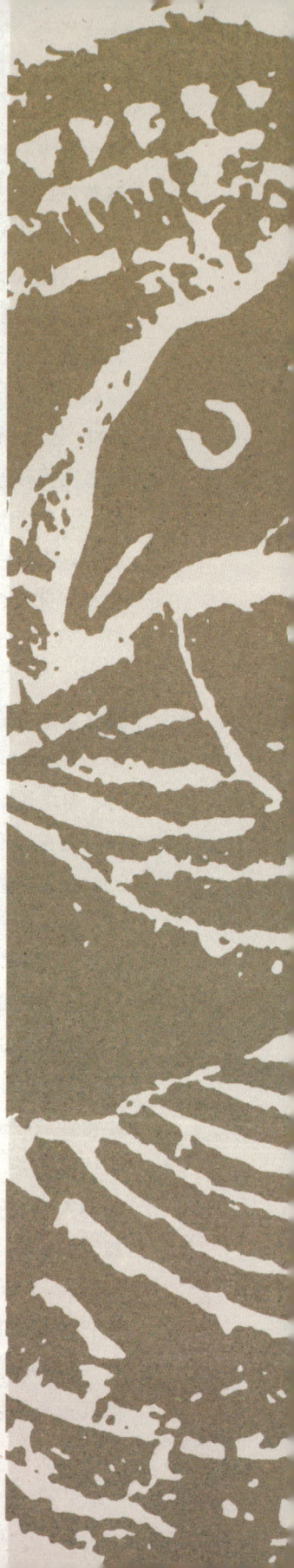

倍的兵力，也不敢通过。另外，即使秦军孤注一掷，来侵略齐国，还得担心韩魏两国从背后暗算它。所以，虽然它张牙舞爪、虚张声势，却不敢进攻，从这里就可以清楚地看出来，秦国根本无法危害齐国。

"在这样有利的条件下，不去考虑怎么对付秦国，却想屈服于秦国，这是群臣的失误啊！好在现在齐国还没有向秦国称臣，那么我希望大王考虑一下我的意见，跟其他几个国家合纵，一起对付秦国。"

齐王说："我是个不够聪敏的人，我国处在偏僻遥远之地，面临大海，交通不便，所以没有机会听到有识之士的教导，很惭愧。今天您开导了我，我愿意以您为相国，帮忙办好这件事。"

苏秦接着就去游说楚威王：

"楚国是天下的强国，大王是天下的明君。楚国土地纵横五千多里，军队百万人，战车千余辆，战马万匹，粮食足够维持十年，这些都是称霸群雄的资本啊！凭楚国的强大和大王的贤明，天下没有谁能够相提并论。可是，您竟想去侍奉秦国，您这样做，那么诸侯国中就没有谁敢不去朝拜秦王了。

"秦国最害怕的就是楚国。楚国强大，秦国就弱小；秦国强大，楚国就弱小；可以说，秦国和楚国势不两立。我替大王着想，您不如与诸侯合纵相亲，孤立秦国。否则，秦国会大大威胁到楚国的安全。

"大王如果愿意听从我，就请让我号召关东各国，前来受大王的差遣，把国家大权委托给您，训练士兵，制造武器，听任大王安排。大王如果愿意采用我的意见，那么韩、魏、齐、燕、赵、卫各国的美人，就会充满您的后宫，燕国和代地的骆驼和良马，就会充实您的马棚。可以说，如果合纵成功，楚国就能称王；连横得逞，秦国就会称帝。合纵相亲，就能使各国割地来侍奉楚国；连横成功，楚国就不得不割地去侍奉秦国。两者之中，大王选择哪一种呢？请大王三思而后行。"

楚王说："我国与秦国交界，而秦国一直怀有占领楚国的野心，所以，我早就担心秦国。秦国是像虎狼一样凶狠的国家，不可亲近，所以我不想跟它结盟，即使结盟也并不可靠。而韩、魏两国呢，它们也受秦国的威胁，但我不敢跟它们谋划大事，担心它们因为害怕秦国而归附秦国，如果那样的话，楚国就是自讨苦吃。如果楚国自己反抗秦国，那么胜算太小；而且，我也不敢在朝内跟群臣商量，怕走漏了消息，得罪秦国。我现在动也不是，不动也不是，怎么都难办，因此睡不好、吃不好，心神飘摇不定，没有着落。现在您来了，要统一天下，合并诸侯，保存各国，这正是我期待的啊！我愿意以您为相国！"

终于，六国合纵成功。苏秦做了合纵联盟的盟长，同时挂六国相印。

苏秦北上报告赵王，沿途诸侯各国分派使者，殷勤护送，并提供车马和各种物资，声势浩大，几乎可以与国王相比。周显王听到这种情况，也清扫道路，派人去慰劳他。苏秦的兄弟、妻子和嫂子，都来拜见他，慑于苏秦现在的声势，低眉顺眼不敢抬头，都俯伏在地上侍候他用饭，苏秦笑着对他的嫂子说："想当初，你对我那么傲慢，可是现在为什么这样谦恭呢？"

嫂子弯腰匍匐而前，脸贴着地面谢罪说："因为我看到，现在的小叔子地位高贵、家财万贯。"苏秦听了，长叹一声说："唉！同样一个人，一旦富贵，连亲戚都敬畏我；而贫贱的时候，他们却轻视我。假如我当初在洛阳近郊有良田两顷，我还会游说各国，还能佩上六国相印吗？"感慨之余，苏秦分发千金，赐给自家宗族的人以及朋友。

当初，苏秦到燕国去的时候，曾跟别人借了一百钱作为路费，现在富贵了，就用一百金来偿还。各位曾经有恩于他的人，他现在都一一报答。他的随从中，只有一个人没有得到报答，就自己上前去要，苏秦说："我并不是忘了你。你跟我到燕国去的时候，在易水边上，你不停地闹着要离开我。我当时处境不好，因此对你非常不满。所以，我现在把你放在最后。你现在也可以得到赏赐了。"

苏秦合纵了六国，回到了赵国，被赵肃侯封为武安君。然后，苏秦把合纵盟约送到了秦国，秦军整整十五年不敢打六国的主意。

相关链接

〔1〕游说：战国时代策士周游列国，向统治者陈述自己的政治、经济、军事及外交等方面的主张，并以此谋取高官厚禄的一种行为。

〔2〕《阴符》：即《阴符经》，全称《黄帝阴符经》，相传为黄帝所作，内容多谈道家政治哲学思想，同时涉及纵横、兵家及修身养性等方面的内容。后来人们多用"阴符"一词指代兵书。

〔3〕合纵：即联合众弱国对付一强国；连横：即附从一强国进攻众弱国。二者并称"合纵连横"，为战国时期各国争强图存的一种策略。

苏秦去拜见齐王，拜了两拜，先是俯首表示庆贺，然后是抬头表示哀悼。齐王奇怪，问道："为什么庆贺和哀悼连在了一起，都来得这么快呢？"

秦国想破坏合纵盟约，就派犀首欺骗齐国和魏国，让它们去攻打赵国。赵国挨打，赵王便谴责苏秦。苏秦惶恐之极，就向赵王保证，说一定要报复齐魏两国，请求赵王允许他去燕国活动。苏秦离开赵国以后，合纵盟约实际上就瓦解了。

这一年，燕文侯死了，燕易王即位。趁着燕国国丧，齐宣王发兵攻打燕国，夺取了十个城邑。燕易王对苏秦抱怨说："从前先生来燕国的时候，是先王资助您去会见赵王，先生才得以约定六国合纵。现在倒好，赵国先挨打，接着就是燕国，这都是因为您啊，是您使两国遭到天下人的取笑。先生您如此贤能，可是能替燕国收复失地吗？"苏秦听了燕易王的抱怨，觉得非常惭愧，他说："我可以想办法，可以替大王把失地收回来。"

苏秦去拜见齐王，拜了两拜，先是俯首表示庆贺，然后抬头表示哀悼。齐王非常奇怪，问道："为什么庆贺和哀悼连在一起，都来得这么快呢？"

苏秦回答："我听说，人无论多么饥饿，都不吃乌喙[1]这种毒物，因为它虽然能暂时充饥果腹，但结果却死得更快。如今燕国虽然弱小，但燕王是秦王的小女婿啊！大王贪图十个城邑的利益，却跟强大的秦国结成仇敌。如果秦国利用这个借口，就可以让弱小的燕国作为先锋，自己跟在它后面作掩护，并招来天下人一起攻打齐国。齐国占领燕国的土地，这跟吃乌喙充饥完全是一回事啊！"

齐王听了，很紧张："哎呀，那该怎么办呢？"

苏秦说："依我看，大王应该把十个城邑归还燕国。燕国无缘无故就收复了十个城邑，一定会很高兴；而秦王呢，如果知道您是为了他的缘故，才归还燕国十个城邑，也一定会很高兴。这样一来，大王与秦、燕两国就化敌为友了！如果燕国和秦国都成了大王的朋友，那么大王对天下发号施令，就没有谁敢不听。用十个城邑就换取天下，这可是称霸为王的大业啊！"

齐王于是就归还了燕国的十个城邑。

齐国有人诋毁苏秦说："他是个左右摇摆、反复无常的人，对国家不利，总有一天会作乱。"苏秦怕得罪齐王，就回到了燕国，可是燕王对他很冷淡，不想恢复他的官职。

苏秦于是拜见燕王说："我本来出身低微，而大王却亲自在宗庙里授予我官职，并在朝廷上以礼相待，我非常感激。现在我替大王退了齐军，收复了十个城邑，理应更加亲密。现在我回到燕国，大王却不再让我当官，肯定是有人在大王面前中伤我，而他们中伤我，肯定是说我不诚实。不过，我的不诚实，却正是大王的福气啊！假如说，有一个孝顺像曾参的人，一个廉洁像伯夷的人，还有一个诚实像尾生[2]的人，让这三个人来服事大王，您认为会怎么样？"

燕王说："那可是我的福分！"

苏秦说："其实不是这样。像曾参那样孝顺的人，坚持孝道，连离开父母在外面住一晚都不肯，那大王又怎么可能让他步行千里，来侍奉危难中的燕王呢？像伯夷那样廉洁的人，坚持义气，不愿继承君位，不愿做周朝臣子，也不接受封侯的赏赐，结果饿死在首阳山下，这样廉洁的人，大王又怎么可能让他步行千里，到齐国去为您活动呢？像尾生那样诚实的人，跟一个女子约好在桥下相会，但女子没按时到来，尾生就一直等下去，直到大水来临把他淹死。可是，这样诚实的人，大王又怎能让他步行千里，去劝退齐国的强大军队？"

燕王说："你自己不老实，却要狡辩，难道忠诚老实还是过错吗？"

苏秦说："是的，有时候忠诚老实会被看作过错。我听说，有个在外地做官的人，妻子与人私通，还想用毒酒谋害亲夫。丈夫回来之后，妻子让小妾把毒酒献给丈夫。小妾想说酒里有毒，但又害怕主人会驱逐女主人；想不说吧，却又害怕女主人毒死了主人。没办法，她只好假装昏倒，把酒洒在地上。主人非常生气，打了她五十大板。可是小妾这一番动作，对上保全了男主人，对下保全了女主人。不过，她还是免不了挨打，所以说，忠诚老实有时候也有罪啊！我是不是也太忠诚老实了呢！"

燕王被苏秦的言辞打动了，于是就恢复了苏秦原来的官职，而且更加厚待苏秦。

燕王的母亲跟苏秦私通。燕王知道这件事后，却更加优待苏秦。苏秦觉得不对劲，怕被燕王杀害，就对燕王说："我留在燕国，并不能对

○品画鉴宝

错银立鸟壶（战国）此壶身由三个鸟形足支撑，盖边立三鸟，通体饰繁复的花纹。

燕国有多大贡献，如果我去齐国，就可以让齐国支持燕国，那么对燕国很有好处。"燕王同意说："好，就照先生的意思办吧！"于是，苏秦假装得罪了燕王，跑到了齐国，被齐宣王尊为客卿。

齐宣王死后，齐湣王就位。苏秦劝说齐湣王，让他隆重地安葬齐宣王，向天下人表示自己的孝顺，同时，还建议齐湣王大兴土木，向天下人炫耀齐国的兴盛。实际上，苏秦是想让齐国劳民伤财，从而有利于燕国。齐国的大臣中有许多人反对苏秦，并在齐湣王面前与苏秦争宠，后来发展到派人刺杀苏秦。苏秦命大，没被刺死，而是带伤逃掉了。齐王很生气，派人搜捕凶手，但是并未找到。

苏秦伤得很重，临死的时候对齐王说："我死之后，请在街市上把我五马分尸，并且宣称：'苏秦为了燕国的利益，在齐国作乱。'这样，谋杀我的凶手就肯定会自我暴露，就能够抓到了。"齐王按照苏秦所说的去做，谋杀苏秦的人果然自我暴露，齐王于是就把他杀了。

相关链接

〔1〕乌喙：又称"四子野豌豆"，一年生草本植物，分布于我国中南、西南、华东各地，荚果矩形，有毒，不可食用。

〔2〕尾生：古代传说中一个恪守信用的男子。见《庄子·盗跖》："尾生与女子期于梁下，女子不来，水至不去，抱梁柱而死。"梁，桥梁。

苏代和苏厉

苏代和苏厉，都是苏秦的亲弟弟。苏秦因撮合六国合纵相亲，显示出超常的智慧才能。苏代和苏厉都向苏秦学习，以随机应变见长，也凭游说诸侯而扬名天下。

苏秦死后，他的事迹大量披露。齐国了解了内情，就很憎恨燕国，燕国君臣上下全都坐卧不宁。

苏秦有两个弟弟，大的叫苏代[1]，小的叫苏厉，他俩看到哥哥学有所成，也都向苏秦学习。苏秦死后，苏代求见燕王说："我本是东周的一个俗人，听说大王有道义，就放下农活来求见大王。来到邯郸后，我所看到的情况，与在东周听到的有所不同，有些失望。可是，来到燕国的朝廷，看到大王的群臣之后，我才明白，大王果真是贤明的君王。"

燕王问："您所说的贤明君王，应该是什么样的呢？"

苏代回答："贤明的君王，必须愿意听到自己的过失，不要只听奉承话。请您允许我指出您的过失：齐国和赵国，是燕国的仇敌；而楚国和魏国，是燕国的盟友。可是现在大王却拥护仇敌，攻打盟友，这样做对燕国很不利。这是很大的失误，不把这种失误上报给您的人，就不是忠臣。"

燕王说："齐国的确是我的仇敌，我早就想讨伐它，只不过有些力不从心，怕打不过。您如果能够帮我讨伐齐国，那么我愿把重任委托给您。"

苏代回答说："现在天下有七个国家互相征战，其中燕国最为弱小。因为弱小，所以燕国不应该单独作战，必须要依靠其他国家。而依靠任何一个国家，都会使那个国家势力增强。如果依附楚国，楚国的国力就会增强；依附秦国，秦国就会增强；依附韩国和魏国，韩国和魏国也会强大起来。所依附的国家强大了，大王您的权势也会加强。现在齐国的君主年事已高，又很自负。他攻打楚国，打了五年多，把国家的财富差不多消耗干净了；又困扰秦国，也有三年之久，士兵疲惫不堪；还跟燕国交战，全军覆没，元气大伤。可见，一个国家，要是连续作战，人民就会不堪重负，要是长期用兵，士兵就会失去战斗力。"

燕王说："齐国有清济和浊河便于固守，而长城和钜防更是要塞。既然这么难打，我们该怎么办？"

苏代回答："齐国的百姓和士兵都已经筋疲力尽了，虽然有这些天险，又有什么用？本来，齐国在济西一带不征兵，以便防备赵国；河北一带不征兵，以便防备燕国。可是现在，连济西和河北都已经征兵了，国内更是已经疲惫不堪。穷兵黩武的国君必然好利，亡国的臣子一定贪财。大王可以送人到齐国做人质，再用珠宝金钱讨好齐王左右的臣子，这样齐王将会感激燕国，会更加肆无忌惮地攻打宋国，这样下去，齐国会越来越空虚，那么燕国就有机会灭亡齐国了。"

燕王听从苏代的建议，派一个公子到齐国去做人质。苏厉抓住机会，通过这个人质的关系，拜见了齐王。齐王一直怨恨苏秦，看到苏厉来了，就想把他抓起来斩首。那位人质替他向齐王求情，齐王饶恕了苏厉，并把他留下来，成为齐国的臣子。

燕国的相国子之[2] 想夺取燕国的大权，就讨好苏代，然后派他到齐国去服侍那位做人质的公子。苏代去齐国转了一圈，然后回到燕国，燕王问他："齐国形势如何？齐王大概要称霸了吧？"苏代回答："不可能！"燕王问："为什么呢？"苏代答："齐王不信任他的臣子。"

从此，燕王开始完全信任子之，不久之后甚至让位给他。这么一让位，燕国大乱。燕国一乱，齐国就来攻打，打进了都城，杀掉了燕王和子之。燕国失去了君主，最后拥立了昭王。

从此以后，苏代和苏厉再也不敢回到燕国，都投奔了齐国。

齐国攻打宋国，宋国情况危急。这个时候，苏代送信给燕昭王："燕国是大国，却送人质给齐国，真是辱没了燕国的名声。燕国要是帮助齐国攻打宋国，就会劳民伤财，国内空虚；要是帮它攻克了宋国，甚至占领楚国的淮北，那就更是有利于齐国，而燕国却只能越发弱小。无论如何，站在齐国那一边，都是很危险的事情。大王如果想改变这种不利的情况，最好是夸大其辞地推崇齐国，并且声称要以齐国为中心，联合诸侯各国，一起反对秦国。秦国听了，肯定会对齐国怀恨在心，肯定会全力以赴地削弱齐国。秦国如此强大，只要它全力以赴，齐国肯定会被削弱；而齐国一旦被削弱，燕国就有了出头之日。燕国可以联合其他各国，既不屈服于齐国，也不屈服于秦国，而是在各国之间取得平衡，彻底摆脱掉屈辱的地位。这可是千秋百代的功业啊！"

燕昭王认为苏代说得很有道理，说道："本来，燕国与苏氏非常友好，合作得很愉快。后来，子之叛乱，苏氏兄弟受到牵连，就离开了燕国，到了齐国。苏氏兄弟才华横溢，燕国要是想向齐国报仇，没有苏氏兄弟是不行的。"于是，燕昭王召见苏代，友好地接待他，跟他商议攻打齐国的事。过了一段时间，齐国终于被灭亡了，齐湣王仓皇出逃。

几年后，秦王邀请燕王到秦国去。燕王打算前往，苏代劝阻燕王道："秦国非常霸道，只要是有战功的国家，都被它看作大敌。秦国夺取天下，不是靠推行正义，而是靠使用暴力，而且秦国依靠暴力的手段世人皆知。它想压制楚国，就警告楚国说：'我国军队遍布各地。汦江上的水军，如果趁着夏季的水势直下长江，五天内就能到达楚都。汉中的军队，要是乘船直下汉江，四天就能到达你们的五渚湖。我要是在宛东屯兵，几天之内就可以攻到你们的随邑。我们要是以这种速度进攻，楚国根本就一点办法没有，再聪明的大臣也来不及应变，再勇敢的人也使不上力气，只能束手就擒。可是你们却想等待机会，要来攻打我的函谷关，岂不是太异想天开了吗？'楚王没有办法，只能忍气吞声，整整十七年里，不敢发出怨言。

"秦国还警告韩国说：'我军从少曲出发，一天就可以切断太行山的通道。要是从宜阳出发，那么两天之内就可以把韩国弄得天翻地覆。我军要是经过东周和西周，走新郑一线，那么五天之内就可以攻占韩国国都。'韩国没有办法，也只好屈服于秦国。

"秦国还以相同的方式，恐吓魏国，魏国也没有办法，所以也只好服事秦国。

"秦国想攻打安邑，担心齐国出兵救援，就让齐国去攻打宋国，找理由说：'宋王不讲道义，做个木偶人来象征我，射它的脸。我国与宋国不接壤，不好进攻，齐国如果能够攻占宋国，我会感到很欣慰，就像自己占有它一样。'后来，秦国攻占了安邑，然后就指责齐国，说齐国攻打宋国是不道义的行为。

"如此这般背信弃义的事情，秦国不知道做了多少。它总是到处侵略，到处使用阴谋诡计，还总是有借口。秦军发动战争，简直不当回事。龙贾之战，岸门之战，封陵之战，高商之战，赵庄之战，秦军杀死三晋的百姓有几百万人，现在那些活着的人，几乎都是秦军造成的孤儿。秦国制造的灾祸，竟是这样的严重！

"即使这样，但还是有人帮助强秦，助纣为虐。很多到秦国去的燕国人，回来之后都想劝说自己的国君去侍奉秦国，根本不把国家和国君放在心上。这是最值得忧虑的事。"

燕昭王很重视苏代的这些话，没有到秦国去。于是，苏代再一次在燕国被重用。

燕国派苏代出使诸侯各国，合纵相亲、订立盟约，就像当初苏秦游说诸侯一样。有的国家愿意合纵，有的国家不愿意，但是总的看来，苏氏兄弟所倡导的合纵策略很受天下人欢迎。苏代和苏厉比苏秦幸运，都能享尽天年，得到圆满的结局。

　　苏秦兄弟三人，擅长随机应变，都凭游说诸侯而扬名天下。不过，苏秦因为施行反间计 [3] 而被杀，天下人都嘲笑他，不愿意学习他的权术。但是不管怎么说，苏秦出身于平民百姓，却能撮合六国合纵相亲，这足以说明他有超越常人的智谋。

相关链接

〔1〕苏代：生卒年代不可考，东周洛阳（今河南洛阳东）乘轩里人，苏秦之弟，游说于齐燕两国，曾劝燕昭王联秦伐齐。

〔2〕子之：？－公元前314年，战国时燕王哙之相，擅长刑名之术，哙晚年曾把王位让于他。

〔3〕反间计："三十六计"中的一计，即通过收买或利用对方派到本方的间谍，使其为本方所用，从而达到离间对方的目的。

连横助秦

张仪做了秦国的相国以后，马上写信给楚国的相国："想当初，我陪你喝酒，并没有偷你的玉璧，可是你却鞭打我。现在你可要好好守卫你的国家，我准备要偷你的城邑呢！"

张仪是魏国人，在鬼谷先生那里学习的时候，与苏秦是同学。就游说之术来说，苏秦自己承认不如张仪。

张仪结束学业之后，马上就去游说诸侯。有一次，他随从楚国的宰相喝酒，两人聊得很愉快。可是不久，宰相发现自己的玉璧不见了，手下人说："张仪很穷，品行不好，肯定是他偷的！"于是张仪被抓了起来，被鞭打了好几百下。但张仪没偷，坚决不承认，只好释放了他。他的妻子说："唉！你要是不去读书，也不去游说那些达官贵人，怎么会遭受这种耻辱呢？"张仪问他的妻子："你看我的舌头还在不在？"他的妻子笑着说："舌头还在！"张仪说："这就够了！"

苏秦说服赵王之后，诸侯各国订立了盟约，准备联合抗秦。但是，苏秦担心秦国提前攻打诸侯，使盟约无法实施。苏秦想派一个人到秦国去，但一时想不出派谁去最好，就偷偷叫人去劝说张仪："您跟苏秦是老同学，现在苏秦掌权，您为什么不去巴结他，以此来实现您的愿望？"张仪于是就前往赵国，要见苏秦。苏秦叮嘱门人不要替张仪引见，又要让张仪几天之内不能离开。

后来，苏秦总算接见了张仪，让他坐在堂下，赐给他跟奴仆侍妾一样的饭菜。苏秦还多次责备他说："凭你的才能，竟穷困低微到这个地步，可悲啊！本来，我可以一句话就让你平步青云，只可惜，你不值得我说这句话。"不久之后，苏秦干脆不再理会张仪，很随便地把他打发走了。

张仪来的时候，自认为是苏秦的老朋友，可以从他这里得到好处，谁知反而受到侮辱，十分恼火。愤怒之余，张仪心想，在诸侯各国之中，只有秦国能给赵国苦头吃，只有侍奉秦国才有机会报复苏秦，于是就到秦国去。

张仪走后，苏秦对他的门客说："张仪是全天下最有才能的人，我比不上他。如今我有幸先得到任用，但能够掌握秦国政权的人，则非张仪莫属。然而张仪太贫穷，没有路费去觐见秦王。我担心他贪图小利而无法成就大业，因此叫他来受辱，为的是激发他的志气。请您替我暗中关照他。"随后，苏秦就禀报赵王，发给门客金钱和车马，暗地里跟随张仪，逐渐接近他，然后把车马和金钱奉送给他，无论张仪需要什么，都提供给他，但并未告诉他是谁提供的。有了这种帮助，张仪很快就见到了秦惠王。秦惠王任命他为客卿，跟他谋划如何攻打诸侯各国。

张仪已经在秦国立足，苏秦的门客于是向张仪告辞，准备离开秦国。张仪说："要是没有您的帮助，我根本无法显贵起来，现在正是我要报答您的时候，您为什么要离开我呢？"苏秦的门客说："其实，我并不了解您，真正了解您的是苏秦。苏秦担心秦国攻打赵国，破坏了合纵盟约。他认为，除了您，没有谁能掌握秦国的政权，所以才故意刺激您，然后又派我暗中提供财物给您，这些都是苏秦的谋划。现在您已经得到秦国的重用，我的任务已经完成，请允许我回去向苏秦报告。"

张仪恍然大悟："唉呀！我本来应该考虑到这些，但我却没有领悟到。看来我的确还是比不上苏秦！我现在刚刚被任用，肯定不会谋取赵国。请替我转告苏秦，只要他当政，我就全力配合。再说，苏秦在位，我难道还敢做什么吗？"

张仪做了秦国的相国以后，马上写信给楚国的相国："想当初，我陪你喝酒，并没有偷你的玉璧，可是你却鞭打我。现在你可要好好守卫你的国家，我准备偷你的城邑呢！"

秦惠王（此前称惠文君，并未称王）十年，派遣公子华和张仪围攻魏国的蒲阳。占领了蒲阳之后，张仪劝说秦王把蒲阳归还给魏国，并派遣公子繇到魏国做人质。秦王答应之后，张仪又跑到魏国，游说魏王道："秦王对待魏国多好啊，魏国可不能失礼！"魏国于是便把上郡和少梁进献给秦国，来答谢秦惠王。秦惠王很高兴，就任命张仪为宰相。

张仪担任秦国宰相四年之后辅助秦君称王，即惠王。第二年，张仪又做秦国的将军，率军攻取了陕州，并在上郡修筑要塞。

两年以后，张仪被免去宰相的职位，又到魏国去做宰相，然而暗地里却替秦国工作，想让魏国屈服于秦国，为其他诸侯国做个榜样。但魏王没有上张仪的当。秦王大怒，派兵攻占了魏国的曲沃和平周，同时，暗中派人给张仪送来很多金银财宝。张仪感到很惭愧，就继续留在魏国活动。张仪在魏呆了四年后，魏襄王去世，魏哀王继位，张仪又游说魏哀王，但魏哀王也不上当。张仪于是暗中指使秦国攻打魏国，魏国被打败。

第二年，齐国又在观津[1]打败了魏国。秦国趁机出兵，魏国军队再次被秦军打败，八万魏军被杀。张仪于是再次劝说魏王：

"魏国土地面积不到一千里，士兵不超过三十万人。地势平坦，没有什么天险。魏国的南面跟楚国交界，西面跟韩国交界，北面跟赵国交界，东面跟齐国交界。四面都是外国，兵卒必须同时守卫四方，守边的不能少于十万人。这种地势，本来就像个战场。假如魏国跟楚国交好，不跟齐国交好，那齐国就会从东面进攻；要是跟齐国交好，不跟赵国交好，那赵国就会从北面进攻；不和韩国合作，那韩国就会从西面进攻；不和楚国交好，那楚国就会从南面进攻。

"这就是所谓的四分五裂的局面啊！

"现在，主张合纵的人想要一统天下，相约结为兄弟关系。但是，即使是亲兄弟，也有为钱财而互相争夺的情况，何况是这么多各怀心事的诸侯国呢？苏秦的合纵主张，其实早就过时了。

"大王如果不侍奉秦国，秦国就会出兵，很快就可以断绝诸侯之间互相联合救援的道路。联合救援的道路一断，大王的国家就陷入孤军作战的境地，国家也就岌岌可危了。

"我替大王着想，大王不如侍奉秦国。如果侍奉秦国，楚国和韩国就一定不敢轻举妄动，这样，大王就可以高枕无忧了。

"况且，秦国最担心的国家，首先就是楚国；而最容易削弱楚国的国家，首先就是魏国。楚国虽然看上去富裕强大，实际上外强中干。魏国如果出动全部士兵攻打楚国，一定能战胜。战胜楚国之后，魏国可以马上归服秦国，把祸害转嫁给秦国，这样，魏国就可以安定了。大王要是不听从我的意见，一旦秦国进攻魏国，那时再想侍奉秦国就晚了。"

魏哀王被张仪说服，从此背弃合纵盟约，并通过张仪向秦国请求和解。张仪回国以后，再次做了秦国的宰相。三年后，魏国又背叛了秦国，成为合纵的盟国。秦国于是攻打魏国，魏国战败，再次侍奉秦国。

秦国想攻打齐国，齐国便和楚国合纵相亲，让秦国不敢下手。张仪于是出使楚国。

楚怀王听说张仪来了，特地腾出上等馆舍，亲自安排他住宿。张仪对楚怀王说："大王如果信得过我，就应当与齐国断绝往来，废除盟约。如果大王能做到这一点，我会请求秦王献出商、於一带的六百里土地，并进献美女做大王的侍妾。秦国和楚国嫁娶通婚，可以长期

张儀

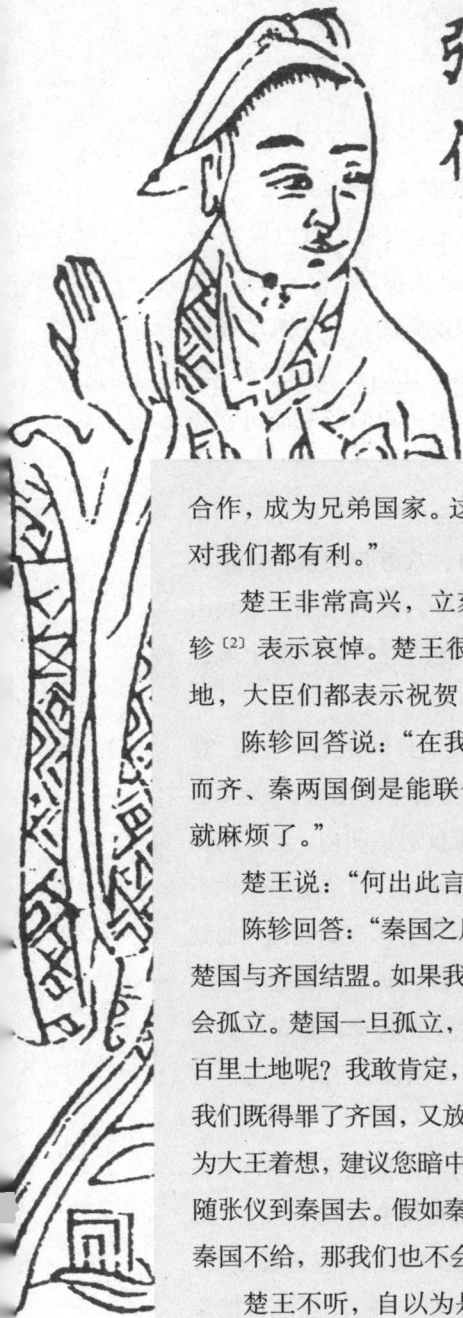

合作，成为兄弟国家。这样，北面可以削弱齐国，西面可以加强秦国，对我们都有利。"

楚王非常高兴，立刻答应了张仪。大臣们都来表示祝贺，唯独陈轸[2] 表示哀悼。楚王很生气："我不费一兵一卒，就获得了六百里土地，大臣们都表示祝贺，只有你表示哀悼，这是为什么？"

陈轸回答说："在我看来，您根本不可能得到商、於一带的土地，而齐、秦两国倒是能联合起来。如果齐、秦两国联合起来，那么楚国就麻烦了。"

楚王说："何出此言呢？"

陈轸回答："秦国之所以重视楚国，还派张仪出使楚国，完全是因为楚国与齐国结盟。如果我们与齐国断绝了往来、废除了盟约，那么楚国就会孤立。楚国一旦孤立，就没什么利用价值。那么，秦国何必送给我们六百里土地呢？我敢肯定，张仪回到秦国后，一定会辜负大王。这样一来，我们既得罪了齐国，又放纵了秦国，两国军队必然会合起来攻打楚国。我为大王着想，建议您暗中与齐国联合，只是表面上与齐国绝交，并派人跟随张仪到秦国去。假如秦国真的给我们土地，再跟齐国绝交也不迟；遐如秦国不给，那我们也不会有什么损失。"

楚王不听，自以为是地说："陈先生还是闭嘴吧！不要再说了！就等我得到土地好了。"

随后，楚王便把相印授予张仪，还赠送财物给他。同时，楚王与齐国断绝了往来，废除了盟约。

张仪回到秦国，假装失手，从车上摔了下来，三个月没有上朝。楚王听说了这件事，心想："张仪是不是觉得我与齐国绝交还不够彻底？"于是，楚王派勇士北上宋国，专门去辱骂齐王。齐王非常愤怒，于是委屈自己侍奉秦国。秦国和齐国联合以后，张仪马上就去上朝，对楚国来的使者说："我有受封的城邑六里，愿意把它奉献给楚王。"楚国使者说："我奉楚王的使命，来接受六百里土地，没听说过六里。"使者回国报告楚王，楚王非常愤怒，要出动军队进攻秦国。陈轸说："我陈轸现在可以开口说话了吗？要我说，与其进攻秦国，不如割地贿赂秦国，跟它联合出兵攻打齐国。这样，我们相当于让出土地给秦国，然后向齐国索取赔偿。这样不至于与秦国结怨太深，我们国家尚可幸免于难。"

楚王还是不听从陈轸的意见，出动军队攻打秦国。楚国出兵，正中秦国下怀，马上联合齐国，一起来攻打楚国，八万楚兵被杀，楚将屈丐也身首异处。秦、齐两国占领了丹阳和汉中，楚国不服，增兵出征，与秦军在蓝田展开激战，结果楚军大败，楚国只好割出两个城邑来跟秦国议和。

秦国想得到黔中[3]这个地方，表示愿意用武关外的土地来交换。楚王说："我不要土地，只要你们交出张仪，我就把黔中交出来。"秦王心动，想把张仪交给楚国，但是不忍心说出来。张仪心里明白，就自愿请求到楚国去。秦惠王有些内疚，明白无误地告诉张仪："楚王怨恨你不履行议约，没有献出商、於一带的六百里土地。只要你一到楚国，他就会杀了你！"张仪说："我和楚国大夫靳尚很友好，靳尚侍奉楚夫人郑袖，郑袖说的话，楚王都会听从。况且，我奉大王的使命出使楚国，楚国不敢轻举妄动。即使楚国杀了我，那么只要秦国能得到黔中这个地方，我也无怨无悔。"

于是张仪出使楚国。楚怀王见张仪来了，马上把他抓了起来，准备杀掉。这时候，靳尚对郑袖说："不久的将来，您肯定会失宠于大王，您知道为什么吗？"郑袖问："为什么？"靳尚说："秦王非常重视张仪，听说张仪马上就要被楚国所杀，就准备拿出土地贿赂楚国，还准备把秦国美女嫁给楚王，用宫廷里能歌善舞的宫女作陪嫁。如果这样的话，秦国女子就必定会得宠，而您就会被冷落。您不如替张仪说情，让他出狱。秦国听说张仪没什么危险，就不会再考虑送土地和美女给楚王了。"

郑袖信以为真，日日夜夜劝说楚怀王："秦国不可得罪。现在，秦国还没有得到土地，就派张仪来到楚国，可见秦国极为重视大王。可是大王不但没有回礼，反而要杀掉张仪。这样做，秦国必然非常愤怒，必然立刻攻打楚国。请让我们母子都迁徙到江南去，以免被秦王任意宰割。"楚怀王后悔了，就赦免了张仪，像以前一样以礼相待。

张仪被放出来以后，还没离开楚国，就听说苏秦死了。于是，张仪游说楚王道：

"秦国的领土占天下的一半，兵力相当于四个国家的总和，背靠天险，又有黄河环绕，四周都是要塞，固若金汤，牢不可破。秦国有勇士一百多万，兵车一千辆，战马一万匹，粮食堆积如山。士兵英勇善战、视死如归，君主贤明，将帅机智。秦国不出兵则已，一出兵就会席卷各国，无坚不摧。相比之下，其他国家则跟羊群没有什么不同，牛羊斗不过老虎，那是显而易见的。如今大王不跟猛虎交往，却跟群羊交往，这种策略是错的。

"天下强国，不是秦国就是楚国，不是楚国就是秦国，两国相争，势不两立。大王如果不跟秦国友好交往，秦国势必出兵，这样一来，楚国轻则重伤，重则亡国，那么国家就危险了。

"以秦国的实力，要是攻打楚国，只要三个月就可以让楚国难以为继。但是，楚国要等待诸侯的救援，却要在半年以后。等待弱国的救援，却忽视了强秦的能力，这是我为大王担忧的地方。

"主张诸侯合纵、一致抗秦的人是苏秦。他做了燕国的相国以后，就暗地里跟燕王策划攻打齐国，瓜分它的土地。然后，苏秦假装犯罪，逃到齐国，齐王接纳了他，还让他做相国。两年以后，阴谋暴露，齐王极其愤怒，在市集上把苏秦五马分尸。这样一个欺诈虚伪的苏秦，却要统一诸侯，联合抗秦，怎么可能成功呢？

"秦国和楚国接壤，本来就亲近。大王如果愿意听从我，我会争取让秦国太子来楚国做人质，让楚国太子到秦国做人质，并奉送秦国美女来做大王的侍妾，奉献拥有万户的都城作为礼物，争取让秦楚两国成为兄弟国家，世世代代永不反目。"

楚怀王想答应张仪。屈原说："以前大王被张仪欺骗过，张仪一来，我以为大王会烹杀他。可是现在不但不杀他，还听信他的胡言，这绝对不行。"可是楚怀王坚持己见，还是答应了张仪，跟秦国亲善。

张仪离开楚国，接着就到韩国去，游说韩王：

"韩国土地贫瘠，物产少而粗劣，只要有一年歉收，人民连糟糠都吃不饱。土地面积又小，不过九百里而已。大王的士兵也少，连后勤人

员都包括在内，也不超过三十万。再除去守卫边疆的士兵，只能剩下二十万。而秦国呢，有武装士兵一百多万，兵车一千辆，战马一万匹，而且战士们勇猛善战，一打起仗来都奋不顾身。秦国的战马也精良无比，前蹄一跃，后蹄一蹬，腾空而起，前后蹄相距有两丈多。韩国的战士上阵，都披着铁甲、戴着头盔；可是秦国人可以脱去甲衣，赤膊上阵，左手可以提着敌人的头颅，右手可以活捉俘虏。秦国的士兵跟韩国的士兵相比，就像孟贲[4]一样的勇士与胆小鬼相比一样，就像乌获一样的大力士对付婴儿一样。用孟贲、乌获这样的勇士，去攻打弱小国家，就像用石头击破鸟蛋一样容易。

"可是，弱小的国家自不量力，糊里糊涂地听从合纵的胡言乱语，还互相掩饰自己的弱点，都振振有词地说：'听从我的计策吧，可以在天下称霸！'如果国君听信这种虚假的言论，肯定会给国家带来巨大的灾难。

"我替大王着想，建议您归附秦国。其实，秦国最大的愿望，无非是削弱楚国，而要削弱楚国，就需要韩国帮忙。这主要是因为韩国的地理位置和地势。如果大王能侍奉秦国，帮它攻打楚国，秦王一定很高兴。"

韩王听信了张仪的建议。张仪回国报告秦惠王，秦惠王高兴，赏他五个城邑，封号叫武信君。随后，又派张仪去游说齐湣王：

"天下强国之中，没有哪个比得上齐国。人民能安居乐业，大臣也关系融洽。但是，大臣们替大王做的谋划，都缺乏长远眼光。主张合纵的人，肯定会对大王说：'齐国西有赵国，南有韩国和魏国。齐国靠海，也很强大。大家联合起来，即使有一百个秦国，对齐国也无可奈何。'大王可能赞同这种说法，但并没有考虑到它的实质。大家都觉得合纵可行，但是都没有考虑到隐藏着的危害。我听说，齐国和鲁国打了三次大仗，鲁国三次获胜，但不久之后却灭亡了。虽然得到了战胜的虚名，随之而来的却是亡国的现实。这是为什么呢？这是因为齐国强大而鲁国弱小。今天的秦国跟齐国，正像齐国跟鲁国一样。秦国和赵国曾两次交战，两次交战，都是赵国战胜。随后，又打了两次，赵国死亡的士兵有几十万，虽然有战胜的名声，但是国家已经空虚残破了。这是为什么呢？因为秦国强大而赵国弱小。

"现在秦、楚两国通婚，结成兄弟国家。韩国、魏国、赵国都服从了秦国。如果大王不侍奉秦国，那就太危险了。假如齐国遭到进攻，那么即使想侍奉秦国，也不可能了。希望大王仔细考虑这个问题。"

齐王说："齐国偏僻落后，没有听到过像您这样的的高见。我完全同意您的看法。"于是也答应了张仪。

张仪离开了齐国，又去游说赵王：

"秦王派我来，跟大王您谈一点不成熟的看法。大王您召令天下抵制秦国，秦军不敢出兵函谷关，已经有十五年了。在这十五年里，秦军修造武器装备，整治兵车战马，练习骑马射箭，国人则勤力耕作，积蓄粮食，增强自己的实力，但从来不敢轻举妄动。

"现在呢，秦国已经攻占了巴蜀，兼并了汉中，夺取了西周和东周，迁移了九鼎。秦国多年以来，无法施展，积怨已久。现在秦兵正准备攻打赵国，希望在甲子日与您会战。因此，我特地来事先告知大王。

"当初，大王之所以信赖合纵联盟，恐怕主要是因为信赖苏秦。可是，苏秦并不是个可以信赖的人，他迷惑各国诸侯，混淆黑白，颠倒是非，还想阴谋颠覆齐国，最后被五马分尸。只要看看苏秦的下场，就会知道，合纵不能成功，是情理之中的事情。

"现在楚国和秦国成了兄弟国家，韩国和魏国归顺了秦国，齐国也献出了盛产鱼盐的土地，这等于是斩断了赵国的右臂。右臂被斩断，却要跟人家决斗，这可太危险了！

"现在秦国派遣了三位将军，并联合了齐国、韩国、魏国的军队，约定四国团结一致攻打赵国，攻破之后，四国共同瓜分赵国土地。

"我替大王着想，您应该跟秦王会晤，当面商量，尽可能不要打起来，希望大王赶快拿定主意。"

赵王说："当初合纵的时候，我还小，不参与国家大事。其实，我心里本来就有疑惑，认为统一合纵、反对秦国，并不符合国家的长远利益。我早就准备改变心意，割让土地给秦国，并对以前的过失表示歉意。我正要套车出发，您刚好来了。"赵王于是答应了张仪。

张仪离开赵国，马上又往北到了燕国，游说燕昭王：

"大王最亲近的国家，无非是赵国，而赵国并不值得您亲近。

"从前，赵襄子曾经把姐姐嫁给代王，企图吞并代国。有一次，他与代王约会，暗地里叫工匠制作铜勺子，把勺柄加长加重，足以用来杀人；然后，赵襄子告诉厨子：'等酒喝到迷迷糊糊的时候，你就送上热汤，然后看准时机，用铜勺勺柄来击杀代王。'厨子依计行事，杀了代王，代王的脑浆淌在了宴会的地上。赵襄子的姐姐听到了这个消息，伤心欲绝，便磨利簪子自杀了。这件事，天下尽人皆知。

"赵王这样狠毒，六亲不认，难道还值得您去亲近吗？赵国曾经攻打过燕国，两次围困燕都，大王因此割让了十个城邑。现在赵王已经服从了秦王，如果大王不去服从秦国，秦国肯定会联合赵国进攻燕国，那

么燕国就危险了。如果大王能去侍奉秦国，秦国一定会很高兴，赵国也不敢轻举妄动。这样，燕国西面有强秦为后盾，而南面没有齐、赵两国的威胁，燕国就安全多了。

"希望大王仔细考虑这个问题。"

燕王也被说服了，愿意侍奉秦国，并献出了五个城邑。

张仪终于说服了诸侯各国，马上回国向秦王报告。可是，还没到达咸阳，秦惠王就去世了，武王继位。秦武王从小就不喜欢张仪，登位之后，大臣们就诽谤张仪说："张仪言而无信，到处卖国，谋求私利。秦国如果再任用他，恐怕会被天下人取笑。"秦武王于是更加讨厌张仪。

各诸侯国听说张仪跟秦武王有嫌隙，就纷纷背叛连横路线，又实行合纵外交。

秦国大臣不停地诋毁张仪，同时，齐国也对他表示不满。张仪害怕自身难保，就觐见秦武王说："我有个想法，希望大王能听听。"秦武王说："什么想法？"

张仪于是说："齐王非常憎恨我张仪，无论我在哪个国家，他都会出兵攻打。为秦国考虑，希望您让我到魏国去，那么齐国肯定会出兵攻打魏国。魏国和齐国一打起来，谁都无法脱身，大王就可以趁机进攻韩国，还可以出兵函谷关，威胁周京，那么周朝的祭器一定会交出来。这样，大王就能挟持天子，成就帝王的大业！"

秦王认为有道理，就派出三十辆兵车，把张仪送到了魏国。齐国果然出兵攻打魏国。魏哀王很害怕，于是张仪说："大王不要忧虑，请让我来退却齐军！"随后，张仪就派遣自己的家臣冯喜到楚国去，然后作为楚国的使者前往齐国，对齐王说："大王非常憎恨张仪，但是，大王的所作所为，却是在帮助张仪。"

齐王很奇怪地问："我对张仪恨之入骨，张仪在哪里，我就会打到哪里，怎么可能帮助张仪呢？"

冯喜回答说："您的这种做法的确是在帮助张仪啊。张仪从秦国出来时，跟秦王约定说：'齐王非常憎恨我张仪，无论我在哪个国家，他都会出兵攻打。为秦国考虑，希望您让我到魏国去，那么齐国肯定会出兵攻打魏国。魏国和齐国一打起来，谁都无法脱身，大王就可以趁机进攻韩国，还可以出兵函谷关，威胁周京，那么周朝的祭器一定会交出来。这样，大王就能挟持天子，成就帝王的大业！'秦王同意，所以才派了三十辆兵车，把张仪送到魏国。现在张仪到了魏国，大王果然进攻魏国，这是中了张仪的奸计啊！大王这样做，对内会使国家疲惫，对外会增加仇敌，给自己造成威胁，而张仪却因此得到秦王的信任。所以，我才说您是在帮助张仪。"齐王恍然大悟，马上撤军。

齐国撤军之后，张仪受到了魏国的重用，在魏国担任宰相。一年之后，死在了魏国。

相关链接
〔1〕观津：地名，在今河北省武邑县一带。
〔2〕陈轸：生卒年代不可考，战国时期纵横家，曾事秦，后为楚国谋士。
〔3〕黔中：古郡名，战国时期楚置，后入秦，秦时治所在今湖南沅陵西。
〔4〕孟贲：相传为战国时期卫国大力士，勇武且威严，发怒时"发直目裂"，与乌获、夏育有齐名。

陈轸曾经跟张仪一起侍奉秦惠王，都受到重用，因而钩心斗角。后来，秦惠王让张仪做了宰相，陈轸就只好投奔楚国。因为张仪曾在秦王面前诋毁过陈轸，于是陈轸设计斗张仪……

陈轸，也是个游说各国的辩士。

陈轸曾经跟张仪一起侍奉秦惠王，都受到重用，因而钩心斗角。张仪在秦王面前诋毁陈轸："陈轸经常来往于秦国和楚国之间，本可以为秦国办成很多事，可是实际上什么都没办成。现在楚国仇视秦国，而对陈轸却很好，为什么呢？就因为陈轸为自己想得多、为大王想得少。陈轸早就想离开秦国，到楚国去发展，大王为什么不随他的便呢？"

秦惠王于是就问陈轸："我听说你想离开秦国到楚国去，有这回事吗？"

陈轸答："对，有这回事。"

秦惠王说："哦，张仪说的果然没错！"

陈轸说："其实，不仅张仪知道这回事，连路过秦国的人都知道这回事。从前，伍子胥忠于他的国君，所以天下的国君都争着要他来辅佐自己；曾参孝敬他的父母，所以天下的父母都希望能有他这样的儿子。因此说，那些被贩

卖的奴仆和侍妾，如果不出里巷就被卖掉，那就是好奴仆、好侍妾；那些被遗弃的妇女，如果能嫁在本乡本土，就是好女人。如果我陈轸不忠于国君，楚国又凭什么认为陈轸是忠臣呢？忠于国君，却要被抛弃，我陈轸不去楚国，那该去哪里呢？"

秦惠王感到惭愧，就更加友好地对待陈轸。

后来，秦惠王让张仪做了宰相，陈轸就只好投奔楚国。楚国没有重用他，而是派他出使秦国。陈轸路过魏国，想要会见犀首[1]，犀首谢绝不见。陈轸让人转告犀首："我有要事相告。您要是真的不愿见我，我可就走了，连一天也等不得。"

○ 品画鉴宝

兽形尊（战国） 此兽角直立，张领露齿，双目圆睁。器形、纹饰体现了中原文化的影响，但装饰风格仍具有浓厚的百越文化特征。

犀首马上会见他。陈轸问："您为什么总是喜欢喝酒呢？"

犀首答："唉，无事可做啊！"

陈轸说："我给您一些事情做，您愿意吗？"

犀首说："当然愿意。你准备怎么做？"

陈轸说："魏相田需约定诸侯合纵相亲，可是楚王怀疑他，无法接受他的建议。您可以对魏王说：'我跟燕、赵两国国王有交情，他们多次派人来，叫我过去聊聊。希望大王能让我去两国走走。'如果魏王允许您前去，那么请您不要多用车辆，只用三十辆车就可以，但是要让外界知道，你是要到燕国和赵国去。"

陈轸依计行事。燕国和赵国听到了消息，就派人来迎接犀首。楚王听到了这件事，非常愤怒，说："魏国不是好东西！让田需跟我结盟，却又派犀首前往燕国和赵国，这是欺骗我啊！"于是，楚王不再理睬合纵的事。而齐国听说犀首来到了北方，很重视他，也把国家大事委托给他。犀首终于成功了，在齐、燕、赵三国都很有发言权。陈轸这才到秦国去。

当时，韩、魏两国交战，已经打了整整一年。秦惠王想制止这场战争，向左右大臣征求意见。有的大臣认为应该制止，有人说还是让他们打下去才好，秦惠王犹豫不决。恰好在这个时候，陈轸回到了秦国。

陈轸拜见秦惠王，惠王问："您离开我，到了楚国，还想念我吗？"

陈轸说："大王您听说过越国人庄舄的故事吗？"

秦惠王答："没听说过。"

陈轸说："越国人庄舄在楚国当官，生病了。楚王问手下人：'庄舄本来是越国乡下的小人物，如今在楚国当官，富贵了，你们说，他还会思念越国吗？'侍从回答说：'一般说来，人们如果思念故乡，都是在他生病的时候。要是他想念越国，就会操越国的口音；要是不想念越国，就会操楚国的口音。'楚王派人去听，结果庄舄还是操越国口音。如今，我虽然被您抛给了楚国，但是怎么能忘了秦国的口音呢？"

秦惠王说："好。现在韩、魏两国交战，已经打了整整一年了，还没有和解的迹象。有人说制止它为好，有人说不救为好，我不知道怎么办才对。希望你能替我考虑考虑。"

陈轸回答说："有没有什么人告诉大王卞庄子[2]刺虎的故事呢？卞庄子想去刺杀老虎，有人制止他说：'不忙！那两只老虎正在吃牛，吃到美味的时候，它们肯定会争夺，一争夺就两虎相斗，两虎相斗就会大的伤，小的死。你可以趁大虎受伤的时候去杀掉它，这样就会一举两得，别人会以为你杀了两只老虎。'卞庄子认为有理，便耐心等待。过了一会儿，两只老虎果然争斗起来，大的受伤，小的死亡。卞庄子趁机杀掉了那只受伤的老虎。果然一举两得。如今，韩、魏两国已经打了一整年，要不了多久，必然是大国受伤，小国灭亡。大王可以趁机攻打那受伤的大国，这样必然可以一举两得，事半功倍。我们应当再等一等，等他们差不多了，再进攻。"

秦惠王说："好的，还是您有计谋。"不久之后，大国果然受伤，小国果然灭亡。于是秦国出兵，取得了彻底的胜利。这都是陈轸的功劳。

相关链接

〔1〕犀首：指公孙衍。公孙衍：魏国阴晋（今陕西华阴东）人，号犀首，战国时期纵横家，初事秦，后至魏，曾任魏相。

〔2〕卞庄子：又作管庄子，春秋时期鲁国卞邑大夫，谥庄，故人称"卞庄子"，勇猛有武力，有刺双虎的故事。

田文找了个机会，问他父亲田婴："儿子的儿子叫什么？"田婴答："叫孙子。"田文接着问："孙子的孙子叫什么？"田婴答："叫玄孙。"田文又问："玄孙的孙子叫什么？"田婴答："我不知道。"

孟尝君姓田名文，父亲名叫田婴，是齐威王的小儿子、齐宣王的异母弟弟。

田婴从齐威王的时候起，就担任要职，掌管政事，曾经跟邹忌和田忌去援救韩国，攻打魏国。齐威王去世之后，齐宣王继位，田婴又与田忌、孙膑一起攻打魏国，在马陵打败魏军，俘虏了魏国太子，杀死了魏将庞涓。齐宣王七年，田婴出使韩国和魏国，韩魏两国后来随顺了齐国。齐宣王九年，田婴升任丞相，之后，在职时间长达十一年之久。齐宣王去世后，齐湣王继位，湣王把薛邑[1]封赐给了田婴。

田婴共有四十多个儿子。田文的母亲是个下贱的小妾，田文在五月五日出生，田婴觉得不吉利，就告诉田文的母亲说："不要养大他。"可是田文的母亲不忍心，还是偷偷地养活了他。

田文长大之后，母亲就向田婴引见田文。田婴责怪田文的母亲说：

"我不是让你抛弃这个孩子吗？可是你却偷偷养活他，你怎么这么大胆？"田文在旁边看着，为母亲感到不公，就叩头对父亲说："您不愿养育五月五日出生的儿子，原因是什么？"田婴说："这一天出生的儿子，将来会长得跟门户一样高，这对父母亲不利。"田文说："人是受命于天呢，还是受命于门户？"田婴默不作声。田文接着说："如果是受命于天，你还担心什么呢？如果是受命于门户，那么加高门户就是了，有什么了不起的呢？"田婴恼羞成怒，说："你住口！"

过了很长一段时间，田文找了个机会，问他父亲田婴："儿子的儿子叫什么？"

田婴答："叫孙子。"

田文接着问："孙子的孙子叫什么？"

田婴答："叫玄孙。"

田文又问："玄孙的孙子叫什么？"

田婴答："我不知道。"

田文于是说："您在齐国做宰相，掌握齐国大权，先后侍奉了三位

太子。可是，这么多年以来，齐国没有扩大，您自己虽然家财万贯，门下却连一个贤能的人都没有。如今您的姬妾身着绫罗绸缎，而士人则连粗布衣服都穿不上；您的奴仆侍妾早已厌倦了大鱼大肉，而士人则连温饱问题都没有解决。可是，直到现在，您还在横征暴敛，想把财产留给您自己都不知道的什么人，我田文真是无法不感到奇怪。"

这一席话让田婴刮目相看，这才器重田文，让他主持家事，接待宾客。田文待人和善，宾客一天一天地增多，田文的名声也随之传遍了各国。各国都派人请求薛公田婴把田文立为太子，田婴答应了他们。田婴去世后，田文接替君位，这就是孟尝君。

孟尝君广招天下宾客，优待他们，并为他们安家立业。天下士人于是蜂拥而至，争相归附孟尝君。最多的时候，食客达到了几千人，而且不论贵贱，一律与孟尝君平起平坐。孟尝君接待宾客座谈时，总是在屏风后面安排秘书人员，负责记录孟尝君跟宾客的谈话，记录宾客亲属的生活情况等等。这样，等宾客离开的时候，孟尝君已经派人给宾客的亲属送去了慰问品和财物。

有一次，孟尝君招待客人吃晚饭，有一位客人无意中遮住了灯光。另一位客人很生气，以为饭菜不一样，就放下碗筷，拂袖而去。孟尝君马上起身，端着自己的饭菜跟他比较。客人惭愧至极，觉得没脸见人，就拔剑自刎了。士人们听说这件事后，更是愿意归附孟尝君。孟尝君对门客来者不拒，对他们都很好，所有人都认为孟尝君最亲近的是自己。

齐湣王二十五年，孟尝君出使秦国，秦昭王看重孟尝君的贤能，想任命他为丞相。有人劝说秦昭王道："孟尝君有才有德，又是齐国的王族，如果做了秦国的丞相，一定会偏向齐国，那对秦国非常不利。"秦昭王只好作罢，但是又不想让别国得到孟尝君，就把他软禁起来，准备杀死他。孟尝君马上派人去走访秦昭王的爱妾，请求帮忙解围。昭王的爱妾说："我想得到您的白狐皮衣[2]。"本来，孟尝君有一件白狐皮衣，珍贵异常，天下无双，可是，已经献给了秦昭王，再也找不到另外一件了。孟尝君为此忧虑，问遍门客，可是谁也没有办法。这时候，有个坐在角落里的人站了起来，说："我有办法得到白狐皮衣。"这个客人善于偷窃，便在夜里装成一只狗，潜入秦国王宫的仓库里，把白狐皮衣偷了回来。孟尝君马上把它献给秦昭王的爱妾。秦昭王的爱妾也马上替他求情，秦昭王一时心软，就释放了孟尝君。

孟尝君被释放以后，立即飞驰离开，更改了通行证，为了出关，连姓名都改了。半夜，孟尝君已经到了函谷关。这时候，秦昭王已经后悔了，派人快马加鞭追赶他。孟尝君到了关口，关口法令规定，只有鸡叫以后才能让旅客出入。孟尝君料到后有追兵，心里焦急万分，但又没有办法。这时候，又有一个平时不被注意的门客站了出来，模仿鸡叫，他这么一叫，许多鸡就跟着啼叫起来，于是，孟尝君一行出了关。刚出关不久，秦国追兵赶到了关口，但孟尝君已经出关，追兵只好无功而返。

　　当初，这两位宾客前来投奔，孟尝君让他们与其他宾客享有同样的待遇，其他门客觉得与鸡鸣狗盗之徒为伍，降低了自己的身份。可是，孟尝君在秦国陷于危难时，正是这两个人救了他。

　　孟尝君回国后，被任命为齐国的丞相，主持政务。

　　有一年，孟尝君的家臣魏子替主人去收租税，往返了三次，却一点东西都没拿回来。孟尝君奇怪，问他是怎么回事，他回答说："我遇到了一个贤人，很难得，我就把收来的租税，都以您的名义送给了他，所以什么都没能拿回来。"孟尝君很生气，立刻斥退了魏子。

　　过了几年，有人在齐湣王面前诽谤孟尝君，说他要作乱。后来，田甲劫持齐湣王，齐湣王怀疑是孟尝君指使的，孟尝君有口难辩，只好外逃。这时候，当初接受了魏子租税的那个贤人听说这件事后，上书申诉孟尝君不会作乱，并请求用生命担保，之后，在王宫门前自刎，以死来给孟尝君作证。齐湣王大吃一惊，马上派人跟踪调查，发现孟尝君果然无辜，便又召回孟尝君。孟尝君借口有病，告老回到了薛邑。

　　过了一些年，齐湣王灭掉了宋国，日益骄傲起来，想清除孟尝君。孟尝君逃往魏国，被魏昭王用作宰相。不久之后，魏国与燕国联合，一起来打败齐国。齐湣王逃亡到莒邑，死在了那里，然后齐襄王继位。齐襄王刚刚继位，害怕孟尝君，就跟他结交友好，重新亲近他。

　　田文死后，谥号为孟尝君。他的几个儿子争着继位，齐国和魏国趁乱灭掉了薛邑。孟尝君于是断了香火，没有后代。

相关链接

〔1〕薛邑：古邑名，在今山东滕州南。

〔2〕白狐皮衣：用白狐皮制成的大衣。白狐，一种犬科哺乳纲脊椎动物，能适应寒冷的气候，皮毛极为珍贵。

毛遂自荐

有位叫毛遂的门客，向平原君自我推荐说："听说您准备跟楚国订立合纵盟约，要带二十人一起前往，现在还缺少一人。希望我毛遂能有机会，作为备用人员，跟随您一起出发。"

平原君赵胜是赵国的一位公子，以贤能闻名。像孟尝君一样，平原君也喜欢宾客，前来投靠的宾客有几千人。平原君担任过赵惠文王和赵孝成王的宰相，曾三度离开相位，又三度恢复相位，被封在东武城[1]。

平原君家的楼房很高，从上面可以看见平民的住宅。有个平民是个瘸子，一瘸一拐地去打水。平原君的美女在楼上看风景，看见了这个瘸子，就大声嗤笑他。第二天，瘸子来到平原君门前，请求道："我听说您待人很好，士人们不远千里来投奔您，都是因为您能以士人为贵，而以侍妾为贱。我不幸身患残疾，而您的后宫有位美女，看我打水就嗤笑我，我希望能得到她的脑袋。"

平原君笑着说："可以！"

瘸子离开后，平原君笑着说："看这蠢货！竟想因为这点小事，就要杀我的美女，想得也太离谱了！"随后就把这件事忘了。

过了一年多，宾客陆陆续续地离开，超过了一半。平原君感到很奇怪："我赵胜招待各位，从来不敢失礼，可是为什么这么多人离开我呢？"有一个客人上前回答说："就是因为您不杀那个讥笑瘸子的美女啊！大家认为您爱好女色而轻视士人，士人于是就只好离开了。"平原君恍然大悟，立刻砍下那个美女的头，并亲自登门献给瘸子，向他道歉。从此以后，客人们才陆续来访。当时，齐国有孟尝君，魏国有信陵君，楚国有春申君，而赵国有平原君，这四个人都很出众，争相招揽天下贤士。

秦军攻打赵国，围攻邯郸，赵国派平原君去楚国请求救援，跟楚国订立合纵盟约。平原君准备带领门下文武双全的食客二十人同去，他对门客说："如果能用和平方式达到目的，那当然好。假如和平方式不行，那就只好胁迫楚国，争取歃血为盟。总之，要是不能订立合纵盟约，我们就不回来！贤士不必到外面去请，在门下食客中挑选就足够了。"

结果选来选去只选到了十九人，其余人没有什么可取，凑不够二十人。这时候，有位叫毛遂[2]的门客，向平原君自我推荐说："听说您准备跟楚国订立合纵盟约，要带二十人一起前往，现在还缺少一人。希望我毛遂能有机会，作为备用人员，跟随您一起出发。"

平原君问："先生在我门下几年了？"

毛遂说："三年了。"

平原君说："贤士生存于世，就像锥子放在布袋里，锥子的尖端很快就会扎破布袋，显露出来。如今毛先生在我门下三年，从来没有听说过谁夸奖您，可见先生没有什么才能。您不能去，还是留下吧！"

毛遂说："我可是今天才请求放在布袋里啊！假如我毛遂早就能放在布袋里，那早就脱颖而出了，露出的可不仅仅是锥尖而已！"平原君看毛遂很坚决、很自信，就带毛遂一起出发了。那十九个人相互交换眼色，都觉得毛遂很可笑。

到了楚国之后，毛遂跟那十九个人辩论，十九个人都大为佩服。平原君去跟楚王商议合纵盟约，从早上讨论到中午，还没有什么结果。那十九个人对毛遂说："先生最出色，您去帮帮我们的主人吧！"毛遂于是手按剑鞘，快步走上台阶，对平原君说："合纵的利害，三言两语就可以说得一清二楚。可是，两位从早上讨论到中午，还不能决定，这是为什么呢？"

楚王指着毛遂问平原君说："他是干什么的？"

平原君答："这位是我的家臣。"

楚王于是对毛遂大声呵斥："退下去！我是和你主人谈话，你来干什么！"

毛遂握着剑把上前说："大王之所以呵喝我，是因为楚国人多。可是，现在我与大王相距不过十步，楚国人再多，大王也无法依仗，大王的性命在我掌握之中。再说，我的主人就在面前，你呵喝什么呢？况且我曾听说，商汤凭着七十里土地称王天下，周文王凭着百里土地而臣服诸侯，难道是因为他们人多势重吗？不是的，他们的成功，是因为能够顺应形势。现在，楚国土地纵横五千里，军队上百万，这是称霸称王的资本啊！可是，秦国的白起率领几万军队，来挑战楚国，第一战就夺下了鄢邑和楚都，第二战就烧了夷陵，第三战就侮辱了大王的祖先。这是楚国的深仇大恨，赵国人也为此感到羞耻，而大王竟不懂得反省。赵楚两国订立合纵盟约，其实是为了楚国，而不是为了赵国！你为什么不想想该怎么顺应形势呢？我的主人就在面前，你呵喝什么呢？"

楚王说："嗯……啊……先生说的的确有道理。我愿意订立合纵盟约。"

毛遂问："您完全决定了吗？"

楚王说："决定了！"

毛遂对楚王左右的人说："拿鸡、狗、马的血来！"然后，毛遂捧着铜盘，跪着把它进献给楚王说："大王应当先歃血为盟，其次是我的主人，再次是毛遂。"于是，三人在殿堂上签订了合纵盟约。

合纵盟约签订以后，平原君回到赵国，很有感触："我赵胜再也不敢随便判断人了。我考察士人，多则上千，少则几百，认为自己不会看错人。但是我却有眼无珠，看错了毛先生。毛先生平时默默无闻，可是一到楚国，就使赵国尊贵无比。毛先生的三寸之舌，要胜过百万军队啊！"于是把毛遂尊为上客。

相关链接

〔1〕东武城：古地名，在今山东德州武城一带。

〔2〕毛遂：战国时期魏国大梁（今河南开封）人，赵国平原君赵胜的门客之一，公元前257年，自荐出使楚国，大展锋芒，平原君称赞他"三寸之舌，强于百万之师"。

虞卿去游说赵孝成王。第一次见面，赵孝成王赏赐给他一百镒黄金、一对白色的玉璧；第二次见面，被任命为赵国的上卿。后来因他一计挽救了赵国，赵王把一个县城赐封给了他。

虞卿[1]是善于游说的读书人。他穿着草鞋打着雨伞，去游说赵孝成王。第一次见面，赵孝成王赏赐给他一百镒黄金、一对白色的玉璧；第二次见面，被任命为赵国的上卿。

赵国和秦国在长平交战，赵国战败，还牺牲了一名都尉[2]。赵孝成王问大臣："我军战败，还损失了一名都尉。我准备命令军队反扑敌军，怎么样？"楼昌说："这不行，不如派人去讲和。"

虞卿不同意楼昌的意见，转而对赵王说："大王要是信我的话，就派人带上贵重的财宝去依附楚国和魏国，楚国和魏国想得到财宝，一定会接纳我国的使者。而秦国一听说这样的事，必定怀疑诸侯们在合纵联盟，一定会害怕。这样，再跟秦国讲和，就不至于太吃亏。"

可是，虞卿的意见没有被采纳。赵王很快派人出使秦国，商谈议和。然后，赵王又召见虞卿说："我派人到秦国议和，秦国已经接纳我们了，您看结果会怎么样？"虞卿回答："哎呀，大王为什么偏偏不听我的话呢？我们的使者到了秦国之后，秦王一定会大力张扬这件事，给天下人看。楚国和魏国知道赵国向秦国求和，一定不会来救援大王。而秦国知道没有人来救大王，也不可能跟大王讲和，而是会继续出兵攻打我们，赵军必败无疑！"果然，秦国大肆张扬赵国来议和的事，始终不肯讲和，同时又向长平增兵。长平一战，赵军损失惨重，而秦军则乘势包围了邯郸。

邯郸之围解除之后，赵王派赵郝去跟秦国签约，割给秦国六个县讲和。虞卿问赵王："秦军已经撤退了，依您看，他们之所以撤退，是因为无力再攻呢，还是因为爱护大王？"赵王说："秦军早就已经不遗余力了，一定是因为疲惫不堪才撤军的。"虞卿说："秦军不遗余力，终于因为疲惫不堪而撤军，可是大王却把秦军打不下来的土地送给他们，这是帮助秦国来攻打自己。要是明年秦军再来攻打，大王可就没得救了。"

赵王把虞卿的话告诉赵郝。赵郝说："不要听虞卿胡说八道！他了解秦军有多厉害吗？现在不割地，要是明年秦军再来打，大王怎么办？到那个

时候，恐怕就不是割让这几个弹丸之地了，弄不好连内地都得交出去！"赵王说："要是割地给他们，您能肯定秦国明年不再来进攻我们吗？"

赵郝回答："这个我可不敢说。以前，韩、赵、魏三国都与秦国关系很好。现在秦国只和韩、魏两国相好，却进攻大王，肯定是因为大王侍奉秦国比不上韩、魏两国。现在，我可以替您挽回过失，开放边关，互相往来，像韩、魏两国一样和秦国交往。如果明年大王还是被秦国攻打，肯定是因为大王对秦国侍奉得还不够好，一定是落在了韩国和魏国的后面。所以，明年怎么样，要靠大王您把握，我可不敢保证什么。"

赵王把赵郝的话告诉虞卿。虞卿回答说："既然赵郝觉得即使割地，也不能保证明年秦国不来进攻，那又何必割地呢！秦军既然撤军，兵力一定是不足，我们不要太害怕它。我们可以用六个县城来笼络天下，去进攻秦国；这样，虽然失去了六个县城，但能从秦国那里得到补偿。要是听从赵郝的意见，那么大王每年都要用六个县城服侍秦国，只能多，不能少，那样下去，赵国可就没了！要是明年秦国再来要求割地，大王准备给它吗？不给的话，这会前功尽弃，秦国就会挑起祸端；要是给它的话，要不了多久，就没有土地可给了。大王的土地有限，而秦国的要求没有穷尽之时，用有限的土地去满足无穷的要求，赵国怎么可能不灭亡！"

赵王觉得虞卿也有道理，犹豫不决，无法决定。这时候，楼缓从秦国回来，赵王于是就问楼缓："给秦国土地好，还是不给好？"楼缓推辞说："不好说啊！"赵王说："没关系，不妨随便说说。"楼缓回答说：

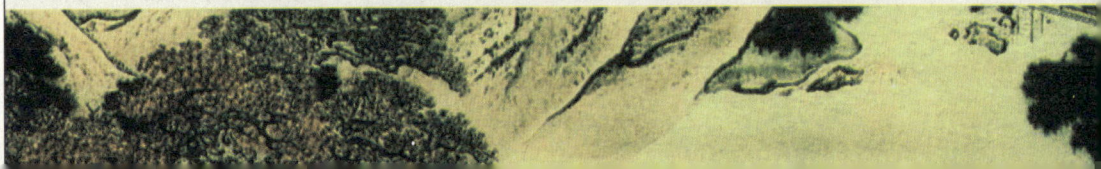

"我刚从秦国回来，如果说不给秦国土地，好像不太合适；要是说给它吧，又恐怕大王认为我是为了秦国。所以不敢回答。说实话，为大王着想，还是给它好。"赵王说："好吧！"

虞卿知道了楼缓的话，马上朝见赵王说："这是花言巧语，大王千万不要听信，千万不能割地！"

赵王又把虞卿的话告诉楼缓。楼缓说："虞卿对天下大势还不够了解。秦国和赵国关系恶化，天下人都会高兴，为什么呢？因为他们可以趁乱打赵国的主意。所以，还是赶快割地求和的好，以此来迷惑天下，平服秦国的野心。不然，其他国家会趁机来瓜分赵国。赵国现在是自身难保，怎么可能图谋秦国呢？所以说，虞卿是只知其一、不知其二啊！希望大王就这样决定下来，不要再考虑了！"

虞卿听说了楼缓的话，马上前往拜见赵王："楼先生用这样的计谋来帮助秦国，赵国可就危险了啊！照他那样做，只能使天下人更加迷惑，却根本不可能平服秦国的野心！况且，我说不割地给秦国，并不是仅仅不给就了事。大王可以把六个县城送给齐国，齐国是秦国的大敌，得到六个县城，肯定会与大王合力攻秦。大王失去六个县城，却可以从秦国那里取得补偿。这样，齐、赵两国的深仇大恨就可以报了，还能向天下显示赵国是有所作为的。大王只要把联合齐国的想法张扬出去，秦国就会带着重礼来向大王求和。大王可以顺从秦国的意思，与它讲和。秦赵一讲和，韩国和魏国就会尊重大王；尊重大王，就会拿出贵重的财宝争先献给大王。这样，大王就可以与齐、韩、魏三国结盟，彻底改变自己的地位。"

赵王思之再三，觉得还是虞卿有道理，就派虞卿去会见齐王，跟齐王商讨对付秦国的办法。虞卿还没回国，秦国的使者就来到了赵国，请求议和。楼缓听说后，马上逃离了赵国。赵王感激虞卿料事如神，挽救了国家，就把一个县城赐封给虞卿。

相关链接

〔1〕虞卿：又作虞庆、吴庆、虞氏，本名失传，曾被赵孝成王任为上卿，故人称虞卿，战国时期游士，主张合纵抗秦，著有《虞氏春秋》十五篇，已佚。

〔2〕都尉：武官名，始置于战国时期，地位略低于将军，秦时负责掌管郡内军事，后代多有沿用。

信陵君窃符救赵

　　侯赢对信陵君说："据说，晋鄙的兵符，总是放在魏王的卧室里。如姬最受宠幸，可以在魏王的卧室里进进出出，可以偷到兵符。"信陵君听从了侯赢，请求如姬帮忙。如姬果然偷了晋鄙的兵符给他。

　　魏公子无忌，是魏昭王的小儿子，魏安釐王的同父异母弟弟。魏昭王去世后，安釐王继位，封公子为信陵君。

　　信陵君为人仁慈厚道，礼贤下士，对所有士人都能以礼相待，从不因为自己的富贵而怠慢别人。因此，方圆几千里之内的士人，都争相归附，以至食客三千。当时，诸侯各国因为信陵君贤能，门客又多，所以十多年来不敢侵犯魏国。

　　有一次，信陵君跟魏王下棋，从北方边境传来了烽火警报，说："赵国侵略军来了，快到边界了！"魏王马上抛开棋盘，想要召集大臣商议对策。信陵君劝止魏王说："赵王只是打猎而已，不是入侵。"两人于是就接着下棋。可魏王还是担心，心不在焉。过了一会儿，又从北方传来消息说："赵王只是打猎而已，不是侵掠。"釐王听了，非常吃惊，说："公子为什么猜得这么准？"信陵君回答："我的门客里面，有人能够打听到赵王的秘密行动，赵王的所作所为，门客总是把它报告给我，所以我了解情况。"

　　从此以后，魏王开始担心信陵君的贤能，不敢把国家大事委任给他。

　　魏国有个隐士[1]，名叫侯赢，七十岁了，家里很穷，担任大梁城的看门人。魏公子听说有这么一个人，就前往访问，要赠送财物给他。侯赢不肯接受，说："我修身养性几十年，总不能因为自己太穷，就接受公子的财物。"

　　信陵君于是回府，摆设酒席，大宴宾客。客人坐定之后，信陵君带着车马，空着车子左边的座位，[2]亲自到城门去迎接侯赢。侯赢整了整破旧的衣帽，毫不谦让地上车就座，还坐在上位，想借此来观察公子的态度。信陵君握着马缰绳，显得更加恭敬。

　　侯赢又对信陵君说："我有个朋友，叫作朱亥，在市场的屠宰场里干活，希望能委屈您的车马，让我去看看他。"信陵君于是驾车到市场里，侯赢下车去会见朱亥，说个没完，暗中观察公子的反应。只见信陵君毫无怨言，脸色更加温和。当时，魏国的将相、王族、宾客，济济一堂，正在等着信陵君回去举杯祝酒；而信陵君却站在市场里，拿着马缰绳，听侯嬴唠叨，随从人员非常气愤，都暗地里咒骂侯嬴。侯嬴看到魏公子的脸色始终不变，于是就辞别客人，登上车子。

来到宴会上，信陵君领着侯嬴坐在上位，并一一介绍宾客，宾客都很吃惊。酒喝得酣畅淋漓的时候，信陵君起身，专门来到侯嬴面前敬酒祝福。侯嬴对魏公子说："今天我侯嬴为公子所做的也足够了。我只是个看城门的人，而公子却亲自驾着车马，在大庭广众之中来迎接我。我本不该去访问客人，却故意委屈公子的车马去拜访他。我想成全公子的美名，故意让车马等了我那么长时间，借此观察公子，发现公子更加恭敬，真的让我感动。人们都以为我侯嬴是小人，而把公子看作是礼贤下士的长者。"酒席至此结束，侯嬴从此成了信陵君的上宾。

侯嬴对信陵君说："我所访问的屠夫朱亥，是个有才能的人，可是世人并不了解他，所以他才隐居在屠宰场里。这个人值得招纳。"信陵君于是多次前往拜访朱亥，可是朱亥从不回访致谢。

魏安釐王二十年，秦昭王在长平大败赵军，又顺势围攻赵都邯郸。信陵君的姐姐，是赵国平原君的夫人，她多次送信给魏王和信陵君，请求援助。魏王派将军晋鄙带领十万军队去援救赵国。秦王派使者警告魏王说："我占领赵国，易如反掌，要是谁敢援救赵国，那我攻下赵国以后，马上就调转军队，先进攻它。"

魏王害怕起来，派人让晋鄙停止进军，驻扎在邺县，名义上还是救援赵国，实际上是只看不战。赵国形势危急，平原君不停地派出使者来求援，还责备信陵君说："我赵胜之所以要高攀您，跟您缔结婚姻关系，是因为您重义气，又能重视别人的难处。现在我危在旦夕，而魏国的救兵迟迟不来，您的义气跑到哪里去了？再说，即使您不把我赵胜当回事，任凭我去投降秦国，那您也应该为自己的姐姐考虑考虑呀！"

信陵君为此伤透了脑筋，多次请求魏王，并让自己的门客千方百计地游说魏王。魏王害怕秦国，始终不肯听从。信陵君估计，这样下去，终究还是不能得到魏王的帮助，但是信陵君又不愿赵国灭亡，于是就请宾客凑了一百多辆车马，想率领宾客冲入秦军阵地，跟赵国共存亡。

信陵君带队经过城门，见到了侯嬴，就把要跟秦军决一死战的事情告诉了他。侯嬴说："公子自己努力吧，可惜老臣我不能随从。"信陵君走了几里路，心里不愉快，心想："我对侯生礼遇周到，天下谁人

不知？可是如今，我就要死了，他连一言半语的话都没送给我，是不是我做错了什么事？"于是，信陵君又调转马头，追问侯嬴。

侯嬴正等着信陵君，一见到信陵君回来，就笑着说："我就知道您会返回来的！"随后接着说："您喜爱士人，美名传遍天下。现在有了急难，不好好想办法，却想冲入秦军阵地，白白送死，这有什么用呢？要是这样死掉，又何必供养门客呢？"

信陵君拜了两拜，请教侯嬴该怎么办。侯嬴支开了旁人，单独对信陵君说："据说，能够调动晋鄙的兵符，总是放在魏王的卧室里。如姬最受宠幸，可以在魏王的卧室里进进出出，她可以偷到兵符。我还听说，如姬的父亲被人谋杀，如姬怀恨三年，很多人都想替她报杀父之仇，但没有人能找到杀害他父亲的仇人。而信陵君您找到了那个仇人，把他的头献给了如姬。如姬感戴您，即使替您去死，也不会推辞，只是还没有找到机会罢了。您如果开口请求如姬帮忙，她肯定会答应，那么您就能得到虎符，就可以夺取晋鄙的军队，然后带领军队去救援赵国、击退秦军。这可是五霸一样的功业啊！"

信陵君听从了侯嬴，请求如姬帮忙。如姬果然偷了晋鄙的兵符给他。

信陵君出发时，侯嬴说："将军在朝外，君命有时可以不接受，为的是国家的安全。公子如果合了兵符，但晋鄙还是不愿意把军队交给您，那就危险了。我的朋友朱亥可以跟您一起去，这人是个大力士。晋鄙如果能听从，那就万事大吉；如不能，就让朱亥杀掉他。"信陵君听后不禁落泪。侯嬴问："公子怕死吗？为什么哭呢？"信陵君说："晋鄙是一位叱咤风云的老将，恐怕他不会听从我，那就必然要杀他。我因此而哭泣，怎么会是怕死呢？"

信陵君于是请求朱亥同行，朱亥笑着说："我只是市场里操刀的屠夫，公子却多次亲自上门问候。我之所以从不回访致谢，是因为那都是些小礼节，用不着讲究。如今您真的用得着我了，我怎么会不为您效命呢！"于是朱亥就跟信陵君一起出发了。

信陵君又去向侯嬴告别。侯嬴说："我本来应当随从您，可是我年老不中用了。我可以留在这里，计算您的行程，等您到了晋鄙军营的那一天，我就面向北方自刎，来报答公子！"

信陵君到了邺县，假托魏王的命令代替晋鄙领兵。晋鄙合了兵符，总觉得这件事可疑，盯着信陵君的眼睛说："我带领十万大军，驻扎在国境上，这是国家交给我的重任。现在您独自驾车来接替我，这到底是怎么回事？"晋鄙越想越怀疑，不想交出兵权。

当时朱亥在场，衣袖里藏着四十斤重的铁锤，看到晋鄙怀疑，就掏出铁锤，杀了他。信陵君于是取得了兵权。随后，他整编全军，发布命令说："父子都在军营里的，父亲回家；兄弟都在军营里的，兄长回家；独生儿子没有兄弟的，回家养亲。"最后，信陵君得到精兵八万，进攻秦军。秦军看到强兵来临，就解除包围撤退了。信陵君终于解救了邯郸，保存了赵国。赵王和平原君亲自到边界迎接信陵君，平原君背着箭袋在前面给信陵君引路。赵王拜了两拜说："自古以来，没有哪个贤人能赶得上公子。"

信陵君和侯嬴分别以后，到达军营时，侯嬴果然面向北方自刎了。

魏王怨恨信陵君偷他的兵符，还假托命令杀死晋鄙，信陵君自己也知道，所以在击退秦军、保存赵国以后，信陵君就派了一个将领，把军队带回魏国，而自己和宾客留在了赵国。赵孝成王感激信陵君，就跟平原君商议，要把五个县城赐封给信陵君。信陵君听说这件事后，并不推辞，流露出了当之无愧的神色。

宾客们见了，就有人劝说道："有的事情不能忘记，而有的则应该忘记。别人对公子有恩，公子不可忘记；公子对别人有恩，希望公子能忘记它。况且，公子窃符救赵，对赵国来说虽然有功，但对于魏国来说，公子就不是忠臣了。可是公子却骄傲地把这件事当作自己的功劳，这样似乎不妥。"信陵君听了，立即责备自己，感到无地自容。

赵王对信陵君非常恭敬，每次信陵君来，赵王都亲自打扫台阶，亲自迎接，指引他走西边的台阶。而信陵君则总是谦让地侧着身走，从东边的台阶上去。每次与赵王聊天，信陵君也总是陈述自己的罪过，认为自己既辜负了魏国，对赵国也没有什么功劳。

赵王陪信陵君喝酒聊天，一直到傍晚，避而不谈献出五个县城的事，因为信陵君太谦让了，赵王无法开口。最后，信陵君留在了赵国，赵王非常优待他。

相关链接
〔1〕隐士：古代隐居乡下或山林不肯出来做官的人。
〔2〕古代座次以左为贵，空着左边的座位给宾客称"虚左"，是一种尊重别人的表现。

434

秦国知道信陵君不在魏国，就马不停蹄地前来进攻魏国。魏王没有办法，就派人去请信陵君回国。信陵君总是担心魏王会陷害他，不愿回去。这时毛公和薛公去见信陵君说："您之所以在赵国受到重视，是因为有魏国存在。假如秦军攻占魏国，毁坏先王的宗庙，那么公子还有什么脸面活下去呢？"

赵国有两个隐士，一个叫作毛公，是个赌徒，还有一个叫作薛公，是个卖酒的。信陵君很想拜见这两个人，可是两人躲了起来，不肯见他。信陵君打听到了他们的住处，就偷偷地步行前去，跟两人交往，相处得非常融洽。平原君听说了这件事，对夫人说："当初，我听说你弟弟信陵君贤能之极，天下无双，可是现在，他竟然跟赌徒和卖酒的人打成一片。原来他只是个糊涂人而已！"平原君夫人把这些告诉了信陵君。

信陵君听了，很遗憾地说："当初，我也听说平原君贤能，所以才辜负了魏王而救援赵国。但现在我才明白，平原君爱好交游，只不过是用来装潢门面而已。我在魏国的时候，就时常听说毛公和薛公贤能，到了赵国以后，还担心见不到他们。我跟他们交往，还怕他们不要我呢！可是平原君呢，竟然把这看作耻辱！唉，看来他才不值得交往。"于是准备离开赵国。

平原君听说这些话，就脱掉帽子谢罪，坚决挽留信陵君。他的门客听说后，也纷纷跑来归附信陵君。此后，天下士人又络绎不绝地前来归附信陵君。

信陵君在赵国住了整整十年。秦国知道信陵君不在魏国，就马不停蹄地前来进攻魏国。魏王没有办法，就派人去请信陵君回国。信陵君总是担心魏王会陷害他，不愿回去，而且还告诫门客说："有谁敢替魏王说话，一律处死！"宾客们很多都是背弃魏国来到赵国的，所以也都不劝他回国。

这时候，毛公和薛公两人去见信陵君说："您之所以在赵国受到重视，是因为有魏国存在。现在秦国进攻魏国，魏国危急，而公子袖手旁观，假如秦军攻占魏国，毁坏先王的宗庙，那么公子还有什么脸面活下去呢？"话还没有说完，信陵君就变了脸色，吩咐手下准备车马，马上启程回去解救魏国。

魏王见到信陵君，两人感慨万千，相对哭泣。然后，魏王任命信陵君为上将军。各国听说信陵君担任上将军，马上就派军来救援魏国。信陵君统率五国军队，在河外[1]打垮了秦军，赶走了秦将蒙骜[2]。之后，联军

乘胜追击，把秦军驱逐到函谷关，秦军从此不敢出关。当时，信陵君名震天下，各国宾客踊跃进献兵法，信陵君都给它们题名，后世总称为《魏公子兵法》。

秦王害怕信陵君，就带了一万斤黄金，偷偷来到魏国，找到了以前晋鄙的门客，让他们在魏王面前毁谤信陵君说："信陵君在外流亡十余年，现在担任魏国的上将军，各国将领都服从他，各国只知道信陵君，却不知道魏王。信陵君想趁这个时机称王，各国害怕他的声威，正想一起拥立他呢！"不但如此，秦国还多次派人施行反间计，假装来祝贺公子，然后问："信陵君能立为魏王吗？"魏王每天都听到这些诽谤的话，就相信了。于是，信陵君被罢免了上将军的职位。

信陵君知道自己已经失去了魏王的信任，就借口有病，不再上朝，而是跟宾客通宵达旦地饮宴。四年之后，他因为酒色过度，一病而亡。

秦国听说信陵君去世，马上派蒙骜前来攻打，占领了二十个城邑。从此以后，秦国逐渐蚕食魏国，十八年后俘虏了魏王，彻底消灭了魏国。

汉高祖刘邦还没有起事的时候，多次听说信陵君的故事。等到就任天子以后，每次经过大梁，都祭祀信陵君。又过了几年，高祖特意吩咐五户人家，专门看守信陵君的坟墓，而且世世代代都正式祭祀他。

相关链接

[1] 河外：地区名，春秋时期晋国称黄河以北为河内，以南为河外；战国时期魏国称黄河以南、以西为河外。

[2] 蒙骜：？—公元前240年，本为齐人，后入秦，为将领，官至上卿，子蒙武、孙蒙恬、蒙毅，三代皆为秦国名将。

楚太子换了衣服，扮作楚国使臣的车夫，逃出了关口。黄歇留守在秦国，估计太子已经走远，没什么危险了，就亲自对秦昭王说："楚太子已经回国，出关很远了。我该死，我愿以死受罚。"

春申君是楚国人，姓黄，名歇。

黄歇曾经游学各地，见多识广，所以被楚顷襄王派去出使秦国。当时，秦昭王已经征服了韩国和魏国，正准备联合韩国和魏国，一起攻打楚国。黄歇到了秦国之后，立刻上书劝说秦昭王：

"当今天下，没有比秦、楚两国更强大的国家了。大王攻打楚国，就好像两虎相斗，必然两伤，其结果，就是让别人乘虚而入，占了我们的便宜。因此，大王不如善待楚国。请允许我详细陈述其中的道理。

"我听说，物极必反，冬夏换季就是这样；达到了极点就危险，堆积棋子就是这样。如今秦国的土地，遍及天下，面积之大，前无古人。可以说，大王现在的业绩已经达到了极点，不宜再做过多的打算了。

"大王的当务之急是保持这种功绩、守住自己的威势，收敛吞并别国的野心，用仁义之心来抚慰天下，以免后患。如果大王倚仗军队的强大，想用武力臣服天下诸侯，恐怕会有后患。很多事情都是这样，虽然有个好的开头，但很少能够有个好结果。希望大王您能够善始善终。而要善始善终，就需要您小心谨慎，分清敌友，把握轻重，不要轻易动作。

"楚国是秦国的好朋友，而韩国和魏国是秦国的敌人。可是，大王现在竟然相信韩国和魏国，真是不可思议，就像当初吴国相信越国一样。韩国和魏国表面上顺从秦国，但实际上却是想欺骗大王。为什么这么说呢？因为，秦国对于韩国和魏国，从来就没有过什么恩德，却留下了多年的仇恨。近十代以来，韩国和魏国深受秦国之苦，不知道多少父子兄弟死在秦军手下。国家被攻打，宗庙遭毁灭，人民剖腹断肠，体无完肤，身首异处，荒郊野外到处都是尸骨。活着的人，则被捆绑起来，成为俘虏，被秦军随意驱赶；而流离失所的人，还有逃亡各地成为奴仆婢妾的，更是全天下到处都是。韩国和魏国对秦国有这样的深仇大恨，所以说，它们要是不灭亡，就是秦国最大的忧患。可是，大王现在却借助它们攻打楚国，实在是太糊涂了啊！

"再说，大王要攻打楚国，从哪里出兵？大王准备向仇敌韩国和魏国借路吗？如果这样，恐怕秦国军队只能是有去无回，还没碰到楚军，就已经被韩国和魏国消灭掉了。大王如果不向仇敌韩国和魏国借路，就只能攻打随水右边的地带。而那一带，都是无边的河水，都是不毛之地。大王即使攻占了它，也不能算是得到了土地。这样，大王虽然有了打败楚国的虚名，却并不能真正得到土地。

"况且，秦国和楚国交战的时候，都会自顾不暇，那么韩魏齐等国就会趁机出兵，四处攻城略地，占我们的便宜。那样一来，大王即使打败了楚国，也不能使自己更强大，因为韩国、魏国和齐国已经趁机强大起来了，它们越强大，秦国就会越弱小！

"替大王着想，秦国应该友好地对待楚国，两国联合起来对付韩国和魏国。韩国和魏国比较弱小，很快就可以顺从秦国。这时候，秦楚两国就可以动用兵力，去向齐国索取土地，两个大国强兵压境，齐国肯定不得不割地求和。这样一来，大王的土地就可以横跨中国东西，拦腰切断天下，这样就可以控制所有的国家，那么大王的霸业就指日可待了！"

秦昭王说："说得好！"马上就传令撤军，并且辞退了韩国和魏国。随后，秦昭王还派遣使臣贿赂楚国，相约成为盟国。

黄歇回到楚国后，又与楚国太子完一起，被派到秦国做人质，在秦国住了好几年。

楚顷襄王病重之时，太子完却在秦国做人质，不能回去探望。太子完跟秦国宰相应侯关系比较好，于是黄歇就找到应侯说："您真的和楚太子相好吗？"应侯说："是的。"黄歇说："如今楚王重病，恐怕凶多吉少。秦国应该让楚太子回国。太子如果能够继位，那么他肯定会厚待秦国，并永远感激您。如果不让太子回国，那么别人就会继位为楚王，那么太子就只是流落在秦国的一个平民罢了，扣留他也没什么用处。楚国要是另立别人，必定不会服侍秦国。所以，要是不让太子回国，那就会失去盟国、断绝了两个大国之间的友谊，这样做可太不明智了！"

应侯把这些话传达给了秦王，秦王说："让楚太子的师傅先去探问楚王病情，等他回来以后，再根据情况考虑对策。"

秦王没有上当，于是黄歇偷偷对楚太子说："大王如果寿终，而您不在国内，那么阳文君的儿子一定会被确定为继承人，那您就没有机会

了。不如逃离秦国，跟使臣一道出去。我可以留下来，用性命抵罪。"

楚太子于是换了衣服，扮作楚国使臣的车夫，逃出了关口。而黄歇留守在秦国，估计太子已经走远，没什么危险了，就亲自对秦昭王说："楚太子已经回国，出关很远了。我该死，我愿以死受罚。"

秦昭王非常愤怒，想让他自杀。应侯说："黄歇作为人臣，能以死报效主子，实在难得。如果太子继位，他肯定会重用黄歇。所以，不如让他回国，借此与楚国搞好关系。"秦昭王听了这番话，认为很有道理，就派人送黄歇回国。

黄歇回到楚国不久，顷襄王就去世了，太子完继位，这就是考烈王。考烈王一即位，马上任命黄歇为宰相，封为春申君，赐给他淮北[1]地区十二个县。十五年后，春申君黄歇对楚王说："淮北地区邻近齐国，那里很关键，把它设为郡更合适。"随后，献出了自己的十二个县，请求封到江东。考烈王答应了他。

相关链接
[1] 淮北：淮河以北，今安徽淮北一带。

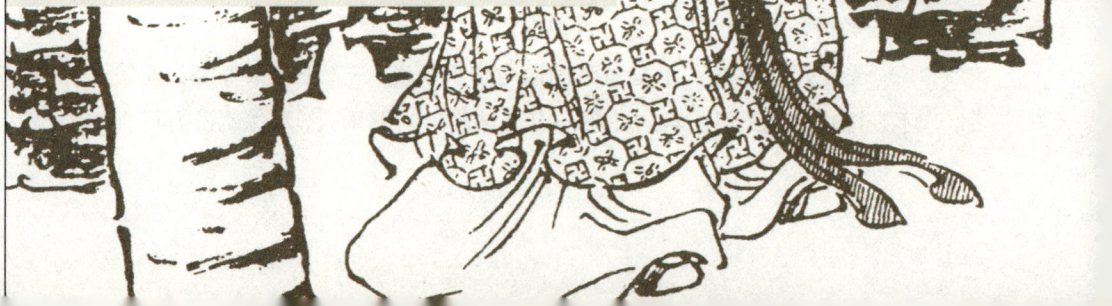

春申君担任宰相的第二十五年，考烈王病了。朱英暗示春申君说："人世间有不期而至的幸福，又有不期而至的灾祸。现在您处在不期而至的时代，侍奉不期而至的国君，怎么可能没有不期而至的人呢？"

考烈王没有儿子，春申君很担心，找了很多会生育的妇女进献给他，但都无济于事。

赵国人李园带着自己的妹妹，来到了楚国，想把她进献给楚王。后来，李园听说楚王不会生小孩，担心妹妹以后会失宠，就开始想别的主意。

李园四处活动，最后做了春申君的家臣。服侍春申君之后不久，李园请假回家，故意延误归期。李园回来之后，马上去觐见春申君，春申君问他迟到的原因，他回答说："齐王派使者求聘我妹妹，我陪那个使者饮酒，因此才延误了期限。"

春申君问："齐王送彩礼^[1]了吗？"

李园回答："还没有。"

春申君说："可以让我看看你妹妹吗？"

李园答："当然可以。"

于是，李园献上他妹妹，立即受到了春申君的宠幸。过了一段时间，李园知道妹妹怀有身孕后，就跟他妹妹商量。商量好了之后，李园的妹妹就去劝说春申君："楚王对您的尊重和信任，即使是亲兄弟也比不上。现在您做楚国的宰相已经二十多年了，位高权重，但是这种情况恐怕不会太长久。楚王没有儿子，他一旦去世，就只能另立兄弟；而另立的国君，肯定会重用他自己的亲信，那您就会被冷落。不仅这样，您受重用和掌权的时间长，对楚王的兄弟不可能没有一些失礼的地方，他们一旦继位，肯定就会报复您，那您可就太危险了。现在我已经有身孕了，但别人不知道。如果凭您的显贵，把我进献给楚王，楚王一定会宠幸我；如果老天保佑，让我生个儿子，那么您的儿子就会当王，楚国都在您的掌握之中。您看这样好不好呢？"

春申君完全同意她的看法，便让她搬出了自己的宅邸，然后禀报楚王。楚王召她进宫，生下一个男孩，被立为太子，李园的妹妹于是成为皇后。李园也受到了楚王的重用，执掌国家大事。

　　李园得势之后，害怕春申君泄密，就暗地里收养亡命之徒，想要杀掉春申君灭口。

　　春申君担任宰相的第二十五年，考烈王得了一场重病。朱英暗示春申君说："人世间有不期而至的幸福，又有不期而至的灾祸。现在您处在不期而至的时代，侍奉不期而至的国君，怎么可能没有不期而至的人呢？"

　　春申君问："什么叫不期而至的幸福？"

○ 品画鉴宝　银鎏金兽面镂空玉璧（战国）

　　朱英答："您担任楚国宰相二十多年，名义上是宰相，实际上却是楚王。现在楚王病了，要不了多久就会去世，您就要辅佐幼主，代替他执掌国政，就像当初的伊尹和周公一样，等国王长大了再把政权还给他，这不就等于称王于楚国吗？这就是不期而至的幸福。"

　　春申君又问："那什么叫不期而至的灾祸？"

　　朱英答："李园是您的仇人，早就在收买亡命之徒了。楚王一去世，他必定抢先入宫掌权，并要杀您灭口，这就是不期而至的灾祸。"

　　春申君再问："什么是不期而至的人呢？"

　　朱英回答："您可以安排我担任郎中 [2]，楚王一去世，李园必定先入宫，我可以替您杀掉李园。我就是不期而至的人。"

　　春申君听到这里，以为朱英是为了当官，才有这么一番说辞，就说："您还是放弃这种想法吧！李园是个软弱的人，而且我又待他很好，再说我们又怎么可能会那样？"朱英的话没被采用，害怕夜长梦多，就马上逃离了楚国。

　　十七天后，考烈王去世，李园果然先入宫廷，让亡命之徒埋伏在宫门以内。春申君一进宫门，就遭到刺杀，被砍掉了头，抛弃在宫门之外。随后，李园又派人杀掉了春申君一家老小。

　　与此同时，李园的妹妹所生的儿子登位，这就是楚幽王。

相关链接

〔1〕彩礼：又称"聘礼"，古代男女订婚时男方送给女方的财物。

〔2〕郎中：官职名，始置于战国，为宫廷侍卫。

忍辱负重一步登天

> 秦王屏退左右臣子，非常恭敬地问范雎："先生有何见教？"范雎说："嗯嗯。"秦王又问："先生到底有何见教？"范雎说："嗯嗯。"一连三次都是这样。秦王奇怪："难道先生不肯指教？"

范雎 [1] 是魏国人，字叔。他本想侍奉魏王，但因为家里贫穷，连自己也养不起，只好先在魏国中大夫 [2] 须贾手下任职。

魏昭王派须贾出使齐国，范雎也跟了去，在齐国逗留了好几个月。齐襄王听说范雎能言善辩，就派人赏赐范雎十斤黄金，还有一些牛肉、酒食，范雎坚决辞让，不敢接受。须贾知道了这件事，以为范雎把魏国的秘密泄露给了齐国，所以才得到这些礼物。回国以后，须贾把这件事告诉了魏国的宰相魏齐。魏齐非常气愤，让家臣鞭打范雎，打断了范雎的肋骨，又打断了他的牙齿。范雎假装已经断气，魏齐就叫人用席子把他卷起来，扔在厕所里。那些喝醉酒的宾客们听说了，都跑过来看，轮流把小便撒在范雎身上，故意侮辱他，借此警告他人不要乱说话。

大家走开以后，范雎从席子中爬了出来，对看守说："如果您能放了我，我日后一定重重答谢您！"看守于是找到魏齐，请求将席子里的死人抬出去扔掉。魏齐当时喝醉了，就随便地说："好吧，好吧！随便你！"范雎于是得以脱身。后来魏齐清醒了，派人到处搜捕他。魏国人郑安平得知这一消息就带着范雎逃跑，藏了起来。从此以后，范雎改名换姓，叫作张禄。

当时，秦昭王的使者王稽正在魏国，郑安平就乔装成兵卒，侍候王稽。王稽对郑安平说："魏国有没有贤人，可以跟我一同前往西方呢？"郑安平说："我有个老乡，叫作张禄，想会见您，谈论天下大事。他有仇人，所以不敢白天来见您。"王稽说："那好，晚上您跟他一道来。"那天晚上，郑安平带着范雎一起去见王稽。刚谈了一会儿，王稽就看出了范雎的贤能，于是与他约定下次见面的时间地点，然后就离开了。

王稽告别了魏国，用车子载着范雎回秦国。到了湖关的时候，远远看到有车马从西边来。范雎问："那边来的人是谁？"王稽答："是秦国宰相穰侯，他到东部巡视县邑。"范雎说："我听说穰侯独揽秦国政权，厌恶各国说客，这个人恐怕不会喜欢我，我还是先藏起来的好。"过了一会儿，穰侯车马到了，王稽就停下车来与他交谈。穰侯问王稽："您

该不会带着诸侯国的说客一起来吧？他们一点好事不干，就会扰乱别人的国家，最可恨！"王稽忙说："不敢！不敢！"

两人随便聊了几句，很快就各奔东西。穰侯走后，范雎对王稽说："穰侯是个很聪明的人，只是不能雷厉风行。刚才他怀疑车子里有人，却忘记搜索了。"随后，范雎就下车步行，说："穰侯肯定会后悔！他会再来的。"走了十几里之后，穰侯果然派骑兵回头搜查车子，发现果真没人，只好作罢。于是王稽和范雎顺利地进入了咸阳。

回到咸阳，王稽马上进宫，向秦昭王汇报情况。随后，王稽向秦昭王说："魏国有位张禄先生，是天下最能言善辩的人。他告诉我说：'秦国已经危如累卵，我可以解决危机，具体计谋要当面告诉秦王。'我看他不像是胡说，就用车子把他带回来了。"秦王并不重视这件事，但还是让范雎住了下来，用粗劣的饭菜招待他，就这样过了一年多。

当时，秦昭王已经登位三十六年，厌恶天下说客，根本不愿信任他们。

穰侯和华阳君是秦昭王母亲宣太后的弟弟，而泾阳君和高陵君都是秦昭王的同母弟弟。穰侯当宰相，其余三人轮流当将领，都有封地，因为太后的偏爱，这四个人的财产比王室还多。后来，穰侯想越过韩国和魏国去攻打齐国，目的是扩大自己的封地。

范雎看到这种情况，就上书给秦昭王：

"我听说，想让个人富裕，需要向国家索取，想让国家富裕，需要向诸侯索取。所以，如果君王英明，那么大臣就不可能太富裕。为什么呢？因为他们一富裕，就会篡权。更详细深刻的话，我不敢写在书面上；而浅薄的话，又不值得写给大王；所以，我在这封信上就不多说了。

"我一直在想，大王从不召见我，是因为我愚蠢呢，还是因为大王轻视那推荐我的人？如果不是这样，那么希望大王能抽出时间见我一面。只要我说一句废话，就请杀掉我！"

秦昭王于是派人去召见范雎。

秦昭王屏退了左右臣子，宫里空无一人。然后，秦昭王长跪在地，非常恭敬地问范雎："先生有何见教？"

范雎说："嗯嗯。"

过了一会儿，秦昭王再次长跪又问："先生到底有何见教？"

范雎说："嗯嗯。"

一连三次都是这样。秦昭王非常奇怪："难道先生不肯指教？"

范雎说："臣不敢！想当年，吕尚遇到周文王的时候，只是个渔翁。因为他见解深刻，所以被周文王重用，终于称王于天下。假如周文王没有诚意，不跟吕尚深刻交谈，那么周文王就无法成就大业。如今呢，我是一个旅居外地的臣子，希望竭尽忠诚、为您效劳，但不知大王有无诚意。这就是为什么大王三次发问，我却没有回答的原因。"

秦昭王长跪说："先生这是什么话呢？秦国偏僻遥远，寡人也没有什么才能，幸蒙先生到来，使寡人得以向先生请教。希望先生畅所欲言，不要怀疑寡人！"

范雎于是跪拜表示感谢，秦昭王也跪拜还礼。

范雎说："大王的国家，四周都有要塞，一夫当关、万夫莫开，地势险要，可攻可守，这是称王称霸的地形。而且，人民勇敢善战，这也是称王称霸的条件。凭着这些条件，要对付诸侯国，简直是易如反掌，称霸当王的大业马上就可以实现。但是，直到现在，秦国依然没有称王，是因为群臣还不够称职。现在秦国已经闭关十五年了，不敢向山东各国用兵，最主要的原因就是穰侯对秦国还不够忠诚，另外，大王也有失误的地方。"

秦昭王长跪说："愿闻其详！"

范雎说："穰侯越过韩国、魏国去攻打齐国，这很失策。要是出兵太少，就无法伤害齐国，要是出兵太多，秦国的负担就太重了。这在策略上有问题。从前，齐湣王曾经向南攻打楚国，打败了楚军，杀死了楚将，攻占了方圆千里的土地，可是最后呢？齐国攻占的地方，连一尺一寸也没有保存下来。难道是齐国不想占有这些土地吗？不是的，是形势不允许它占有。当时，各诸侯国看到齐国疲惫，就起兵攻打齐国，打败了它，所以，齐国劳民伤财，死了不少士兵，最终却一无所获。齐国之所以这么失败，是因为它虽然攻打了楚国，却让利给了韩国、魏国。这就是所谓借兵器给敌人、送粮食给盗贼。为了避免这种策略失误，大王不如结交远邦而进攻近邻，这样，得到寸土就是大王的寸土，得到尺地也是大王的尺地。可是，您现在却放弃近邻，而去进攻远方的国家，这不是很荒谬吗？现在韩国和魏国地处中原，又是天下的枢纽，大王如果想称霸，一定要亲近中原地区的国家，成为天下的枢纽，以便威胁楚国和赵国。要是楚国强盛，我们就联合赵国；要是赵国强盛，我们就联合楚国。楚国和赵国与我们的关系好了，那么齐国一定害怕。齐国一害怕，必然会主动讨好秦国。而齐国一归附秦国，韩国和魏国就不得不归附秦国了。"

昭王说："其实，我早就想把魏国拉过来。但魏国是个多变的国家，无法亲近。请问我该怎么办？"

范雎回答说："大王可以和颜悦色对待它，用贵重的礼物去讨它欢心；不行的话，就割让土地贿赂它；如果还是不行，就出兵攻打它。"

秦昭王于是拜范雎为客卿，与他商讨军国大事。

秦昭王听取了范雎的意见，派人攻打魏国，攻占了两座城。

在以后的几年中，范雎越来越受到秦昭王的宠幸。范雎看时机成熟了，就找机会游说秦昭王：

"我在山东时，只听说齐国有田文，没听说齐国有齐王；只听说秦国有太后、穰侯、华阳君、高陵君、泾阳君，没听说秦国有秦王。什么是王呢？独揽国家大权才叫作王，能够兴利除害才叫作王，能够掌握生

杀予夺的大权才叫作王。现在的秦国，太后独断专行，肆无忌惮；穰侯出使
国外，都不来跟大王您说一声；华阳君、泾阳君等人对法律视若无睹；高陵
君任免官吏，记不起要向大王请示。国内出现这四种贵族力量，国家仍能免
于危亡，那是从来都没有过的事情。只要他们还在，秦国就没有大王的位置，
大权怎能不旁落，大王又怎能发号施令呢！

"善于治国的，应该对内巩固自己的威信，对外重视自己的权力。现在穰
侯出使国外，总是借助大王的威权，对诸侯各国发号施令，想打谁就打谁。如
果打胜了，那么利益是他的，要是打败了，就归罪于诸侯各国，把战祸抛在
百姓身上。臣子尊贵，君主就会卑微，现在穰侯尊贵，将置大王您于何处？

"臣子祸害君王，古已有之。想当初，崔杼、淖齿掌管齐国的时候，崔杼
射伤了齐庄公的大腿，淖齿抽掉了齐湣王的筋骨，把他吊在房梁上，很快就
折磨死了。李兑掌管赵国的时候，把主父囚禁在沙丘，主父最后活活饿死。

"现在的秦国，太后和穰侯当权，高陵君、华阳君和泾阳君辅佐他们，终究
会取代秦王您啊！这些人和淖齿、李兑是一类人啊！再说，夏、商、周三代之
所以灭亡，就是因为君主把政权完全交给臣下，自己吃喝玩乐，不理政事。而
那些大臣，为了他们个人的目的，从不替君主着想，一来二去，只好亡国。现
在的秦国，官员上下，几乎全部都是相国的人，大王真的成了孤家寡人了！我
真替大王害怕。"

秦昭王听了这话，大为惊恐。于是立即废掉太后，把穰侯、高陵君、华
阳君和泾阳君驱逐到关外。然后，任命范雎为宰相，并把应城[3] 封给他，号
称应侯。

相关链接

〔1〕范雎：？—公元前255年，一作范且，字叔，战国时期魏国人，后入秦，为秦昭王
　　 相，封应侯。能言善辩，主张远交近攻。
〔2〕中大夫：官名，秦时为郎中令属官，负责掌管议论，分上、中下级，没有固定人数。
〔3〕应城：地名，在今河南鲁山东。

范雎担任了秦国的宰相。须贾自知对范雎有罪，于是对范雎说："我的罪过太大，再怎么说都不过分。"范雎说："没那么严重，你的罪状只有三条而已。您从前以为我私通齐国，因而在魏齐面前说我的坏话，这是第一条罪状。魏齐把我扔到厕所里，让我遭受奇耻大辱，可是您不加制止，这是第二条罪状。不仅如此，您喝醉了酒，还往我身上撒尿，您可真是忍心啊！这就是第三条罪状。不过，我可以免您一死，因为您毕竟还有一点老朋友的情谊，而且还送了一件厚绸袍子给我。所以我放过您！"

范雎担任了秦国的宰相，仍然被秦国人称为张禄。魏国人不知道张禄就是范雎，以为他早就死掉了。这时候，秦国准备讨伐韩国和魏国，魏国听说了，就派须贾到秦国活动。范雎听说须贾来到了秦国，就穿上破衣服，偷偷走小路去会见他。

须贾见到范雎，非常吃惊地说："哎呀，范叔原来平安无事啊！"

范雎答道："是啊。"

须贾笑道："范叔是来游说秦国的吗？"

范雎说："不是。我范雎得罪了魏国宰相，所以才逃亡到这里，怎敢游说呢？"

须贾问："现在范叔以什么为生？"

范雎说："我给人家做雇工。"

须贾可怜他，就留他吃饭，感慨说："唉，范叔怎么竟然贫寒到这种地步！"随后就拿出自己的一件厚绸袍子来送给他。过了一会儿，须贾问道："秦国宰相张先生，是个什么样的人？您了解他吗？据说他很受秦王宠幸，国家大事都由他决定。现在我能不能办成事，也得靠张先生。你有跟张先生熟悉的朋友吗？"

范雎说："我家主人跟他不错。所以，连我也有机会拜见他，我可以替您引见。"

须贾说："我的马病了，车轴也断了。要是没有四匹马拉的大车，我就决不出门。"

范雎说："那好办，我可以向主人借用一辆四匹马拉的大车。"

范雎回去，带来了四匹马拉的大车，自己亲自驾车，把须贾拉入秦国宰相府。相府里的人看见范雎，都自觉回避。须贾感到很奇怪。到了宰相住所门口，范雎对须贾说："您等着我，我先进去替您通报。"须贾

449

在门口等着，等了很久，还不见范雎出来，就问看门的人："范叔还不出来，他干什么去了？"看门人答："谁是范叔？这里没有范叔。"须贾说："就是刚才同我一道坐车进来的那人啊！"看门人答："那是我们的宰相张先生！"

须贾大吃一惊，明白自己受骗了，就袒露上身，爬着进入相府，向范雎认罪求情。范雎在大堂之上接见了须贾。须贾见到范雎，马上磕头认罪说："我须贾犯了该烹该煮的死罪，是死是活，随您处置，我没有怨言！"

范雎问："你自己说说，你的罪过有多少？"

须贾答："我的罪过太大，再怎么说都不过分。"

范雎说："没那么严重，你的罪状只有三条而已。您从前以为我私通齐国，因而在魏齐面前说我的坏话，这是第一条罪状。魏齐把我扔到厕所里，让我遭受奇耻大辱，可是您不加制止，这是第二条罪状。不仅如此，您喝醉了酒，还往我身上撒尿，您怎能如此狠心啊！这就是第三条罪状。不过，我可以免您一死，因为您毕竟还有一点老朋友的情谊，而且还送了一件厚绸袍子给我。所以我放过您！"

须贾谢恩，然后回到住处。范雎进宫，向秦昭王报告了这件事，然后让须贾回国。

须贾向范雎辞别，范雎借这个机会大摆筵席，把各国使者都请来，大家一起坐在大堂上，面前都是山珍海味。而须贾被安排在堂下，只给他准备了一盆喂牲畜的豆子，让两个受过黥刑的囚徒夹着他，像喂马一样地喂他。范雎数落他："转告魏王，赶快拿魏齐的头来！不然的话，我要血洗大梁！"须贾回国之后，把这些话原原本本地告诉了魏齐，魏齐吓坏了，逃跑到赵国，藏在平原君家里。

范雎担任宰相以后，王稽对范雎说："有三种事情无法预料，而且让人无可奈何。君王也许会突然去世，这无法预料。您也可能突然死去，这也无法预料。我也

可能突然断气，这更是无法预料。如果君王突然去世，那么您尽管替我感到遗憾，也无可奈何。要是您突然死去，那么您尽管替我感到遗憾，也无可奈何。假如我突然死去，那么您尽管替我感到遗憾，也还是无可奈何。"

范雎听了，知道王稽是想趁早封官晋爵，但是对他的这种说法很不高兴。不过，他还是进宫对秦昭王说："如果没有王稽，我进不了函谷关；如果不是大王贤明，没有谁会重视我。现在我已官居宰相之职，爵位则为列侯，而王稽的官职还那么低微，这可不是他帮助我的本意啊！"

秦昭王马上召见王稽，任命他为河东郡守[1]。还召见了郑安平，任命他为将军。这时候，范雎散发了家里的财物，施舍给那些处于困境中的人。对于有恩于自己的人，范雎一定报答，对于与自己有过节的人，范雎也一定报复。

秦昭王想替范雎报仇，他听说魏齐在平原君家里，就虚情假意地写了一封信给平原君："我早就听说您刚正仁慈，希望能有机会跟您结为朋友。如果您有时间来访，我会非常荣幸，愿意陪您作十天的长饮。"平原君畏惧秦国，又觉得信写得很真诚，就来到秦国，会见秦昭王。

秦昭王同平原君喝了几天酒，然后对平原君说："从前，周文王得到吕尚，把他当作太公；齐桓公得到管夷吾，把他当作仲父；现在呢，范先生也是我的叔父。范先生的仇人住在您家，希望您能派人回去，拿他的头来；不然的话，我不让您出关。"

平原君说："显贵之后，不能忘了卑微的朋友；富裕之后，不能忘了贫穷的朋友。魏齐是我赵胜的朋友，他现在处境不好，即使住在我家里，我也不会把他交出来。何况，他并不是住在我家里。"

秦昭王无法说服平原君，就写信给赵王说："大王的弟弟平原君现在秦国，范先生的仇人魏齐在平原君家里。请大王马上派人拿魏齐的头来；不然的话，我就起兵攻打赵国，而且不让平原君出关。"赵孝成王收到信后，马上出兵包围平原君的家，捉拿魏齐。

魏齐连夜出逃，去找赵国的宰相虞卿，虞卿估计自己也说服不了赵王，就解下自己的相印，跟魏齐一道抄小路逃跑。可是跑了没多远，考虑到各诸侯国都不可能马上抵达，就又跑回大梁，想让信陵君帮忙，让他们到楚国避难。

信陵君害怕秦国，不肯接见，还说："虞卿是怎样的人呢？可靠吗？"当时，侯嬴正在旁边，就说："是啊，了解人实在是太不容易啦！当初，虞卿穿着草鞋，打着伞，第一次见赵王，赵王赏赐他一双白璧、一百镒黄金；第二次见面，赵王任命他为上卿；第三次见面，赵王授给他相印，封为万户侯。那时候，天下人都争着了解他。魏齐现在处境艰难，去求虞卿帮忙，虞卿以人情为重，解下相印，放弃荣华富贵，与魏齐一起秘密外逃。虞卿急士人所急，所以才来投奔公子，可是公子竟然怀疑他是不是可靠！人哪，本来就不容易了解，了解人太不容易啊！"信陵君非常惭愧，就驾车到郊外迎接他们。

魏齐听说信陵君刚开始并不想见他，既伤心又愤怒，就拔剑自刎了。赵王得知这一消息，马上派人赶过来，割下了魏齐的头，送到秦国。秦昭王于是释放平原君回国。

几年后，秦赵交战，秦昭王采用范雎的计谋，用反间计欺骗赵国，赵国上当，让赵括代替廉颇担任将军，结果长平一战，赵军大败，紧接着，都城邯郸也被秦军包围。

不久之后，范雎同白起发生冲突，就进谗言杀了白起。随后，范雎举荐郑安平，让他去进攻赵国。郑安平无能，被赵军围困，危急之下，带着士兵两万人投降了赵军。依照秦国法律，举荐别人，如果被举荐的人犯罪，那么举荐人也有罪。所以，范雎应该被诛灭三族。秦昭王不想杀掉范雎，就下令全国："有谁胆敢谈论郑安平事件，就与郑安平同罪！"不但如此，秦昭王还赏赐范雎更多的食品、财物，以此来抚慰他。

两年后，范雎所举荐的另一个朋友王稽叛国，被处死刑。

秦昭王唉声叹气，于是范雎上前说："君主有忧愁，是臣子的耻辱；君主受耻辱，臣子就应该被处死。大王发愁，我愿意受罚。"

秦昭王说："楚国深谋远略，士兵也很勇敢，我很担心楚国会图谋秦国。我们如果不早作准备，恐怕无法应付楚国啊！现在白起已经死去，而郑安平等人叛变，国内没有良将，而国外多敌国。我因此发愁。"

秦昭王想以此来激励范雎，逼迫他想办法。但是范雎诚惶诚恐，什么办法也想不出来。

蔡泽[2]听说了这件事，就来到了秦国。

勇夺相位全身而退

秦昭王召见蔡泽，两人一见如故。范雎趁机请求辞去宰相职务。他辞职之后，蔡泽做了宰相。

蔡泽是燕国人，曾经游学各国，到处谋求官职，但总是得不到赏识。蔡泽心灰意冷，就去找唐举看相[1]，说："我听说先生曾给李兑看过相，说他：'百日之内就会掌握国家大权'，后来果然被你说中了。真的有这回事吗？"

唐举说："当然有这回事！"

蔡泽于是问："那你看，像我这样的人怎么样？"

唐举仔细地端详他，然后笑着说："先生鼻子上翘，肩膀高耸，脖子粗短，大脸盘，矮鼻梁，又有点罗圈腿。我听说，圣人不可貌相，说的大概就是先生吧！"

蔡泽觉得唐举是在开他的玩笑，就说："我本来就是富贵之人，我只想知道我能活多少岁。"

唐举说："先生的年寿，从现在开始计算，还有四十三年。"

蔡泽很高兴，笑着离开了，然后对他的驾车人说："我端着精米饭，吃着肥肉，骑着骏马，腰里系着绶带，藏着黄金印，在君王面前打拱作揖[2]，这样富贵的日子，四十三年足够了！"

蔡泽高高兴兴地到赵国去，但却吃了闭门羹。蔡泽又前往韩国、魏国，在路上碰到了强盗，炊具都被抢走了。后来，听说范雎举荐的郑安平和王稽在秦国都犯了大罪，范雎很惭愧，蔡泽觉得这是个机会，就来到了秦国。

蔡泽准备拜见秦昭王，先派人去激怒应侯说："燕国游客蔡泽，是当今天下最才华横溢的政治家。要是让他见到秦王，秦王肯定会难为您，然后把您的职位让给蔡泽。"应侯听了，很不服气："三皇五帝的故事，诸子百家的学说，我都已经熟烂于心了；几个人一起跟我辩论，我都能驳倒他们。这个人怎么可能夺取我的职位呢？"

范雎于是派人召见蔡泽。蔡泽进来之后，立即恭敬地作揖问候。范雎本来就心情不好，见到他更是不舒服，就非常傲慢。范雎指责蔡泽说："据说，您扬言要取代我，要当秦国的宰相，有这回事吗？"

蔡泽回答："有这回事。

"如果您不愿意引退，那么请看看以前的例子。

"当初，商鞅替秦孝公申明法令，统一制度，安定人民，加强军事，所以秦国才无敌于天下，成就了霸业；功业完成了，可是商鞅却被五马分尸。

"再说大将白起，率领几万军队就打得楚国溃不成军，攻占楚国那么多城邑，不费吹灰之力；又越过韩魏两国去进攻强大的赵国，活埋了赵括的四十多万士兵，接着又围攻赵都邯郸。从那时候起，楚国和赵国再也不敢进攻秦国，就是因为白起。白起亲身上阵，征服了七十多个城邑，可是，功业完成之后，秦王却赐他宝剑自杀。

"还有楚国的吴起，劳心劳力，耗尽心血，终于安定了楚国的政局，使楚国威镇诸侯；可是，功业完成之后，吴起却身首异处。

"越国的大夫文种，替越王深谋远虑，率领越国上下，团结全国力量，辅佐越王勾践，终于征服了吴国，使越国成为霸主。可是，结果怎样？结果是被越王勾践所杀。

"这四个人，功成而不退，最终弄得死无全尸。这就是人们所说的：'能伸而不能屈，能进而不能退。'而范蠡就明白这一点，回避了世俗，发他自己的财，终老天年。

"现在您做秦国的宰相，功劳已经达到了极点，该考虑引退了。如果这个时候还不引退，弄不好就会步商鞅、白起、文种等人的后尘。如果您在这个时候归还相印，让贤能的人来接替自己，那么您就可以流连在山水之间，修身养性，享有伯夷叔齐一样的美名，而且可以继续享受应侯的称号，后人也可以世代为王。为了您自己，也为了子孙后代考虑，您可千万不要做那种能伸却不能屈、能进却不能退的人。希望您好好考虑我说的这些话！"

范雎听了这一席话，很受触动，马上就把蔡泽奉为上宾。

几天后，范雎上朝，对秦昭王说："我有个客人叫蔡泽，能言善辩，博学多才，对三皇五帝的事情、春秋五霸的业绩，都了如指掌。我见过的人太多了，没有谁比得上他，我也比不上。您可以把秦国的大事委托给他，他肯定不会辜负您的期望。"

秦昭王于是召见蔡泽，两人一见如故，非常融洽。范雎趁机请求辞去宰相职务，秦昭王坚决挽留，范雎就借口病重，最终免去了相位。他辞职之后，蔡泽做了宰相。

○ 品画鉴宝 秦封泥（战国）封泥用于文件、信函，起印信盖章作用。

蔡泽担任宰相几个月后，看到有一些人反对他，就托病归还了相印，被封为纲成君。之后，蔡泽在秦国住了十多年，侍奉过昭王、孝文王、庄襄王。最后侍奉秦始皇帝，为秦始皇统一天下贡献了不少力量。

相关链接
〔1〕看相：即相面，一种通过观察人体的面部五官等部位来推测人的吉凶祸福、前途命运等的行为。
〔2〕打拱作揖：身体弯曲，同时两手抱拳上下摆动，为古时向人表示恭敬的礼节。

乐毅知道燕王不怀好意，害怕被杀，就投降了赵国。赵国知道乐毅是个人才，就把观津封给乐毅，封号为望诸君。乐毅在赵国受到尊重和宠信，让燕国和齐国都很震惊。

乐毅是个军事家，起初在赵国做官。后来，赵国发生沙丘之乱，赵武灵王被囚禁身亡，国内一片混乱，乐毅就离开赵国，去了魏国。

燕昭王与齐国有仇，念念不忘要报复齐国。可是，燕国土地狭小，位置偏远，力量也很薄弱，无法制服齐国，所以燕昭王礼贤下士，招徕天下贤人，以图一朝奋起，消灭齐国。正在这个时候，乐毅替魏昭王出使燕国，燕昭王知道乐毅贤能多才，就郑重地接待他，非常恭敬。乐毅推辞、谦让一番之后，知道燕昭王的确是有诚意的，就委身成了他的臣子。

当时，齐国非常强大，在南边打败了楚国宰相唐眜，在西边挫伤了三晋，并同三晋合击秦国，帮助赵国灭了中山国，打败了宋国，土地扩大了一千多里，齐湣王与秦昭王争相称帝，不久齐湣王再次称王。于是各国诸侯都想背叛秦国，归附齐国，于是，齐湣王更加狂妄自大，胡作非为，于是百姓遭殃，怨声载道。

燕昭王见齐国百姓有怨言，就想趁机攻打齐国，并征求大臣们的意见。乐毅回答说："齐国有霸王基业，地大人多，而我们势单力薄，不宜进攻。大王如果一定要攻打它的话，那不如联合赵国、楚国和魏国，这样就更有把握了。"燕昭王于是派乐毅去劝说赵惠文王签订盟约，同时，还派使臣去联合楚国和魏国。为了防止秦国捣乱，又让赵国用甜言蜜语去哄说秦国。各国苦于齐湣王的骄横残暴，都很愿意跟着燕国去攻打齐国。

于是，燕昭王出动了全部军队，派乐毅担任上将军出战。赵惠文王也把相国大印授给乐毅，让他领兵。这样，乐毅就统领赵、楚、韩、魏、燕五国的军队去进攻齐国，在济西打败了齐军。之后，各国撤兵回国，只有燕军在乐毅的带领下，单独追击齐军，一直追到临淄。攻入临淄之后，乐毅把齐国的金银珠宝和祭祀用的礼器抢夺一空，派人运到燕国。燕昭王非常高兴，亲自到济水 [1] 边慰劳军队，犒赏士兵，并把昌国 [2] 封赏给乐毅，号称昌国君。

乐毅留在齐国，征战了五年，攻下了七十多座城邑，齐国只剩下莒邑和即墨没有降服。这个时候，燕昭王死了，燕惠王即位。燕惠王在做太子的时候，曾经与乐毅有嫌隙，现在他登位做了君王，就准备报复乐毅。

齐国的田单听到了这个消息，就派人到燕国去施行反间计，放出谣言道："齐国差不多要彻底灭亡了，只剩下了两个城邑还没有被降服。为什么这区区两个小城，总是打不下来呢？那是因为乐毅与燕国的新王有嫌隙，想把战争延续下去，这样，乐毅就有理由留在齐国，然后好趁机在齐国称王。齐国最担心的，就是怕别的将军到来代替乐毅。"

燕王本来就怀疑乐毅，现在听了这些谣言，更是担心，马上就召回了乐毅，让骑劫代替他统兵。乐毅知道燕王不怀好意，害怕被杀，就投降了赵国。赵国知道乐毅是个人才，就把观津封给乐毅，封号为望诸君。乐毅在赵国受到尊重和宠信，让燕国和齐国都很震惊。

骑劫取代了乐毅之后，齐大将田单攻打燕军，在即墨城下打败了骑劫，然后追击燕军，一直追到黄河，收复了所有被乐毅夺去的城邑。随后，齐军从莒邑迎回了齐襄王，进入临淄，齐国这才安定下来。

这个时候，燕惠王才知道上了齐国的当，很后悔用骑劫代替了乐毅；可是他又怨恨乐毅投降赵国，担心赵国让乐毅乘燕军疲惫之际来攻打燕国。燕惠王思之再三，派人向乐毅表示歉意说："先王把整个国家委托给将军，将军果真替燕国打败了齐国，报了先王的仇，寡人我不敢忘记将军的功劳！寡人考虑到将军您长久在外，风餐露宿，过于辛苦，所以才调将军回来暂且休息，一起谋划国事。可是将军误听别人的坏话，所以误会了寡人，放弃了燕国，去归顺赵国。将军替自己打算，本来也无可厚非，但您用什么来报答先王对您的情意呢？"

乐毅回复燕惠王说："圣贤的君王，不随便任用和赏赐亲信，而是根据功劳的多少、才能的强弱来赏赐和任用。先王就是这样的人。所以，我才借替魏国出使的机会，到燕国考察。承蒙先王错爱，我得到了任用，位于群臣之上。

"先王命令我说：'我与齐国有深仇大恨，不论齐国以后是强是弱，都要找机会向齐国报仇。'

"我说：'齐国有霸王基业，地大人多，而我们势单力薄，不宜进攻。

大王如果一定要攻打它的话，那不如联合赵国、楚国和魏国，这样就更有把握了。'

"先王听了认为有道理，就派我出使赵国，并联合其他各国。随后，我们一起攻打齐国，齐军大败。我长驱而入齐国国都，把珠玉财宝、战车兵甲、珍贵礼器全部没收，送回燕国，让燕国扬眉吐气。可以说，自从五霸以来，要论战功，没有谁比得上先王。先王心里满足，所以划分土地封赏我，想让我也能像小国的诸侯一样。我没有自知之明，所以并不推辞。

"我听说，善始者不一定善终。是啊！从前伍子胥辅佐吴王阖闾，成就了战功；但是吴王夫差就不喜欢伍子胥，赐他一死，还把他的尸体装进皮袋，扔在江河里漂浮。吴王夫差一直都不认为伍子胥的意见宝贵，所以把伍子胥沉江之后，并不后悔；伍子胥没有料到，不同的君主有不同的器量，因此在沉江之后还是阴魂不散。

"保存性命，建功立业，是我的上策。要是我回国，就可能遭受侮辱，弄不好还会败坏先王的名誉，这是我最担心的事。想来想去，还是不要回去吧！

"古代的君子，即使在断交以后，也不说对方的坏话；忠臣离开本国以后，也不为自己的名声辩白。所以我就不多说了。不过，我还是担心您的手下人，只会讨您喜欢，蒙蔽您的视听，希望大王能注意这一点。"

燕王见信，非常感动。于是就把乐毅的儿子乐间封为昌国君。而乐毅则来往于燕国和赵国之间，与燕国的关系也重新好转起来。乐毅得到了燕、赵两国的信任，成为两国的客卿。最后，乐毅死在了赵国。

○ 品画鉴宝　平肩圆刃钱（战国）

相关链接
〔1〕济水：古代中国四渎（黄河、长江、济水、淮水）之一，发源于今河南省济源市西的王屋山。
〔2〕昌国：在今山东淄博东南。

完璧归赵

蔺相如握着玉璧，怒视殿柱，看上去马上就要用它撞击殿柱。秦王怕他撞破玉璧，就连忙道歉，再三请求不要撞碎玉璧。

赵惠文王在位时，获得了传世美玉和氏璧[1]。秦昭王听说这件事后，派人送信给赵王，表示愿意用十五座城来换取和氏璧。赵王与大将军廉颇等人商量：要是把和氏璧给秦国，怕秦国得到玉璧之后耍赖，一座城也不给；要是不给，又怕秦军借机攻打赵国。想来想去，大家犹豫不决，想找个随机应变的人去答复秦国，怎么也找不到合适的人。这时候，宦官长缪贤说："我的家臣蔺相如可以担当这个任务。"

赵王问："你凭什么知道他可以呢？"

缪贤回答："我曾经犯罪，打算偷偷逃亡到燕国去。我的家臣蔺相如劝止我说：'你凭什么了解燕王的？'我告诉他：'我曾经跟随大王去会见燕王，燕王私下握着我的手，说愿意和我交个朋友。他应该还记得这件事。'蔺相如对我说：'那时候，赵国强大，燕国弱小，而您被赵王宠爱，所以燕王想与您结交。而现在呢？您从赵国逃到燕国，燕国害怕赵国，必定不敢留您，反而会把您捆绑起来，送回赵国。您不如主动向君王请罪，说不定可以免去死罪。'我听从了他的意见，大王也开恩赦免了我。根据这件事，我认为他有智有谋，可以担当重任。"于是赵王召见蔺相如，问他："秦王说他愿意拿出十五座城，请求换取我的玉璧，你看我该不该答应？"

蔺相如回答："秦国强，赵国弱，不能不答应。"

赵王说："要是秦王得到玉璧之后耍赖，不给我那十五座城，怎么办？"

蔺相如说："秦国要求用土地换玉璧，如果赵国不答应，那么就是赵国理亏。赵国要是给了玉璧，而秦国不献出土地，那么就是秦国理亏。权衡这两种情况，还是答应他们比较好，可以让秦国理亏。"

赵王问："谁可以出使秦国，办好这件事呢？"

蔺相如说："大王必定没有合适的人选，我愿意捧着玉璧出使秦国。要是秦国果真献出那十五座城，那么玉璧就留在秦国；否则，我保证把和氏璧完完整整地带回赵国。"

赵王于是就派蔺相如带着和氏璧前往秦国。

秦王在章台接见蔺相如，蔺相如捧着和氏璧献给秦王。秦王喜形于

色，把玉璧递给妃嫔和侍从人员观赏，左右侍从都高呼万岁。

蔺相如看出秦王并不想献出土地给赵国，就走上前去，对秦王说："玉璧虽好，但还是有点瑕疵，我可以指给大王看。"秦王于是把玉璧交给他。

蔺相如拿到玉璧，马上后退几步，靠着殿柱站定，怒发冲冠地对秦王说："大王想得到这块玉璧，派人送信给赵王。赵王立刻召集全体大臣商议，大家都说：'秦国贪婪，依仗自己强大，想用空话骗取和氏璧，不可能割出土地来补偿我们。'都不打算把玉璧给秦国。而我认为，即使平民百姓之间交往，也不会相互欺骗，何况是堂堂大国！要是因为一块玉璧，就惹怒秦国，也实在是犯不着。最后，赵王就斋戒[2]了五天，然后非常郑重地把玉璧交给我，派我来到秦国。

"今天我来到贵国，大王只在一般的宫殿里接见我，礼节非常随便；拿到了玉璧，又传递给妃嫔看，让宦官们相互把玩。我看大王并没有诚意拿出那十五座城给赵王，所以就又收回了玉璧。大王如果一定要逼迫我，那我今天就不要命了，即使死了也要把玉璧撞碎在殿柱上！"

说完，蔺相如握着玉璧，怒视殿柱，看上去马上就要用它撞击殿柱。秦王怕他撞破玉璧，就连忙道歉，再三请求不要撞碎玉璧。还拿来地图，指出十五座

461

城给蔺相如看。蔺相如估计秦王只是做样子而已，实际上不可能真的献出这些城邑，所以就对秦王说："这块和氏璧，是天下公认的宝玉！赵王送出玉璧的时候，曾经斋戒了五天，现在大王也应该斋戒五天，然后在朝堂上设九宾大典 [3] 接见，这样我才敢献上玉璧。"秦王思前想后，觉得用武力强夺不太合适，就答应斋戒五日，然后把蔺相如安置在广成客栈。

蔺相如心知秦王虽然答应斋戒，但肯定会违背诺言，不可能献出城邑，于是便让他的随从穿着破衣服，怀揣着玉璧，从小路逃回了赵国。秦王斋戒五天后，在朝堂上设九宾大礼，筵请蔺相如。蔺相如来到朝堂之上，对秦王说："秦国自从穆公以来，已经有了二十多个国君，但信守盟约的一个都没有。我实在是怕被大王欺骗而辜负赵国，所以派人拿着玉璧回去，已经从小路到达赵国了。不过，秦国强大，赵国弱小，大王只派了一个使臣到赵国，赵国就立刻派我捧着玉璧来了。秦国这样强大，如果先割让十五座城邑给赵国，赵国难道还敢留下玉璧？我很清楚，欺骗大王是死罪，但为了不辱我的使命，我愿意下汤锅受烹煮之刑。只是希望大王与群臣再仔细计议这件事。"

秦王与大臣们面面相觑。侍从人员想把蔺相如拉下去杀掉，秦王制止说："杀了蔺相如，还是得不到玉璧，反而会坏了秦赵两国的友好关系。还是好好款待他，让他回国吧。赵王怎么可能为了一块玉璧就欺骗秦国呢！"

蔺相如回国后，赵王认为他很贤能，就任命他为上大夫。

后来，秦国并没有把城邑给赵国，赵国也没有把和氏璧送给秦国。

相关链接
〔1〕和氏璧：据说是楚人卞和历尽千辛万苦而得到的玉璧，因而以其名字命名，价值连城。
〔2〕斋戒：一般在安静的室内幽闭，时间长短不一。古人在祭祀、战争等大事到来之前都要斋戒沐浴，表示敬重。
〔3〕九宾大典：古代外交会见别国使者时最为隆重的礼节，由九位礼宾司仪（一说为公、侯、伯、子、男等九等官员）进行施礼。

廉颇袒露上身，背上荆条，到蔺相如家里请罪。他惭愧万分地说："我这个浅薄小人！不了解将军胸怀的宽阔啊！"

过了一段时间，秦国攻打赵国，占领了石城。第二年，再次进攻赵国，杀了两万人。

这时候，秦王派人告诉赵王，说要与赵王在渑池友好会见。赵王害怕秦人的威势，因此不想去。廉颇[1]和蔺相如说："大王不去，只能表示赵国既薄弱又胆小！所以不如赴约。"赵王无奈，只好启程，蔺相如随行。廉颇送到边境上，跟赵王告别说："大王这次前去，会见的时间，再加上来回路上的时间，不会超过三十天。要是三十天还不回来，请允许我们拥立太子为王，来断绝秦国的妄想。"赵王表示同意，于是启程到了秦国，在渑池与秦王会见。

秦王喝酒喝到畅快的时候，对赵王说："我听说赵王爱好音乐，请弹奏一曲，意下如何？"

赵王于是就弹起了瑟[2]。秦国御史走上前来写道："某年某月某日，秦王跟赵王一起喝酒，秦王命令赵王弹瑟。"蔺相如知道赵王吃了亏，就走到秦王面前说："赵王听说秦王擅长演奏秦地乐曲，请允许我献上盆缶[3]，互相娱乐。"

秦王很生气，不肯答应。蔺相如于是捧着缶走得更近，下跪请求秦王，秦王还是不肯。蔺相如说："大王与我蔺相如距离不过五步，如果大王还是不答应，那我蔺相如只好以死相拼了！"秦王的侍从蹿上来，要杀蔺相如，蔺相如怒目圆睁，喝退了他们。秦王没有办法，就为他敲了一下缶。蔺相如于是回头招呼赵国御史写道："某年某月某日，秦王为赵王击缶。"

又过了一会儿，秦国的大臣们又说："请用赵国的十五座城邑给秦王献礼。"蔺相如说："请用秦国的咸阳城给赵王献礼。"就这样，一直到酒宴结束，秦国虽然百般刁难赵国，但是一点也没有占到赵国的便宜。当时，赵国在边境布置了重兵，严阵以待，所以秦国最终也没敢动武。

赵王回国后，因为蔺相如的功劳大，任命他为上卿，官位在廉颇之上。

廉颇很不高兴："我身为赵国的将军，有攻城野战的大功。而蔺相

如呢？只不过随便说了几句话，立了点小功劳，可是职位竟然比我还高！况且，蔺相如本来是个地位低贱的人，我太丢脸了，做他的下级，我可受不了！"廉颇还扬言说："我碰见蔺相如，一定要好好羞辱他！"

蔺相如听到这些话，就避免跟廉颇见面。每逢朝会的时候，蔺相如常常借口生病，以免跟廉颇排位次。后来，蔺相如外出，远远望见了廉颇，连忙掉转车头躲避。蔺相如的家臣实在看不下去了，就一齐进言说："我们之所以离开亲人来投靠您，只是因为仰慕您。如今您和廉颇同朝为官，他口出恶言，可您却畏缩逃避，胆子也太小了吧？即使是普通人，也不至于这样，何况是身为将相的人呢！我等没有才能，请允许我们告辞！"

蔺相如再三劝阻他们，可是家臣们还是要走。蔺相如就问他们："你们看，廉将军和秦王相比，谁更有威严？"

家臣们回答："当然是秦王更威严。"

蔺相如说："像秦王那样的威严，我也敢在朝堂上大声呵斥他，难道我还会害怕廉将军？我只是考虑到，强大的秦国之所以不敢侵犯赵国，主要是因为有我们两人在。如果我们两个闹矛盾，就好像是两虎相争，必然两败俱伤。我处处避免与廉将军冲突，并不是怕他，而是从国家大局着想，把私人恩怨放在后面。"

廉颇听说了这些话，就袒露上身，背上荆条，到蔺相如家里请罪。一见到蔺相如，他就惭愧万分地说："我这个浅薄小人！不了解将军胸怀的宽阔啊！"两人终于和好，结成了至死不渝的朋友。

相关链接

〔1〕廉颇：战国后期赵国的主要将领，曾经与齐、秦、燕诸国军队作战，战绩辉煌，后来因为与乐乘意见不和而出走他国，卒于寿春（今安徽寿县）。

〔2〕瑟：古代一种弦制乐器，像琴，有二十五弦。

〔3〕缶：古代的一种瓦制打击乐器，用特殊的泥土为原料经过烧制而成，多在饮宴时敲击助兴。

鲁仲连功成身退

田单平定聊城之后，班师还朝，向齐王报告了鲁仲连的事迹，准备给他封官晋爵。鲁仲连拒绝受封，逃到海滨隐居起来。

鲁仲连[1]是齐国人。他长于谋略，经常有些出人意料的妙计，却不肯出官任职。

赵孝成王的时候，秦昭王派大将白起领兵，在长平打败赵国军队，坑杀了四十多万人；随后，又乘势包围了赵都邯郸。赵王惊恐万分，向各国请求救援；而诸侯各国害怕秦军，没有人敢答应。魏王本来派晋鄙领兵救援赵国，可是后来又怕惹恼秦国，于是停军不敢前进。停军之后，魏王心里有些内疚，于是就派外籍将军新垣衍从小路混入邯郸城，通过平原君给赵王出主意："秦军包围赵国，并不是真的想攻占邯郸，它的本意是想称帝。如果赵王能派使臣去拥戴秦昭王称帝，秦王一定高兴，肯定会撤兵。"平原君听了，不知道真假，犹豫不决。

恰巧在这个时候，鲁仲连游历到了赵国，正好遇上秦军包围赵都。鲁仲连听说魏国将军想让赵王尊秦昭王为帝，就去拜见平原君，问："您打算怎么办？"

平原君说："唉！我赵胜现在哪里还敢谈论国事！不久以前，四十万大军死在国外，现在国内又被秦军包围，而我却无能为力。魏王派外籍将军新垣衍来，让我劝赵王尊秦为帝。现在新垣衍还在这里。唉！我赵胜真的不知道怎么办才好！"

鲁仲连说："我一直以为您贤能无比，现在才知道并不是这样。新垣衍在哪儿？我可以替您对付他，赶他回去。"

平原君："我可以介绍你们相见。"平原君于是去见新垣衍，说："有位鲁仲连先生，现在在我这里，请让我作介绍，让他和您交个朋友。"新垣衍说："我早就听说，鲁仲连先生人品高尚，而且才能出众。可是我新垣衍呢，只是给人家当差的，现在我有职务在身，不便会见鲁仲连先生。"平原君说："可是我已经替你们安排好了。"新垣衍没办法，只好答应了。

鲁仲连见到新垣衍后，闭口不说话。新垣衍先打破僵局说："现在还留在这围城之中的人，都是有求于平原君的。不过，我看先生的样子，不像是有求于平原君，那么为何还久留围城之中，不肯离开呢？"

○ 品画鉴宝　柳阴高士图（宋）图绘一高士休憩于柳树阴下，闲适自得，具文人雅趣。

　　鲁仲连说："秦国是个抛弃礼义的野蛮国家，用权诈手段来驱赶它的战士，像对待俘虏一样奴役它的百姓。要是那秦王称起帝来，肆无忌惮地在全天下胡作非为，那么，我鲁仲连宁可跳入东海自杀，也不愿去做他的百姓。我之所以要来拜见将军，是想帮助赵国啊！"

　　新垣衍说："先生准备怎样帮助赵国呢？"

　　鲁仲连说："我准备让魏国和燕国都来帮助它，而齐国和楚国呢，本来就在帮助它了。"

　　新垣衍说："燕国帮忙，我信。至于魏国，可就不一定了，我就是魏国人，先生怎么说服魏国帮忙呢？"

　　鲁仲连说："魏国现在还没有看清秦国称帝的危害，要是让魏国看清这种危害，它必然会帮助赵国。"

　　新垣衍说："那您说说，秦国称帝有什么危害？"

鲁仲连说："从前，齐威王曾经倡导仁义，率领天下诸侯去朝拜周天子。那时候，周朝贫弱，除了齐国，没有哪个诸侯愿意去朝拜它。一年后，周烈王去世，齐王奔丧迟到了，周天子很恼怒，斥责齐国说：'天子逝世，是天塌地裂的大事。连刚继位的天子都在守丧，可是你们齐国奔丧却迟到了，该杀！'齐威王勃然大怒：'呸，你凭什么骂我？你母亲只不过是个婢女！'结果，齐威王原本最尊重周朝，最后却被天下人耻笑。

"周烈王活着的时候，齐威王总是去朝拜，死了却忍不住骂他，实在是因为无法忍受周天子的苛求啊！那些做天子的，本来就是这样，这也不足为奇。而秦国如果称帝，不知道要比周天子放肆多少倍！"

新垣衍说："先生难道没见过那些仆役吗？十个仆人却随从一个主人，服服帖帖的。为什么呢？难道是因为仆人一定比主人弱小、比主人愚笨吗？不是的，是因为畏惧主人啊！"

鲁仲连说："唉！魏王跟秦王相比，难道就像仆人跟主人一样吗？"

新垣衍说："是的。"

鲁仲连说："要是真的这样，那我准备上书秦王，让他烹煮魏王，把他剁成肉酱。"

新垣衍听了，很不高兴："先生说话，未免太过分了！再说，先生又怎么可能说服秦王，让他那样对待魏王呢？"

鲁仲连说："当然能，您可以慢慢听我说。从前，九侯、鄂侯和周文王，是纣王的三公。九侯有个女儿，很漂亮，九侯把她进献给纣王，可是纣王却认为她不美，把九侯剁成了肉酱。鄂侯替九侯不平，跟纣王争论，所以也被杀掉，晒成了肉干。周文王听说了这件事，忍不住长叹一声，因此纣王就把他关在监狱里，想置他于死地。大家一样都是王，可是为什么却要落个肉干肉酱的下场呢？

"齐湣王曾到鲁国去，夷维子为他赶车。夷维子问鲁国人：'你们准备用何种礼节来接待我们的国君？'鲁国人说：'我们要用十副太牢的礼仪，好好款待你们国君。'夷维子不高兴：'这算什么礼节？我们国君，那可是天子啊！天子到诸侯国巡行，诸侯应当让出自己的寝室，交出宫廷的钥匙，还要亲自安排酒宴，在堂下侍候天子用餐，等天子吃完以后，才能退下去治理朝政。'鲁国官员听后很生气，干脆就把他们拒之门外。

"齐湣王在鲁国吃了闭门羹，便打算到薛地去，因而向邹国借路。当时，邹国国君刚好去世，齐湣王想进去吊丧。夷维子对邹国的新君说：'天子来吊丧，主人应该调转灵柩的位置，把坐北朝南改为坐南朝北，这样，天子才好向南面吊丧。'邹国群臣不同意，说：'如果非得这样，我们准备集体自杀。'最终，齐湣王没敢进入邹国。

"邹鲁两国臣子，算不上有多贤能、多忠诚，但是，齐湣王想在邹鲁两国行天子之礼时，他们都坚决反对，甚至不惜一死。而现在虽然秦国是拥有兵车万乘的大国，但魏国也一样啊！既然都是万乘大国，都有称王的名号，那么，为什么秦国打了一次胜仗，就顺从地尊它为帝？如果真的要屈服于秦国，那么，堂堂的魏国大臣，可就比不上邹鲁两国的奴仆婢妾了。再说，秦王一旦称帝，就肯定会在全天下党同伐异，到处安插自己人，还会差遣自己的子女和善于进谗的婢妾，做各国诸侯的妃嫔姬妾。到了那个时候，魏王还能安然无恙吗？而将军您，又怎么可能继续得到宠信呢！"

听到这里，新垣衍站起身来，拜了两拜，向鲁仲连道歉说："起初，我以为先生也不会太了不起，可是现在我知道了，先生果真是难得的贤士。我马上就离开赵国，以后再也不敢鼓吹尊秦为帝的事了。"秦将听到了这个消息，退兵五十里。恰好在这个时候，魏国信陵君夺得了晋鄙的兵符，率军救赵，进击秦军，于是秦军就撤军离开了。

从此以后，平原君多次打算封赏鲁仲连，可是鲁仲连再三辞谢，始终不肯接受。平原君为了表达谢意，就设酒宴来款待他，酒宴达到高潮的时候，平原君起身上前，向鲁仲连送上千金作为谢礼。鲁仲连笑道："一个受到天下人敬重的高士，就应该为人排忧解难，而不应该索取报酬。要是索取报酬的话，那就成了做买卖的商人，我鲁仲连绝对不屑于做那种事。"说完，就辞别了平原君，终身不再与平原君见面。

二十多年过去了，有位燕国大将进攻齐国，占领了聊城[2]，有个聊城人跑到燕国去说燕将的坏话，燕将害怕被杀，不敢回国，就坚守聊城。齐国大将田单攻打聊城，士卒死伤无数，可是打了一年多，还是攻不下来。鲁仲连听说了，就写了一封信，系在箭上，射进城中，送给燕将。信上写道：

"明智的人，不该违背时势；勇敢的人，不会贪生怕死；忠诚的大臣，不该只关心自己。如今，您逞一时意气，背叛燕王，不考虑燕王的

得失，这不能算是忠臣；你这样坚守下去，肯定会死于齐军手下，聊城肯定会失守，那么你就得不到什么名声，所以你也无法成为勇士；名声会败坏，功业也无从建立，所以你不能算是智者。

"现在，生死、荣辱、贵贱，都摆在你面前，可以供你选择，你还有机会。这种机会稍纵即逝，希望您能把握住，好好考虑清楚，不要同俗人一般见识。

"况且，这聊城你是守不住的。现在燕国大乱，根本没有精力来救助你。而你孤身一人，凭借疲惫不堪的聊城百姓，就想抗拒整个齐国的兵力，实在是太不现实了！虽然你善于用兵，即使粮草供应不上，城中百姓吃人肉、烧枯骨，但士兵却毫无背叛之心，这足以说明你像孙膑一样长于用兵了，你的才能已经闻名天下！虽然如此，但是为您着想，还是回归燕国比较好。如果你能保全人马，带他们回国，燕王一定会感激你；看到你安全回国，百姓会像重见父母般高兴；朋友们也会四处宣扬你的功绩，那么你的声名也会越来越大。这是名利双收的事情啊，为什么不做呢？

"假如你还是不想回归燕国，那么也可以抛开世俗偏见，归顺齐国！齐王可以割地封爵给你，你可以非常富足，而且世代称王。无论是回国，还是留在齐国，都可以使你名利双收，希望你仔细考虑，从中选择。

　　"拘守小节的人，无法成就大业。从前，管仲射中了齐桓公的带钩，这是犯上；他遗弃公子纠，不能以死相报，这是贪生怕死；曾经被人捆绑、镣铐相加，这是耻辱。可是，管仲不以这些小节为耻，而是胸怀天下，终于辅佐齐桓公成为五霸之首，自己也成就了万世功业。所以说，太顾及小的节操，是不明智的，对建功立业和平定天下，都没有什么好处。现在，你是因为小节而束缚自己的手脚呢，还是以大局为重？希望你尽快选择。"

　　燕国将领看了鲁仲连的信后，哭了三天，还是犹豫不决。想回燕国吧，嫌隙已经产生，恐怕会被诛杀；想投降齐国吧，在齐国又杀伤无数，恐怕投降后也没有好日子过。最后，他长叹道："与其被杀，还不如自杀。"于是自杀了。聊城大乱，田单趁机进兵，血洗聊城。

　　田单平定聊城之后，班师还朝，向齐王报告了鲁仲连的事迹，准备给他封官晋爵。鲁仲连拒绝受封，逃到海滨隐居起来。他说："与其屈服于人而富贵，不如轻视世俗而贫贱。能随心所欲才是最理想的生活。"

相关链接

〔1〕鲁仲连：又作鲁连、鲁仲子，战国时期齐国人，生卒年代不可考，擅长谋策，常周游列国，《汉书》辑有《鲁仲连子》十四篇，已佚，今有清代马国翰辑本。

〔2〕聊城：今山东聊城西北。

欺世盗名饮鸩酒

秦始皇十年，吕不韦被免去相国的职务。一年后，吕不韦意识到自己已经成了秦王的眼中钉肉中刺，害怕被满门抄斩，就喝鸩酒自杀了。

秦王政也就是后来的秦始皇，他长大之后，太后仍然经常与吕不韦私通，淫乱不止。吕不韦害怕事情被发觉，灾祸会降临到自己头上，就偷偷找来一个阴茎粗大的人嫪毐，作为门客，让嫪毐用他的阴茎挑着桐木做的小车轮行走，然后，特意让太后知道这件事，以此来引诱太后。

太后听说后，果然很想得到嫪毐。吕不韦于是就进献嫪毐，同时，安排人告发嫪毐，说他有罪，当受宫刑。随后，吕不韦偷偷对太后说："可以让嫪毐假装受了宫刑，这样他就可以在宫中供职了。"太后就暗中送了很多东西给主持宫刑的官吏，假装惩罚嫪毐，拔去了他的胡须，变成宦官的模样，使他得以进宫侍奉太后。进宫之后，太后就经常偷偷与嫪毐通奸，有了身孕。太后担心事情败露，于是就假装去卜卦，然后宣扬说，卦辞要求她回避一段时间。有了借口之后，太后就搬家到了雍宫^[1]。

离开了皇宫，嫪毐更是肆无忌惮，经常去看太后，所受的赏赐非常丰厚，权力也越来越大。那时候，嫪毐的家僮有数千人，那些为谋求官职而投奔嫪毐的多达一千余人。

秦始皇七年，庄襄王的母亲夏太后去世。孝文王后也就是华阳太后，跟孝文王合葬在寿陵。夏太后的儿子庄襄王埋葬在芷阳，所以夏太后单独另葬在杜地的东边。她生前曾说："葬在这个地方，向东可望见我的儿子，向西可望见我的丈夫。百年之后，这一带会成为有上万户人家的城邑。"

秦始皇九年，有人告发嫪毐，说他根本不是宦官，常常与太后私通，还生下两个儿子，不但如此，嫪毐还跟太后密谋："秦王要是死了，就让我们的儿子继位。"秦王听到这个消息，马上下令让有关官吏查办，得知了事情的全部真相。

这年九月，嫪毐被诛灭三族，太后所生的两个儿子也被杀掉，太后被软禁在雍宫。嫪毐家的所有门客都被抄没家产，并迁徙到了蜀地。这件事还牵连到了相国吕不韦，秦王想要杀掉他，但因为他曾经侍奉秦王的父亲子楚，功劳很大，另外，有很多人跑来为他说情，所以秦王最终没有动手。

秦始皇十年，吕不韦被免去相国的职务。不久之后，齐人茅焦来游说秦王，秦王就到雍宫接回了太后，太后一回咸阳，秦王马上把吕不韦遣发到他河南的封地去。

一年后，各国诸侯的使者都络绎不绝地去访问吕不韦。秦王害怕吕不韦作乱，就给他写信说："你对秦国有什么功劳？可是，秦国竟然封你在河南，食邑竟然有十万户！你本来是赵国人，你跟秦国有什么亲缘关系？可是你竟然号称仲父！不要再妄自尊大了，你马上带着家属迁徙到蜀地去住！"

吕不韦见信，意识到自己已经成了秦王的眼中钉肉中刺，害怕被满门抄斩，就喝鸩酒 [2] 自杀了。

相关链接

〔1〕雍宫：即秦国在旧都雍城（今陕西凤翔）的宫殿。
〔2〕鸩酒：用鸩羽浸制而成的毒酒。鸩：相传为一羽毛有剧毒的鸟。

荆轲刺秦王

秦王对荆轲说："把秦舞阳所带的地图拿上来！"荆轲于是取了地图，呈献给秦王，秦王打开地图，突然露出了一把匕首……

荆轲 [1] 本来是卫国人，喜欢读书和剑术，曾经以剑术为比喻，游说卫元君，可是没有得到卫元君的任用。

荆轲于是游历各国，寻求施展自己才华的机会。他曾专程赶到榆次 [2]，去跟盖聂讨论剑术，两人意见不合，盖聂恼怒地瞪着他，荆轲没有做声，出去了。有人劝盖聂再把荆轲叫回来。盖聂说："刚才我跟他讨论剑术，很讨厌他的某些见解，很生气，就瞪了他一眼。他肯定已经离开了，绝对不敢再逗留在这里。"随后，盖聂派人到荆轲的房东那里去寻找，荆轲果真已经驾车离开榆次了。使者回来报告，盖聂说："他离开，我一点也不奇怪，我刚才瞪他，把他吓坏了。"

荆轲离开盖聂之后，到了邯郸。鲁句践跟荆轲下棋，由于争执棋路，鲁句践大发雷霆，高声呵叱他，荆轲什么话都没说，默默地溜走了。

之后，荆轲又到了燕国。在燕国，他结识了一个杀狗的屠夫，还有一个擅长击筑（一种乐器）的高渐离 [3]。荆轲好喝酒，每天都跟屠夫和高渐离在街上喝酒，喝到半醉以后，高渐离击筑，荆轲就和着节拍唱歌，其乐融融；可是过了一会儿，又相对哭泣起来，好像旁边没有别人似的。

荆轲虽然结交了很多酒徒，但是他为人稳重，内心深沉。他游历各国，都是跟当地一些德高望重的名士相交往。到了燕国后，燕国的隐士田光先生也对他很好，知道他并不是一个平庸的人。

荆轲到了燕国之后不久，在秦国做人质的燕太子丹逃回了燕国。

燕太子丹，从前曾在赵国做人质。秦王嬴政出生在赵国，少年时代与燕太子丹很要好。后来，秦王嬴政登位做了秦王，太子丹在秦国做人质。秦王不念旧情，对待燕太子丹的态度很恶劣，所以太子丹就怀着怨恨逃回了燕国。回国后，千方百计地想办法要报复秦王，可是燕国国势微弱，力量不够，太子丹干着急，却无能为力。

后来，秦国天天出兵，攻打齐国、楚国和三晋，像蚕吃桑叶一样吞并着诸侯国的土地，很快就要轮到燕国了。燕国君臣忧心忡忡，太子丹就去咨询他的老师鞠武。鞠武回答说："秦国的土地，遍布天下，威胁着韩国、魏国、赵国。北面有甘泉、谷口那样坚固险要的关塞，南面有

泾河、渭河流域这样肥沃的原野；还占据着巴郡、汉中郡这样富饶的地区；右边有高山峻岭，左边也有天然险障；人民众多，兵士振奋，武器充足。如果秦国企图向外扩张，那么谁也挡不住。您可千万不要因为受了点秦王的气，就妄想打击秦国，千万不要轻举妄动啊！"

太子丹问："但总得有所行动吧？该怎么办才好呢？"鞠武回答："让我再好好想想。"

过了不久，秦将樊於期得罪了秦王，逃亡到了燕国，太子丹接纳了他，并让他住下来。鞠武劝谏太子说："不行，秦王暴虐无道，而且又怨恨燕国，这已经够麻烦的了。现在你收留樊将军，这不是火上浇油吗？你要是非得这么做，那燕国可就没办法解救了。希望您赶快把樊将军送到匈奴去，让秦国对我们没有什么借口。然后，我们可以结交三晋，再联合齐国、楚国，并且跟匈奴搞好关系，这样才有办法对付秦国。"

太子丹说："太傅的计划，要花费的时间太久了。现在我心烦意乱，恐怕等不到那个时候。再说了，樊将军现在是无地容身，因为信任我，才来投靠我，我总不能因为害怕强秦，就抛弃这个可怜的朋友吧？而且，我现在特别需要人才，更是不能轻易得罪朋友。希望太傅替我再想想办法。"

鞠武说："唉！既然太子非要铤而走险，甚至非得拿整个燕国来报自己的私仇，那么我就没办法了，我也提不出什么意见和建议来。还好，燕国有一位田光先生，他为人深谋远虑、勇敢沉着，您可以跟他商量怎么办。"

太子忙说："既然如此，那么希望能通过您的介绍，让我结识田光先生。"于是，鞠武便去会见田先生，并带着田光来拜见太子。

太子丹上前迎接田光，慢慢后退着走，为田光引路，又跪下来拂拭座席。田光坐定以后，太子屏退了左右随从，然后离开座席，对田光请求说："燕国和秦国势不两立，希望先生能帮忙出出主意。"

田光说："骏马年轻的时候，可以日行千里；可是它一旦衰老，就连劣马也跑不过。现在，我田光已经老了，跑不动了，可是太子还以为我像年轻时候一样。不过，虽然我老了，但是我可以给太子推荐一个人，他是我的好朋友，名叫荆轲。"

太子说："那好吧，希望先生您介绍一下，让我见识见识荆轲，可以吗？"

田光说："遵命！"随后马上起身，准备去找荆轲。太子送到门口，告诫田光说："我所说的，还有先生所说的，都是国家大事，先生可千万不要泄露啊！"田光笑着说："这个您不用担心。"

田光见到荆轲，说："我田光和您要好，燕国没有人不知道。现在太子想让我帮他的忙，可是我身体已经大不如前，帮不上他什么忙。所以，我没有征求您的同意，就自作主张，向太子推荐了您，希望您能马上到宫中去拜访太子。"

荆轲说："遵命。"

田光又说："长者办事，不能让别人提心吊胆。今天太子告诫我田光：'我们所说的，都是国家大事，希望先生千万不要泄露。'这说明太子还是有些对我不放心。办事让人不放心，就算不上真正的侠客。希望您立即去拜访太子，就说田光已经死了，秘密是肯定不会泄露的。"说完，田光拔剑自刎。

荆轲去会见太子，说田光已经自杀，并且转达了田光的话。太子听后，拜了两拜，跪下来拜祭田光的在天之灵，流着泪说："我之所以告诫田先生不要泄密，是为了完成大事。可是，田先生没有必要用死来表明自己啊！"

荆轲坐定以后，太子离开座席叩头说："如今的秦王，欲壑难填，如果不完全吞并天下土地，他是不会满足的。现在，秦国已经占领了韩国，又发兵攻打赵国，秦将王翦和李信都率领大军直逼赵国的心脏。赵国如果抵挡不住秦军，必定会向秦国俯首称臣；而赵国一旦称臣，那么秦国的下一个目标就是燕国了。燕国如此弱小，即使动员全国的兵力，也不足以抵挡秦军。现在看来，唯一的解决方式，就是劫持秦王，迫使他归还各诸侯国的土地；如果不行，就干脆杀掉他。秦国的大将都领兵在外，如果国内有动乱，那么君臣就会互相猜疑。趁这个机会，诸侯各国就能够联合起来。这样，要打败秦国就有希望了。燕国要得救，只能靠这个办法了,但是我不知道把这个重担委托给谁才好,希望荆卿能考虑考虑。"

荆轲听后,好久没有说话,最后说:"这是国家大事,我荆轲才能有限,恐怕负担不起啊!"

太子又上前叩头,坚决请求荆轲不要推辞。荆轲思之再三,才答应了。太子于是尊荆轲为上卿,让他住上等的公馆,而且每天都亲自来公馆拜访,供给荆轲牛、羊、猪三牲,还不时进献奇珍异宝,并不停献上车马和美女,千方百计地投合荆轲。

就这样过了好几天,荆轲还是没有动身的意思。秦将王翦攻破了赵国国都,俘虏了赵王,占领了赵国的土地,又向北进军,一直打到了燕国的南部边界。太子丹恐惧万分,去见荆轲说:"秦军快要渡过易水了,马上就会攻打我们燕国。虽然我的确想多陪您几天,但是大敌当前,恐怕陪不了了,您该出发了。"荆轲说:"没有太子这番话,我也要去拜见您了。现在去秦国,要是没有让秦王感兴趣的东西,恐怕根本就无法接近秦王。樊将军跟秦王有仇,秦王悬赏千斤黄金和万户封邑,不惜血本要得到他的头。所以,如果能得到樊将军的头,还有燕地督亢[4]的地图,一起进献给秦王,那么秦王必定愿意接见我,这样我才有办法效命。"

太子不同意:"樊将军走投无路,才来投靠我,我不忍心因为自己的私事而伤他的心,希望您再考虑考虑,看有没有别的办法!"

荆轲见太子不忍心,就自己去见樊於期说:"秦国对待将军,可以说是太狠毒了!您的父母和族人,都被杀死或被收为奴婢。现在我又听说,秦王要悬赏千斤黄金和万户封邑,专门征求将军的头,您打算怎么办呢?"

樊於期仰天长叹,流着泪说:"我樊於期一想到这些,就总是痛入骨髓,只是想不出报仇的办法罢了!"

荆轲说:"今天我有一句话,说不定既可以解救燕国,也可以为将军报仇雪恨,怎么样?"

樊於期上前说:"什么话,请您快说,我樊於期一定照办!"

荆轲说:"希望得到将军的头去献给秦王,秦王必定非常高兴,愿意接见我。我用左手抓住秦王的衣袖,右手拿匕首捅进他的心脏,这样,将军的仇可以报,燕国的危机也可以解决了!将军觉得怎么样?还有更好的办法吗?"

樊於期听了，痛苦万分，走近荆轲说："有幸得到您的指教，我樊於期万死不辞！"樊於期说完就自杀。太子听到这个消息，马上驰车前来，伏在樊於期尸体上痛哭，极为悲哀。事已至此，已经没有其他的办法了，于是他们就把樊於期的头装入匣子中密封起来。

当时，太子已经找到了天下最锋利的匕首，并且让工匠把毒药浸染在匕首上，用来试着杀人，只要流出一丝血，受试的人没有不立刻死亡的。于是太子丹准备行装，安排荆轲启程。

燕国有个勇士名叫秦舞阳，十三岁时就杀过人，人们都不敢正眼看他。太子丹派秦舞阳当荆轲的助手。荆轲要等另一个人，同他一道去。那个人住得远，还没有来，荆轲就替那个人准备好了行装，等他到来。太子总觉得该出发了，怀疑荆轲反悔，就再次提醒荆轲说："时间已经到了，荆卿是不是还有什么想法？要不先让秦舞阳启程？"荆轲闻言大怒，斥责太子说："太子这样做，是什么意思？我迟迟没有出发，不过是要等我的朋友一道去。既然太子怀疑我，那我就不等了，请您辞别吧！"于是决定马上启程。

太子和几个人穿戴着白色的衣帽，去为荆轲送行。送到易水边，祭了路神以后，荆轲就准备上路了。高渐离击着筑，荆轲和着筑声唱歌，声音凄凉感人，送行的人都黯然流泪。荆轲又一边走一边唱道："风萧萧兮易水寒，壮士一去兮不复还！"随后，荆轲表情坚定地登车离开，一直都没有回头。

一到秦国，荆轲就拿着价值千金的礼物，送给秦王的宠臣蒙嘉。蒙嘉为他向秦王通报说："燕王确实畏惧大王的声威，不敢出兵抵抗大王的军队，愿意全国上下都归附秦国，按期交纳贡物和赋税，就像秦国的郡县一样，只要能保住他们的宗庙就行。燕王心里害怕，不敢亲自来陈述，就特地砍下樊於期的头，并且献上了燕地督亢的地图，用匣子封存好，派人给大王带来了。"秦王听了，非常高兴，便穿了上朝的礼服，安排了有九位礼宾司仪的隆重仪式，在咸阳宫接见燕国使者。

荆轲手捧盛着樊於期头颅的匣子，秦舞阳手捧装着地图的匣子，一前一后走上宫殿。到了宫殿的台阶上时，秦舞阳心中害怕，吓得连脸都变了色，大臣们觉得很奇怪。荆轲回过头来对秦舞阳笑笑，然后上前对秦王谢罪说："北方蛮夷地区的人，从来没有见过天子，所以如此害怕。希望大王能宽容他，让他能在大王面前完成使命。"

秦王对荆轲说："把秦舞阳所带的地图拿上来！"荆轲于是取了地图，呈献给秦王，秦王接过地图，慢慢打开，最后突然露出了一把匕首！这时候，荆轲左手抓住秦王的衣袖，右手拿起匕首直刺秦王，秦王一惊，抽身跳了起来，衣袖被扯断了。秦王赶忙抽剑，剑太长，便一手抓住了剑鞘。当时惊惶紧急，剑又套得太紧，所以怎么抽也抽不出来。荆轲握着匕首追逐秦王，秦王绕着柱子奔跑。大臣们都惊呆了，一时之间手足无措。

按照秦国的法令，在宫殿里侍从的大臣们不准携带任何武器，而那些拿着武器的官兵只能排列在殿下，没有皇上的命令不准上殿。现在正是情况紧急的时候，却来不及召唤殿下的侍卫，因此荆轲才能追逐秦王。仓惶紧急之时，没有什么可用来打击荆轲，大家只好徒手上阵，只有侍从医官夏无且还有个药袋子，用它砸了荆轲几下。秦王绕着柱子跑，仓惶之极，不知道怎么办好。忽然有人喊："大王，背剑！"秦王就把剑推到背上，于是拔出了宝剑，砍断了荆轲的左腿。荆轲受伤倒地，便举起匕首投向秦王，没有投中，匕首扎在了铜柱子上。

荆轲没有了武器，于是秦王持剑上前，再次去砍荆轲。荆轲身负重伤，知道不能成功了，便背靠铜柱，大笑大骂道："之所以没能成功，只是因为我想活捉你，要不你肯定跑不了的。"这时，秦王的武士上殿，杀掉了荆轲。

虚惊一场，秦王很久也没有缓过劲来。秦王后来论功行赏，并且惩办临阵脱逃的官员，还赐给夏无且二百镒黄金，秦王说："唉！只有无且爱护我，只有他拿药袋子砸了荆轲几下！"

荆轲刺秦王不成，反而惹得秦王大怒，命令王翦的部队攻打燕国。十个月就攻破了燕国都城。燕王和太子丹率领精锐部队，向东退守到辽东，而秦军则紧追不舍。这时候，代王赵嘉写信给燕王说："秦军之所以追您追得那么急，全都是因为太子丹。现在大王如果能杀死太子丹，把他献给秦王，秦王必定撤兵，只有这样，燕国社稷才能保全。"燕王于是便派人杀死了太子丹，准备把他献给秦王。可是，秦国就当没有这回事，照样攻击燕国。五年以后，秦国终于灭亡了燕国，俘虏了燕王。

第二年，秦国兼并了天下，建立帝号，称为始皇帝。之后，秦始皇下令通缉太子丹和荆轲的门客。高渐离是荆轲的朋友，只能改名换姓，给人家当酒保。时间久了，他觉得做工太辛苦，一听见主人家堂上有客人击筑，就徘徊着不肯离开，还常常脱口而出："那个人击筑，有好的地方，也有不好的地方。"

武士头像（秦）　此武士面庞圆润，似在微笑，神情安详优雅，十分生动。

有人把高渐离的话告诉了他的主人："那个佣工竟然懂得音乐，他私下里评论过击筑的得失，好像挺内行。"酒店主人听了，就召高渐离到堂上击筑，赢得了满堂喝彩。高渐离心想，总是躲躲藏藏的，担惊受怕，总不是办法，不可能总这样下去，于是就退下去，拿出行李箱子中的筑和以前的好衣服，更新打扮了一番，再次上堂。满座宾客都很惊讶，走下座位和他平等地以礼相待，把他当作上宾，并请他击筑唱歌，他们听了之后，都被感动得热泪盈眶。

秦始皇听到了这件事，就召见他，想听他击筑表演。有人认识高渐离，就告诉了秦始皇。秦始皇爱好音乐，就赦免了他的死罪，但却弄瞎了他的眼睛，让他击筑表演，每次都称赞他击得好。过了一段时间，秦始皇没有了戒心，就离高渐离越来越近。高渐离感觉到了，便在筑里暗藏了铅块，趁秦始皇靠近的时候，突然举起筑来扑击秦始皇，但是他并没有击中。秦始皇于是就杀掉了高渐离，而且从此以后，再也不靠近诸侯国的人。

相关链接

〔1〕荆轲：？－公元前227年，又称庆卿，战国末期齐国人，后迁居卫国，春秋战国时期著名刺客，燕太子丹怕秦王消灭自己的国家，便孤注一掷，请荆轲前往秦国刺杀嬴政。

〔2〕榆次：地名，古称"魏榆""中都"，在今山西榆次一带。

〔3〕高渐离：战国末期燕国人，擅长击筑，与荆轲是好友。

〔4〕督亢：古地区名，在今河北涿州市东，跨涿州、高碑店、固安等地，为战国时期燕国富饶地区。

李斯年轻的时候，曾在乡郡里担任小官。他看见厕所里的老鼠吃着脏东西，见人总是吓得不得了；又看见仓库里的老鼠吃着储积的粮食，根本不会受到人或狗的惊扰。两相对比，李斯发出了感慨。

李斯[1] 本来是楚国上蔡人。李斯年轻的时候，曾在乡郡里担任小官。他看见厕所里的老鼠吃着脏东西，每当有人或狗走近的时候，总是吓得不得了；又看见仓库里的老鼠吃着储积的粮食，住在大屋子里，根本不会受到人或狗的惊扰。两相对比，李斯大发感慨："唉！一个人是不是贤能，是不是能成才，就看他处在什么样的环境里罢了！这和老鼠有什么区别呢？能做仓鼠才是最好的成才之道啊！"

为了能够有所作为，李斯投奔荀卿，跟他学习帝王之道。学业完成以后，李斯觉得楚王不值得去辅佐，就想到秦国去。李斯向老师荀卿辞别说："我听说，机不可失、时不再来。现在正是大国争雄的时候，游说之士可以立功，可以掌握实权。如今秦王想要并吞各国、统治天下，这正是说客的好时机呀！地位卑贱却不思改变的人，只是徒有人形而已。地位卑贱，是我最大的耻辱；处境穷困，是我最大的悲哀。我不可能愤世嫉俗，不可能厌恶名利。所以我李斯要去游说秦王，我就不相信得不到名利！"

李斯到达秦国之后，当了秦国丞相吕不韦的家臣，吕不韦认为他很贤能，就任用他做侍卫官。李斯因此得到了游说的机会。他游说秦王道："一个能成就大业的人，就在于能趁有机可乘的时候，毫不留情地消灭对手。从前秦穆公称霸的时候，没有兼并其他六国，为什么呢？那是因为，当时诸侯还很多、还很强。可是现在不同了。凭秦国的强大，大王的贤明，完全可以消灭诸侯，成就帝王的大业，实现天下的统一，这是万世难逢的时机呀！现在如果不赶快着手，那么等到诸侯实力再度强盛起来，可就晚了！"

秦王动心了，就任命李斯做长史[2]，很重视他的意见。李斯给秦王出主意，让秦王暗中派人带着财宝去游说各国诸侯。各诸侯国的知名人士，只要是可以收买的，就不惜重金来拉拢他们；要是不肯接受，就杀掉他们。同时，采取反间计，离间诸侯各国，逐步削弱它们。

几年后，李斯因为功勋卓著，官位提升到廷尉。

经过二十多年的钩心斗角、血雨腥风，秦国终于吞并了天下，秦王嬴政成为始皇帝，李斯成了秦国的丞相。国家安定之后，秦始皇下令拆毁各郡县的城墙，销熔各地兵器，表示不再用兵。与以前的朝代不同，秦朝的土地一尺也不分封，也不立宗室子弟为王，不封功臣为诸侯，以免埋下战争的祸患。

秦始皇三十四年（公元前213年），在咸阳宫摆设酒宴，博士周青臣等人在宴会上颂扬始皇的武威盛德。齐国人淳于越进谏说："我听说，殷代、周代的王位继承了一千多年，他们之所以能把持天下这么久，就是因为他们分封宗室子弟和功臣，作为自己的辅助力量。现在陛下拥有了天下，而宗族子弟却只是平民。一旦有外人篡权，靠什么来拯救危亡呢？管理国家，不借鉴古代的经验，很难长治久安。现在周青臣等人不为陛下考虑，只会阿谀奉承，这并不是忠臣之举。"

秦始皇把这个奏议交给丞相李斯处理。李斯认为他的说法很荒谬，就上书皇帝说：

"古时候，天下分散混乱，没有谁能统一，因此诸侯兴起，百家争鸣，都以为自己这一派学说最好，而且用来否定这个、否定那个。现在时代不同了，陛下已经统一了天下，分辨了是非黑白；可是各家学说却还在胡说八道，朝廷的法令一颁布，他们就根据自己那套学说来信口雌黄。他们的目的很简单，就是要通过非议君主来为自己扬名，率领群众来诽谤朝廷。这种情况如果不禁止，那么君主的威望就会下降，而私人的小集团就会形成。这种情况必须禁止，否则将不利于朝廷。我请求陛下下诏：凡是有收藏《诗》《书》、诸子百家著作的，都要收缴并且销毁。从命令下达之日开始，如果满三十天还没销毁，要受黥刑，并发配去修筑长城。不用销毁的，只有医药、占卜和种植这样的书籍。如果有想学习法令的人，必须要跟官吏学习，不得私相授受。"

秦始皇认可了李斯的奏议。于是，秦国上下，到处没收并烧毁《诗》《书》和诸子百家的著作，努力使百姓变得愚昧无知，使天下人再也无法借古讽今。

后来，秦始皇又在全国上下统一法制律令，统一文字。第二年，始皇又巡视天下，对外平定了四方异族。所有这些，李斯都付出了心力，很受始皇的欣赏。

李斯的大儿子李由担任三川郡⁽³⁾的郡守，几个儿子都娶了秦国公主，女儿们也都嫁给了皇族子弟。有一次，李由请假回咸阳探亲，李斯在家里大摆酒宴，文武百官都前往祝贺，李家门前的车马数以千计。李斯看到此情此景，不禁长叹说："唉！我曾听荀卿说过'过犹不及'。我李斯原是一介草民，是市井里普通百姓，皇帝不知道我才能浅薄，竟把我提拔到这个地位。现在，作为臣子，没有谁比我地位更高，我可以说已经富贵到极点了。凡事发展到了极点，就必然会衰微下来，真不知道我将来的归宿在哪里！"

相关链接

[1] 李斯：？—公元前208年，字通右，楚上蔡（今河南上蔡西南）人。初为郡小吏，后从荀卿学。战国末入秦，初为吕不韦舍人，后被秦王政任为客卿，又任廷尉等，直至丞相。昭襄王十年（公元前297年），秦以水工郑国事件议论逐客，李斯遂上书，被采纳。李斯不但是我国古代著名的政治家，而且他在书法、散文等方面也都有很大的名声。后被奸臣赵高谋害。

[2] 长史：官职名，李斯入秦后曾任此职，职责不详；后代官府亦多有设置，但职责不一。

[3] 三川郡：古郡名，因境内有黄河、洛水、伊水三川而得名，战国韩宣王时期初置，辖地相当今河南黄河以南、灵宝以东的伊、洛流域及北汝河上游地区。

智斗赵高

李斯被关到了监狱里，仰天长叹："唉！可悲啊！遇到昏庸的君主，即使再忠心耿耿，又能怎样呢？"

二世皇帝登位以后，不理政事，准备享乐，就叫赵高来商议怎样行乐。二世说："人生在世，只是短暂的一瞬而已。我现在已经君临天下，什么都可以得到，想好好享受一下，满足自己的所有乐趣；同时，还要保持国家的安定，直到我去世为止。你看，我的想法行得通吗？"

赵高说："只要是贤明的君主，都可以做到，但昏乱的君主却是行不通的。现在看来，这种时机还不成熟。我们在沙丘的密谋，诸位公子和朝中的大臣都有所察觉。现在陛下刚刚登位，他们这班人心里都在愤愤不平，弄不好恐怕会发生变乱。况且，蒙恬虽然死了，而蒙毅还在带兵，我总是提心吊胆，深怕得不到好下场。在这种情况下，陛下怎能纵情享乐呢？"

二世皇帝问："那该怎么办？"

赵高说："我们应该加强法令和各种刑罚，让有罪的人互相牵连受罚，甚至收捕整个家族。尽快诛灭那些心里有鬼的大臣，削弱皇族子弟的权力，然后，任用陛下您亲信的人，让他们从内心里感激并归附陛下。这样一来，祸害清除了，群臣又都蒙受您的厚德，那么陛下就可以高枕无忧了，可以纵情享乐了！"

二世皇帝接受了赵高的意见。从此以后，群臣和公子之中，无论谁有罪，二世皇帝都把他们交给赵高。赵高趁机公报私仇，诛杀了大臣蒙毅等人，十二个公子在咸阳被杀死，十个公主被分尸，全部财产都收归国家。受牵连被治罪的人多得不计其数。

公子高想逃亡，又害怕连累家族，就上书说："先帝健在的时候，很赏识我，对我无微不至，总是赏赐我。我本该陪同先帝死去，却没有做到。作为儿子，我这是不孝，作为臣子，我这是不忠。不忠不孝的人，没有面目活在世上。所以，我请求陪同先帝死去，希望能安葬在骊山脚下。请求皇上能恩准。"

胡亥听了，非常高兴，召见赵高，把公子高的报告拿给他看，说："他这是情急无奈吧？会不会是有什么阴谋？"赵高说："他现在连自己的小命都保不住，哪里还能图谋叛乱呢！"胡亥于是认可了公子高的上书，赏赐给他十万钱，作为安葬的费用。

法令刑罚一天比一天严厉苛刻，群臣人人自危，都想要叛乱。这个时候，二世皇帝又建造了阿房宫，大兴土木，对人民的剥削越来越重，兵役和劳役没完没了。人民怨声载道，陈胜吴广等人趁机起来造反，英雄豪杰群起响应，一起反叛秦朝，整个国家风雨飘摇。

李斯屡次请求进谏，二世皇帝都没有允许，反而责问李斯说："我有个想法，是从韩非那里听来的，他说：'尧帝得到天下的时候，殿堂不过三尺高，用破木头做屋椽，用烂茅草盖屋顶。冬天穿鹿皮袄，夏天穿麻布衣，吃的是粗米饭，连肉都没有。夏禹在位时常年治水，整天泡在水里，连小腿上汗毛都掉光了，手掌足心长满了厚茧，最后活活累死了。即使是奴隶，也不可能更劳苦了！'这是何必呢？这只能证明他们没有出息。真正贤明的人，应该能够轻轻松松地安定天下，并且能尽情享受。我就希望能做这种真正贤明的君主，希望能够随心所欲，并且永久地享有天下。依丞相你看，我该怎么办才行？"

李斯听了，一句话也说不出来，只好退出。

当时，陈胜吴广等起义军横扫秦国，所向披靡，后来，陈胜军终于被秦国大将章邯击败。秦二世责备李斯："你李斯作为秦国的丞相，掌握着国家的大权，为什么竟让叛乱的盗寇如此猖狂？要不是章邯，秦国可如何是好？"李斯大为恐惧，不知道怎样才能保住自己的爵位俸禄。李斯没有办法，就全心全意迎合二世，想求得宽容，上书回答说：

"贤明的君主，必定是那些严厉督察百官的人。只要君主严厉，那么臣下就不敢不尽力为君主效命。这样，君主就可以专制天下，而自己却不受任何制约，就能享尽人间最大的乐趣了。

"所以申不害曾说过：'拥有天下，却不能为所欲为，那等于是把天下当作了自身的枷锁。'这没有别的原因，就是因为他不能严厉地督察臣下，反而让自己为天下百姓操劳，就像尧和禹那样愚蠢。要是不能让天下人顺从自己，却偏要劳苦自己的身心，为百姓牺牲自己，就是百姓的奴隶，而不是真正的君主。让别人为自己效命，那才是尊贵；让自己为别人效命，那就是低贱。自古以来，我们都尊重贤能的人，那是因为他们尊贵；而我们之所以蔑视无能的人，是因为他们卑贱。

"韩非子说：'慈祥的母亲会有败家子，而严厉的主人不会有不听话的奴隶。'为什么呢？是因为严刑峻法能统治万民。所以，商鞅订立这样的法令，只要是把灰烬倒在路上，就可以处以重罚。只有贤明的君主才能这样明察秋毫啊！罪轻尚且要重罚，何况有了重罪呢！所以，那时候的百姓是不敢犯法的。明主圣王之所以能够长久地处在尊贵的地位上，独自垄断天下利益，并不是因为他们有什么法宝，只是因为能够专断独行，善于发现别人的过失，加重各种惩罚。

"所以，贤明君主应该独断专行，建立严明的法制。另外，还应该敢于废弃自己所厌恶的人，扶植自己所喜爱的人。这样，他才能杜绝所谓的仁义，让游士无话可说，从而一切都凭自己的见闻行事。这样，他才能为所欲为、肆无忌惮，这样，才算是明白了申不害、韩非的权术，并学会了商鞅的法制。这样，就是全面掌握了帝王的统治术，即使申不害和韩非复活，也不过如此啊！"

二世皇帝见了李斯的奏书，非常高兴。从此以后，秦朝的各种法令和责罚更加严厉了。向人民抽税[1] 最重的，才算是贤明的官吏。秦国路上的行人，有半数都是受过刑的，死尸每天都堆积在街市上，怎么清理也清理不完。到处都在杀人，杀人多的，就被看作忠臣。

这个时候，赵高担任郎中令，因为他杀害的人很多，很害怕大臣们在入朝奏事时揭露自己，所以就劝谏二世皇帝说："天子之所以尊贵，是因为群臣只能听到他的声音，却不能见到他的人。况且，陛下现在年纪还轻，未必什么都懂，坐在朝廷上，弄不好会在大臣面前暴露短处，那就不好看了。陛下您不如深居宫中，让我和另外几个熟悉法令的人侍奉您，大臣们有事上奏，我们帮您处理。如此一来，天下人就都会称颂陛下的神圣啊！"二世皇帝本来就无心于政事，于是就很愉快地采纳了赵高的意见。

从此以后，大臣们再也见不到皇上，政事都由赵高决定。

李斯觉得皇上这样做，对国家不利，就想去进谏。赵高听说李斯要进谏，就提前去见李斯说："现在，全天下盗贼蜂起，可是皇上却增派劳役修建阿房宫，还搜集名狗骏马这类没有用处的玩物。臣想要谏止，只不过考虑到自己地位卑贱，不便说话。这其实是您丞相的事，您为什么不进谏呢？"

李斯说："我早就想说了。可是现在皇上总是不上朝，住在深宫里，我有千言万语，也无法传达。想要进谏，却苦于没有机会。"

赵高说："如果您真要进谏的话，我可以帮忙，什么时候皇帝有空，我可以偷偷告诉您。"

不久，赵高趁皇帝正在欢宴娱乐、乐不可支的时候，派人告诉丞相李斯说："皇上正有空闲，您可以赶快来禀奏国事。"李斯马上进宫求见。就这样，一连好几次。二世皇帝很生气："我平常有的是空闲，丞相不来。我只要一玩得兴起，他就来请示这个、请示那个。丞相是不是瞧不起我？他为什么偏偏和我作对呢？"

赵高暗地高兴，马上添油加醋地说："要是丞相跟您作对，那可就太危险了！

"当初，我们在沙丘一起密谋，丞相参与了。现在陛下已经成了皇帝，可是丞相并没有更加尊贵，所以才对您不满。看来，他是想割地封王啊！其实，我早就看出来了，但是陛下要是不问我，我也不敢说。

"丞相的儿子李由担任三川郡守，陈胜吴广等叛贼都是邻县的居民，这些叛贼公开横行，经过三川郡的时候，李由只是守城，却不肯出击。另外，我还听说，他们之间有文书往来，因为还没有得到确切情况，所以不敢来告知陛下。况且，丞相在外面，权势比陛下还重，所以我更是不敢乱说话。"

二世皇帝信以为真，准备惩办李斯。又有点担心赵高说得不够确切，于是就派人去调查三川郡守李由，看他是不是真的与叛贼勾结。

李斯听到了这个消息，很焦急，准备亲自向皇帝辩解。当时，皇帝在甘泉宫，正在观赏摔跤和杂戏表演。李斯还是见不到二世，就想办法上书给他，陈述赵高的短处说：

"我听说，臣子如果同国君平等，那么国家就危险了；妻妾要是同丈夫平等，那么家庭就难以安宁。现在，赵高在皇上身旁，独揽了大权，权势与陛下没有两样，这可是非常不方便啊！从前，子罕担任宋国丞

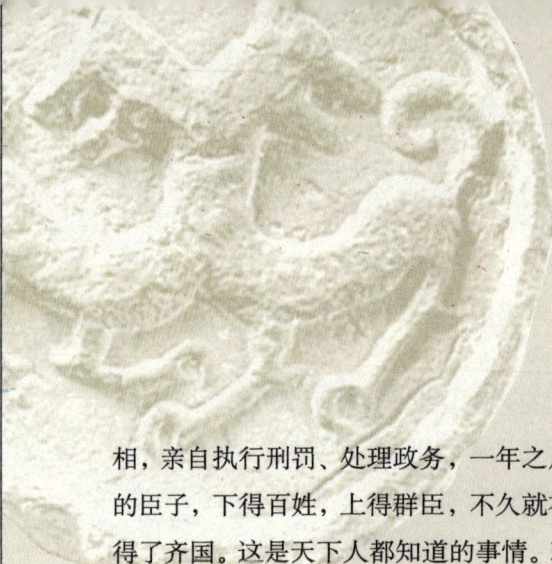

相，亲自执行刑罚、处理政务，一年之后就篡夺了王位。田常当齐简公的臣子，下得百姓，上得群臣，不久就在朝廷上杀害了齐简公，终于取得了齐国。这是天下人都知道的事情。现在的赵高，与当初的子罕和田常一样，陛下如果不早做提防，我恐怕他会叛乱呀！"

二世皇帝终于召见李斯说："丞相恐怕言重了吧？赵高一向廉洁向善，因为忠诚而得到了我的提拔。况且，我从小就失去了父亲，没什么见识，不懂得治理百姓；而你又老了；我不把国家托付给赵高，又该给谁呢？再说，赵高为人清廉，下能了解民情，上能合我心意，你可不要怀疑他。"

李斯说："皇上您看错了。赵高只是个心地卑劣的人，不懂得道义，贪得无厌，唯利是图。他现在的地位权势，仅次于皇上，但是他的欲望却比皇上大得多，所以微臣才说形势非常危急。"

二世皇帝就是不信，只信任赵高，而且还担心李斯谋反，就偷偷把所有的话都告诉了赵高。赵高说："丞相现在还没有什么动作，只是因为我赵高还在。我要是一死，他可就要干田常所干的事了。"二世皇帝很害怕，于是让赵高把李斯抓了起来。

李斯被关到了监狱里，仰天长叹："唉！可悲啊！遇到昏庸的君主，即使再忠心耿耿，又能怎样呢？以前，商纣杀死了比干，吴王夫差杀死了伍子胥。这两个臣子，难道还不够忠心吗？可是都不免一死。如今，我的智慧比不上他们，而二世皇帝的昏庸无道，却要超过商纣和夫差，看来我死也活该！"

二世皇帝派赵高审问李斯，还打听李由谋反的情况，并且逮捕了李斯的族人和宾客。赵高装模作样地审讯李斯，用大板拷打了他一千多下，李斯忍受不了痛苦，只好招供。他相信自己能言善辩，而且劳苦功高，确实没有谋反，肯定有机会上书辩解，以为二世皇帝一定会幡然省悟而赦免他。李斯在狱中埋头书写，洋洋洒洒写了很多，然后上书给皇帝。奏书呈交以后，赵高叫狱官把它扔掉，不要送给皇上。赵高说："囚犯怎能上书！"

　　赵高指使他的手下，一共分成十几批，假扮御史、侍中等官员，轮流去审讯李斯。李斯改口，根据实情对答，赵高于是派人严刑拷打。后来，二世皇帝派人向李斯验证口供，李斯以为又同前几次一样，就没敢改变口供，而是承认了状辞。赵高把判决呈递上去，二世皇帝看了，高兴地说："要不是赵君，我差一点就被丞相出卖了！"

　　二世皇帝又派人去调查李斯的儿子李由，可是，当时李由已经被项梁所杀，什么都查不出来了。使者无功而返，回到京城之后，赵高就随便伪造了李由谋反的罪状。

　　秦二世二年（公元前 208 年），判定李斯应受五刑，决定在咸阳市上腰斩。李斯走出监狱的时候，跟他的次子一同被押解，回头对他的次子说："我还想带着你再牵着黄狗，一同出上蔡东门去抓兔子，还有机会吗？"父子两人忍不住相对痛哭。后来，李斯家族被全部杀光。李斯死后，二世皇帝任命赵高为丞相，事无巨细，都由赵高决定。赵高自知权势重大，就进献了一匹鹿，故意说它是马。二世皇帝问左右的人说："这是鹿吧？"左右都说："是马！"二世皇帝很惊讶，以为自己着了魔，就叫人来占卜。太卜 [2] 也不敢说实话，就敷衍二世皇帝说："陛下春秋两季祭祀上天，供奉宗庙鬼神，斋戒不够虔诚，所以到了这个地步。陛下应该斋戒。"于是二世皇帝就住进上林苑，举行斋戒，还天天在苑里游玩射猎。

　　一天，有个行人无意之中进入上林苑，二世皇帝觉得有趣，就拉弓射箭，射死了他。赵高知道了，就劝谏二世皇帝说："天子无故杀人，这会违背上天，鬼神也不会容忍，恐怕上天会降罪的。陛下应该立即远行，避开皇宫去祈福消灾。"二世皇帝于是就搬出了皇宫，住到了望夷宫。

　　在望夷宫里住了三天之后，赵高假传二世的命令，叫来一群卫士，让他们穿着白色的衣服，拿着兵器，面对宫门站着。随后，赵高跑到宫里去，欺骗二世说："大势不好！叛军打到这里来了！"二世登台观望，看见一群穿白衣、拿兵器的人，吓得要死。赵高趁机添油加醋，最后说服二世自杀了。

　　二世一死，赵高马上拿过皇帝的玉玺，佩带在身上。可是，左右百官都不愿听从他，赵高上殿，殿堂就像地震一样，像要坍塌似的。赵高自知上天不许，就把始皇的一个孙儿子婴叫来，将玉玺交给他。子婴登

位后，害怕赵高，就假托生病，不理政务，暗中与人商量，密谋诛杀赵高。赵高请求进见，探问病情，子婴就趁机刺杀了他，随后，灭掉了赵高的三族[3]。

子婴登位三个月，沛公刘邦的军队从武关打进来，到了咸阳。群臣百官都背叛了秦朝，不抵抗沛公。子婴孤家寡人，毫无办法，就带着妻子儿女，用丝带系在自己的脖子上，到路边去投降，沛公把他们交给了主管刑狱的官吏。不久之后，项羽到了咸阳，杀死了子婴。秦朝就这样失去了天下。

相关链接
〔1〕抽税：官府向百姓抽取征收赋税。
〔2〕太卜：官职名，位次三公，为六卿之一，负责掌管宫廷等官方占卜及有关事务。
〔3〕三族：指父族、母族、妻族。古代刑法，根据犯人罪行轻重，有诛三族、九族等说。

太子胡亥登位为二世皇帝。赵高最得宠信，权重一时。但是他仍然担心蒙氏兄弟，就日日夜夜在皇帝面前诽谤他们，罗织罪名，一心要置他们于死地。

蒙恬的祖先是齐国人。祖父蒙骜，从齐国来到秦国，侍奉秦昭王，战功累累，官至上卿。秦始皇七年（公元前240年），蒙骜去世。蒙骜的儿子名叫蒙武，蒙武的儿子名叫蒙恬。蒙恬曾经学习过刑法，担任狱官，掌管狱讼的文书工作。秦始皇二十三年（公元前224年），蒙武担任秦国的副将，跟王翦一同去攻打楚国，大败楚军，杀了楚将项燕。一年后，蒙武又率军攻打楚国，俘虏了楚王。蒙恬的弟弟名叫蒙毅。

秦始皇二十六年（公元前221年），蒙恬由于出身将门，得以担任秦军将领，率军攻打齐国，大败齐军，被任命为内史[1]。当时，秦国已经兼并天下，秦始皇便派遣蒙恬率领三十万大军，北上驱逐戎族和狄族，收复黄河以南的土地。同时，利用险要的地势，修筑长城，西起临洮，东到辽东，绵延长达一万多里。

蒙恬领兵宿营，在外野战十多年，驻守上郡。由于骁勇善战，蒙恬的声威震慑住了强悍的匈奴，使他们不敢轻举妄动。秦始皇非常尊重和宠信蒙恬和蒙毅兄弟，蒙毅的官位也达到了上卿，外出时陪着皇帝同乘一辆车。蒙恬担负着抗击匈奴的重任，而蒙毅则在朝中出谋划策，两人都被视为忠信大臣。因此，蒙氏兄弟权重当朝，其他将相没有谁敢和他们抗争。

赵高是赵国王族的远亲，有好几个兄弟，都生长在宦官家庭。秦始皇听说赵高有能力，精通刑狱法律，便选拔他担任中车府令。同时，赵高还侍奉公子胡亥，教他怎样审判案件。赵高曾犯大罪，秦始皇命令蒙毅依法惩处，蒙毅不敢违背法律，依法判处赵高死刑，开除他的宦官籍。可是后来，秦始皇觉得赵高平时办事认真，就赦免了他，恢复了他的官职、爵位。秦始皇三十七年（公元前210年），周游全国。途中，始皇病重，便派蒙毅按原路返回，去向山川神灵祈祷。蒙毅刚走，秦始皇就病死在沙丘地区，但是死讯没有公开，大臣们都不知道。这时，赵高就跟李斯和公子胡亥密谋，拥立胡亥做太子；随后，又假托始皇的命令，让公子扶苏和蒙恬自杀。扶苏死后，蒙恬被抓了起来。胡亥听说扶苏已死，就想要释放蒙恬。赵高一直怨恨蒙氏兄弟，唯恐他们再次掌握实权，就在胡亥面前进谗言，结果蒙恬被继续关押，不得释放。

蒙毅祈祷回来，赵高心里害怕，想趁机消灭蒙氏兄弟，于是就假装为胡亥尽忠，对胡亥说："我听说，先帝早就想选您做太子，可是，每次先帝提到这件事，蒙毅都谏阻说'不行'。他明明知道您贤明无比，却屡次拖延先帝，不让他立您为太子，这不但是对您不忠，而且也是欺骗先帝。在我看来，这个人留不得，应该尽快杀掉！"胡亥听了赵高的话，就把蒙毅囚禁在代地。当时，蒙恬已经被囚禁在了阳周，两兄弟都是有力气而无处使。

秦始皇的灵柩运到咸阳，安葬完毕之后，太子胡亥登位为二世皇帝。赵高最得宠信，权重一时。但是他仍然担心蒙氏兄弟，于是日日夜夜在皇帝面前诽谤他们，罗织罪名，一心要置他们于死地。

子婴向二世进言："蒙氏兄弟，是秦朝的将军、谋士，您现在想抛弃他们，我觉得不太合适。而赵高，并不是个有德行的人，不要轻易任用他。如果您诛杀忠臣，任用赵高那样缺乏德行的人，那么，对内无法安抚群臣，对外无法激励将士。这样下去，实在是不太合适。"

胡亥不听从进谏，却派遣御史曲宫乘坐驿车前往代地，命令蒙毅说："先主想要立太子，而您却百般阻挠。您对国家、对皇帝，都不够忠诚，按罪应当诛灭三族。可我还是有些不忍心，所以只赐您一死。您能得到这样的处罚，应该算是很幸运了。"

蒙毅向御史辩解说："先帝选立太子，是考虑多年的结果，我根本没有发言权，怎么可能百般阻挠！我并不怕死，只是希望能死得理所当然。从前，秦穆公用三位贤臣殉葬，错误地惩罚贤臣百里奚；秦昭襄王杀死功臣白起；楚平

王杀死伍奢；吴王夫差杀死伍子胥——这四位君主，都是大错特错，所以全天下人都批评他们，弄得他们声名狼藉。杀害无罪的臣民，可是没有好结果的啊！希望皇上和大夫您能再考虑考虑！"

御史知道胡亥就是想杀掉蒙毅，所以对蒙毅的话置若罔闻，还是杀了他。

二世皇帝又派使者到阳周，命令蒙恬说："您的过错太多，我就不多说了。而且，您的弟弟蒙毅犯了大罪，您也有份！"

蒙恬说："我们蒙氏家族，在秦国建功立业，并且声名煊赫，已经整整三代了。如今，我统领三十万大军，虽然身遭囚禁，但要是真想反叛，也没有谁阻挡得了。然而，我还是宁死遵守节义，因为我不敢玷辱祖先的教诲，也不敢违背先帝。从前，周成王刚登位的时候，年龄还很小，周公旦背着他上朝面见百官，帮他平定了天下。有一次，成王病危，周公旦祈祷说：'君王年幼无知，如果有罪，请让我来承担。'史官把这些话记了下来，秘密收藏起来。后来，成王长大，能够治理国家了，就有奸臣说：'周公旦早就想作乱了！君王要早加防备啊！'成王很恼怒，周公只好逃亡到了楚国。不久之后，成王到了保存书册的地方，恰巧看到了周公旦的祷辞记录，就流着眼泪说：'谁说周公旦想要作乱呢？'于是成王杀掉了进谗言的人，同时迎回了周公。如今，我蒙氏家族，世代尽忠，没有二心，可是结果竟然这样。周成王虽然有过失，但能补救，所以周朝昌盛；商纣杀死比干，却不知悔过，终于弄得国破家亡。希望陛下能为国家和百姓考虑，不要轻易下决定。"

使者深受触动，但还是无奈地说："我地位低微，受命来处罚将军，不敢把将军的话转达给皇上。"

蒙恬深深地叹息说："我到底哪里得罪了上天，为什么非得无辜受罚呢？为什么要死得这样冤枉？"过了很久，又慢慢地自言自语说："我蒙恬的罪过，本来就该死了！从临洮连接到辽东，筑城墙、挖壕沟，长达一万多里，这中间不可能没有切断地脉[2]啊！这就是我的罪过吧！"说完，就服毒自杀了。

相关链接

〔1〕内史：官职名，西周始置，负责协助帝王处理爵禄废置等事务。
〔2〕地脉：地形的风水好坏称为地脉。

汉将彭越

汉王听从了张良的意见，派使臣去说服彭越。彭越立即率军前往垓下与汉军会合，终于大败楚军，杀掉了项羽。当年春天，彭越被立为梁王，以定陶作为都城。

彭越是昌邑[1]人，字仲。彭越年轻的时候，由于不甘于平淡的生活、受不了官府的欺压，所以纠集了一群朋友，到巨野[2]地区捕鱼为生，有时候也成群结队地打家劫舍。

陈胜和项羽等人起义的时候，朋友们对彭越说："现在秦国大乱，许多豪杰纷纷起兵反抗暴秦。你为什么不出来抢占一席之地呢？我们也可以像他们一样有所作为。"彭越说："现在是两龙相斗的时候，再等等吧！"

过了一年多，有一百多名年轻人聚集起来，前来追从彭越，请求他做头领，一同起义。彭越最初不肯同意，青年们再三恳求，彭越才答应了他们，与他们约好第二天早晨日出时集合，迟到的就要杀头。第二天早晨日出的时候，有十几个人迟到，最后一个人直到正午才来。彭越很生气，抱歉地对大家说："我老了，本来不愿起事，可是你们一定要我做首领，所以我就答应了。要起事，就必须要有严明的纪律，今天约好了时间，却有这么多人迟到，又不能都杀头，所以只好杀掉最后的那个，以明军纪。"

大家都是一些草莽英雄，散漫惯了，听了彭越的话，都觉得小题大做，笑嘻嘻地说："不至于到这个地步吧？我们以后不敢了。这次就算了吧！"彭越不干，亲自跑到队伍中去，拉出那个人，杀了他。然后彭越设立祭坛祭祀，并向大家发布军令。众人大惊，很害怕彭越，不敢抬头看他，对他的命令再也不敢怠慢。彭越整顿了军纪，立刻率领众人出发，攻城略地，同时收编诸侯军中逃散的士兵，不久就得到了一千多人。

沛公攻打昌邑的时候，彭越率兵援助。昌邑没有攻克，沛公带兵西进，而彭越则驻扎在巨野，收编各路散兵游勇。后来，楚王项羽进入关中，分封诸侯为王，然后回师。彭越的部众一万多人，无所归属。汉王元年，齐王田荣反叛项羽，派人赐封彭越为将军，叫他攻打楚国。楚国派萧公角率兵迎战彭越，彭越大败楚军。

汉王二年，汉王跟魏王豹以及各路诸侯攻打楚国，彭越带领他的军队三万多人归附了汉王。汉王说："彭将军收复魏地，占领了十几座城邑。现在呢，应该赶快拥立魏国的后代为王。魏豹是真正的魏国后代，可以立他为魏王。彭越有勇有谋，可以立他为相国。"于是任命彭越为魏国相国，独揽魏国的兵权，率兵攻打梁地。

汉王在彭城战败之后，向西撤退。彭越又丢掉了原先攻占的城邑，只好独自率领他的军队驻扎到黄河沿岸。汉王三年，彭越经常率军神出鬼没于各地，作为汉军的游击队，袭击楚军，在梁地断绝了楚军的后援粮草。汉王四年冬天，项羽跟汉王在荥阳对峙，彭越趁机攻下了睢阳、外黄等十七个城邑。

项羽听到这个消息，就派曹咎驻守成皋，亲自率军收复被彭越所攻占的城邑。彭越势弱，率军退到谷城。汉王五年秋天，项羽军队退到阳夏，彭越又趁机出兵，攻下了昌邑附近的二十多座城邑，得到谷物十几万斛[3]，用来补充汉王的军粮。

当时，汉王经常吃败仗，便派人去联合彭越，让他与自己合力攻打楚军。彭越没有同意，说："魏地刚刚平定，楚军还会来偷袭，我不能离开。"汉王没有办法，就自己追击楚军，在固陵又吃了败仗。汉王万分焦急，便问留侯张良："诸侯军队光看热闹不帮忙，怎么办？"

留侯说："齐王韩信现在没有多少土地，心里有些不安。彭越平定了梁地，功劳很大，但是大王只任命他为魏国的相国，他心里肯定不满。现在魏王已经死了，又没有后代，彭越肯定想称王。要我看，您现在应该跟他们两人约定，如果他们帮忙战胜楚国，那么从睢阳以北到谷城一带，都给彭越，让他称王；从陈县以东一直到海边这一片地方，划给齐王韩信。如果您能舍得这些地方，许给他们二人，他们很快就能赶来；如果这样还不能让他们动心，那可就不好办了。"

汉王听从了张良的意见，派使臣去说服彭越。彭越立即率领所有军队出发，前往垓下与汉军会合，终于大败楚军，杀掉了项羽。当年春天，彭越被立为梁王，以定陶作为都城。

高祖十年秋天，陈豨在代地造反，高祖亲自前去讨伐，到达邯郸时，命令梁王带领兵马一起去平叛。梁王推说生病，派遣部将率领军队到邯郸去与高祖会合。高祖大怒，派人去责备梁王。梁王惶恐之极，想亲自去谢罪。部将扈辄说："大王开始不去，现在受了责备才去，去了肯定就会被抓起来。不如就此起兵造反。"梁王不听，还是借口生病，同时准备亲自去谢罪。

恰好在这个时候，太仆[4]得罪了梁王，梁王想杀了他。太仆逃到高祖那里，密告梁王跟扈辄谋反。高祖大怒，立刻派兵突袭梁王。梁王毫无准备，束手就擒，被囚禁在洛阳。审理过后，被确定为叛国罪。高祖念他当初帮自己打天下，就赦免了他的死罪，降为平民，流放到蜀地。彭越被押送到郑县时，恰好碰见了出游的吕后，就向吕后哭诉，声辩自己无罪，希望能回到故乡昌邑定居。吕后答应了，带着他来到洛阳。到了洛阳之后，吕后对高祖说："彭王不是一般人，如果把他迁徙到蜀地，这是给自己留下后患，不如干脆把他杀了！我已经把他带到洛阳来了。"

　　高祖想想有理，就让彭越的家臣密告彭越还想谋反，然后让廷尉上奏，请求诛杀彭越三族。于是，彭越被灭了三族，封国也被废除了。

相关链接

〔1〕昌邑：古县名，秦朝时候立，治所在今山东巨野东南。

〔2〕巨野：地名，在今山东巨野一带，以巨野泽而得名。

〔3〕斛：古代容量单位，一斛合十斗。

〔4〕太仆：官职名，始置于春秋，负责掌管帝王舆马及马政。

张耳和陈馀，本是一对生死之交的朋友，后来，只因项羽封官，一个封王，一个封侯，两人反目成仇，陈馀被张耳所杀。

　　李良投降之后，章邯带兵进了邯郸，把城内百姓都迁到河内[1]，然后把邯郸城夷为平地。

　　张耳跟赵王歇逃进巨鹿城，秦将王离马上包围了巨鹿。当时，陈馀驻军在巨鹿北边，有几万兵力。章邯驻军在巨鹿南面，给王离供应军粮。王离兵多粮足，强攻巨鹿。巨鹿城内粮尽兵少，危在旦夕，张耳着急，多次派人去陈馀那里请求救援。陈馀只有几万兵力，怕抵挡不住秦军，不敢前往。

　　过了几个月，张耳撑不下去了，对陈馀非常怨恨，就派张厌、陈泽去叱责陈馀："当初，我们结下生死之交。现在我和赵王危在旦夕，您拥有几万兵力，却不肯救援！我们生死与共的情谊跑到哪里去了？秦军就那么可怕？您的性命就那么珍贵？"

　　陈馀回答说："我并不是不念旧情。只是，我即使出兵，也还是不能救赵，反而要葬送掉这几万军队。我之所以不想跟秦军同归于尽，是想以后为赵王和张君报仇。如果一定要我同归于尽，就好像把肉丢给饿虎一样，有什么好处？"

　　张厌、陈泽说："现在情况紧急，考虑那么多干吗！"

　　陈馀没办法："唉！我倒是不怕死，但这样做的确没什么益处。算了，就照您的话去做吧！"于是派了五千人，由张厌、陈泽带领，先去试攻秦军，结果全军覆没，一个都没回来。

　　这时候，燕、齐、楚三国听说赵国告急，都派兵援救。项羽渡过黄河，打败了章邯。章邯率部撤退，各国军队进攻包围巨鹿的秦军，俘虏了王离。解围之后，赵王歇和张耳出城，拜谢各国诸侯。

　　张耳一见到陈馀，就大声叱责陈馀，责备他在关键时刻袖手旁观，然后又问张厌和陈泽的下落。陈馀也很生气："张厌和陈泽让我跟你们同归于尽，我就派他们带领五千人先去跟秦军比试比试，结果全军覆没，一个都没回来。"张耳不信，以为陈馀杀掉了他们，屡次追问陈馀。陈馀发怒说："您这么怨恨我，我可真没想到呀！您是不是觉得我非得当将军不可？"说完，就解下将印，推给张耳。张耳非常惊愕，不肯接受。

后来，陈馀起身上厕所，有人趁机劝张耳："我听说'上天赐与的，要是不接受，就会遭殃'。现在陈将军把将印交给您，您不接受，这是违背天意，不吉祥。赶快收下它！"张耳于是就佩上陈馀的将印。陈馀从厕所回来，发现将印不见了，也埋怨张耳太不客气，就愤然离开。陈馀一走，张耳马上就收编了陈馀的军队。陈馀只好带着几百人，到黄河沿岸去捕鱼打猎。

从此以后，陈馀和张耳就结了仇。

汉王元年二月，项羽分封诸侯。张耳向来交游广泛，很多人都替他说好话，项羽也多次听说张耳贤能，就从赵地分出一部分土地，封张耳为常山王。而赵王被封到了代地，成了代王。

有人劝项羽说："陈馀和张耳一样对赵国有功。现在张耳做了王，陈馀也不能什么都没有啊！"项羽权衡了一下，就把南皮[2]附近的三个县封给了陈馀。

陈馀更加恼怒："我陈馀的功劳一点儿也不比张耳小，现在张耳封王，而我只是封侯而已！项羽也太不长眼睛了！"不久之后，齐王田荣反叛项羽，陈馀就派夏说去游说田荣说："项羽主宰天下，太不公平！他自己的人都封在了好地方，只给别人残羹冷炙！希望大王能借给我一点兵力，我愿意拿南皮担保。"田荣也想在赵地树立党羽，来反对项羽，就答应了他的请求。

陈馀于是动员三县兵力，袭击常山王张耳。张耳败逃，想到诸侯王之中没有一个可以信赖的人，便说："汉王刘邦是我的老朋友。但现在楚王项羽势力最大，还立我为王，我想去楚国。"甘公说："汉王刘邦进入秦地的时候，天上有五星闪耀，他必能成就霸业。虽然现在楚国强盛，但最后必定会归属于汉。"张耳于是投奔汉王，受到了汉王的礼遇。

○品画鉴宝
轪侯妻墓帛画（西汉）整个画面围绕着墓主人灵魂升天这一主题，线描精劲，设色瑰丽。

498

陈馀打败张耳以后，收复了全部赵地。随后，把赵王从代县迎接回来，仍然做赵国的国王。赵王感激涕零，立陈馀为代王。陈馀觉得赵国刚刚建立，还不稳定，所以不回封国，留下来辅佐赵王，而派夏说以相国的身份镇守代国。

　　汉王二年，汉王进攻楚国，派使者告知赵国，希望赵国也一齐发兵攻楚。陈馀说："汉王如果能杀了张耳，我们就从命。"汉王偷偷找到一个和张耳长得很像的人，杀了他，拿了他的头送给陈馀。陈馀马上派兵，跟汉军一起出征。过了不久，陈馀觉察到张耳还没死，就又背叛了汉王。

　　汉王三年，汉王派张耳与韩信出兵，攻破了赵国，杀掉了陈馀和赵王。随后，汉王封张耳为赵王。汉王五年，张耳去世，谥号为景王，儿子张敖继位。

相关链接

〔1〕河内：郡名，秦置，治所在怀县（今河北武陟）。
〔2〕南皮：地名，在今河北沧州境内。

黥布本来姓英，秦朝时是个平民。成年后因犯法而受黥刑。受刑之后，黥布非常高兴地笑着说："我少年时有人给我看相，说我受刑以后会封王，他说的真准啊！"他后来真的做了九江王。

黥布本来姓英，秦朝时是个平民。少年时代，有人给他看相说："你以后要受刑，受刑之后会封王。"黥布壮年之时，果然因为犯法而受黥刑。受刑之后，黥布非常高兴地笑着说："有人给我看相，说我受刑以后会封王，他说的真准啊！"旁人听了，都嘲笑他不知天高地厚。

黥布被定罪，发配到了骊山。骊山有刑徒好几十万人，黥布跟其中的大小头目都有来往，不久之后，就率领那一帮人逃到长江一带，专门打家劫舍、杀富济贫，成了一群盗贼。

陈胜起义的时候，黥布去见番县县令吴芮，率领他的部下一起反叛秦朝，聚集了数千兵力。番县县令看出黥布前途无量，就把女儿嫁给了他。秦朝大将章邯消灭了陈胜等人以后，黥布就带兵向北攻打秦军的左、右校尉，在清波打败了他们，再引兵东进。当时，项梁已经平定了江东，渡过长江西进，陈婴带领自己的军队归附了项梁。黥布和蒲将军

○ 品画鉴宝

彩绘骑马武士俑（西汉） 此批俑为骑兵方队，人和马精神饱满，斗志昂扬。大有战无不胜的气概。

看项梁势力强大，也投奔了项梁。项梁渡过淮河，向西攻打景驹、秦嘉等人，黥布的部队总是最勇敢。到了薛地，听说陈王确实已死，他们便拥立楚怀王。项梁号称武信君，黥布号称当阳君。后来，项梁兵败战死，楚怀王便迁都到彭城，黥布和将领们也都跟随到彭城坚守。

当时，秦军加紧围攻赵国，赵国多次派人来请求救援。楚怀王于是派宋义担任上将，范增担任末将，项羽担任次将，黥布、蒲将军都担任将军，由宋义统率，前去援救赵国。不久之后，项羽杀了宋义，怀王便改立项羽为上将军，统率全军将领。

项羽命令黥布为先头部队，最先渡河进攻秦军。黥布军英勇善战，多次取胜，与项羽军会合之后更是力量大增，势如破竹，降服了秦朝大将章邯等人。楚军经常打胜仗，在诸侯中功劳最大，诸侯军队也愿意投靠，其中的主要原因，就是因为黥布总是能以少胜多。

项羽带兵向西到达新安，派遣黥布乘夜偷袭章邯部属，活埋了二十多万人。到了函谷关外，进不去，又派黥布偷袭关下的守军，才得以入关，到了咸阳。到了咸阳之后，项羽封赏各位将领，黥布因为经常担任先锋，战功累累，被封为九江王，建都于六县 [1]。

汉王元年，诸侯各自回到自己的封国。项羽拥立怀王为义帝，迁都长沙 [2]，却暗中命令九江王黥布偷偷追上义帝，杀了他。

汉王二年，齐王田荣背叛楚王，项羽攻打齐国，向九江王征兵。九江王黥布借口生病，自己留在封地不动，只派将领带着几千人前往。汉军在彭城击败楚军的时候，黥布也托病不肯救援楚军。项羽从此对黥布恨之入骨，多次派使者去叱责黥布，并召他面谈。黥布害怕，不敢前去。当时，项羽的敌人有齐国、赵国，还有汉王刘邦，能够依靠的只有九江王黥布；而且，汉王刘邦又特别看重黥布，总想把他挖过去。所以，项羽虽然愤恨黥布，但还是没有对他怎么样。

相关链接
〔1〕六县：古县名，在今安徽六安北。
〔2〕长沙：古郡国名，秦时为郡，治临湘（今湖南长沙），西汉有长沙国。

归附刘邦

汉王听说黥布来了，就叫他进来见面。当时，汉王正坐在床上洗脚，很随便地接待了黥布。黥布受到怠慢，非常生气。可到了汉王给他安排的住处，见帐幔、器用、饮食等等，都跟汉王差不多，于是又转怒为喜。

汉王三年，汉王攻打楚国，在彭城大战，汉军失利，逃到了虞城。

汉王很丧气，对左右的人说："你们这帮人，无才无德，实在不值得跟你们谋划天下大事！要你们有什么用？"

谒者[1]随何上前说："我不明白陛下的意思。"

汉王说："现在项羽正在攻打齐国。要是有谁能替我出使淮南国[2]，让他们出兵反叛楚国，并且争取把项羽拖在齐国几个月，那么我夺取天下就有百分之百的把握了。"

随何说："我请求出使淮南国。"

汉王于是派了二十人跟他一道去淮南。随何一行到了那里之后，想尽了办法，但是整整过了三天，还是没能见到淮南王。随何万分焦急，游说淮南国的太宰道："大王懒得接见我，肯定是觉得楚国强大、汉国弱小，所以汉国不值得交往。我就是为这个来的。如果我随何能见到淮南王，说的话有道理，而且想到了大王之所想，那么什么都好；如果说的话不对，那我随何以及手下二十人，愿意接受大王的死刑，以表明大王背弃汉室而同楚国友好。"

太宰把这番话转告给淮南王，淮南王便召见了随何。

随何问："大王为什么那么亲近楚国呢？"

淮南王答："我以大臣的礼节侍奉项王。"

随和说："大王和项王，都是诸侯，您却自愿向他称臣，必定是认为楚国强大，可以把国家托付给他。现在，项王攻打齐国，亲自扛着筑墙的工具，身先士卒，竭尽全力；这种情况下，大王作为项王的臣子，就应该出动所有的军队，亲自率领他们做楚军的先锋，可是实际上，您只派了四千人去援助楚军。作为人臣，怎么能这样做？还有，当初项王和汉王在彭城作战，打得辛苦，而大王拥有上万兵马，却袖手旁观，一点儿忙都不帮。既然您侍奉项王，那怎么能这么做？谁都看得出来，大王表面上是归附楚国，实际上是想依靠自己，我觉得这样做很不可取。

"大王虽然并不真的归附楚国，但又不肯背叛楚国，是以为汉室弱

502

小，不值得投靠。可是实际上，楚汉之间，谁大谁小，并不像表面上那样清楚。楚国兵力虽然强大，但多行不义，违背了诸侯盟约，还杀害了义帝，天下人都暗地里反对楚国。但是楚王不知好歹，打了几次胜仗，就自以为强大。

"现在，汉王收编诸侯军队，从各处运来粮草，城池固若金汤，而且汉王生性仁厚，深得民心，前途无量。而楚军呢，外强中干，四处树敌，想攻城无法立即制胜，想围困又支撑不起，光是粮草问题就难以解决，要靠老弱残兵从千里之外转运粮草。所以说，楚军实际上是靠不住的。退一步说，即使楚国战胜了汉国，诸侯也必定会人人自危，肯定会互相救援，一起反对楚国。因此可以说，楚国现在的强大，并没有给它带来什么好处，反而招惹了全天下的反抗。所以楚不如汉，这是显而易见的。

"如今大王不归附万无一失的汉国，却要托身于岌岌可危的楚国，我真是替大王感到奇怪。我并不以为淮南的兵力足够灭亡楚国，但是大王如果愿意发兵反叛楚国，那么项王必定会被拖在齐国；只要他在齐国滞留几个月，那么汉王就绝对可以统一天下！之后，汉王必定会拿出土地来赐封大王。希望大王能考虑考虑！"

淮南王觉得有理，就暗中背叛楚国，归附了汉王。

当时，项羽的使者还在淮南，正在催促黥布发兵帮忙。随何径直闯入使者的住处，直截了当地说："九江王黥布已经归附了汉王，楚国凭什么叫他发兵？"黥布大吃一惊，楚国使者惊愕万分，站了起来。

随何把黥布叫出去，劝他说："淮南归附汉王，已经办妥了。现在没有别的办法，只能立刻杀死楚国使者，不要让他回去。同时，要尽快出兵帮助汉国。"

黥布同意，马上就杀了楚国使者，然后起兵攻打楚国。楚国派项声、龙且攻打淮南，几个月后，打败了黥布的军队。黥布想带兵投奔汉国，但队伍太大，怕项羽来截杀，便带了很少的几个人，从小路与随何一道逃到了汉国。

汉王听说黥布来了，就叫他进来见面。当时，汉王正坐在床上洗脚，很随便地接待了黥布。黥布受到怠慢，非常生气，后悔来到汉国，想要自杀。黥布出来之后，到了汉王给他安排的住处，见帐幔、器用、饮食等等，都跟汉王差不多，于是又转怒为喜。安顿下来之后，黥布派人回到九江，去迎接自己的妻子儿女和手下人等。可是，项羽已经提前下手，收编了九江的散兵，杀光了黥布的妻子儿女。黥布的使者到处活动，找到了黥布的不少老友和近臣，率领了几千人投奔汉王。汉王非常高兴，加派军队给黥布，带他一起攻城略地。汉王四年七月，汉王封他为淮南王，一道攻打项羽。

汉王五年，黥布派人到九江，占领了好几个县城。汉王六年，又跟刘贾进入九江，诱降楚国大司马周殷，周殷背叛楚国，反转矛头跟汉军一起攻打楚军，在垓下大败楚军。

项羽死后，天下安定。汉王摆设酒宴，论功行赏，竟贬低随何的功劳，说随何是迂腐的书呆子，要治理天下，怎能起用迂腐的书呆子？

随何不服，跪着诘问汉王："当初，陛下带兵进攻彭城，楚王还没有离开齐国。请问，陛下出动五万步兵、五千骑兵，能攻下淮南国吗？"

汉王答："不能。"

随何说："陛下派我带二十人出使淮南，结果呢，陛下很快就如愿以偿。这表示我的功劳高过五万步兵、五千骑兵。然而，陛下却说我是迂腐的书呆子，不能治理天下！"

汉王自知理亏，道歉说："是我错了。我会重新估算您的功劳。"

后来，随何被任命为护军中尉。黥布被封为淮南王，建都六县，九江、庐江、衡山、豫章郡都归黥布所有。

相关链接

〔1〕谒者：官职名，始置于春秋战国时期，为国君掌管传达之事。

〔2〕淮南国：汉高祖五年（公元前202年），以衡山、九江、庐江、豫章四郡设淮南国，治所六县，后迁寿县（今安徽寿春）。

归附汉王

汉王骂萧何道："我没有对不起你呀！你为什么要逃跑？"萧何回答："我怎么敢逃跑？我是去追逃跑的人。"汉王问："追谁？"萧何答："是韩信。"

韩信是淮阴人。当初还是平民的时候，家里穷得叮当乱响，又没有什么好的德行，没有人愿意推选他做官，又不会做买卖谋生，生活上没有保障，只好经常到别人家里白吃白喝，大家都很厌恶他。

有一段时间，他多次投靠到南昌亭亭长家里，在那里吃住，这样过了几个月，亭长的妻子越来越嫌弃他，就在每天大清早做好饭，然后在床上把饭吃掉。到了开饭的时候，韩信到了，却没有饭吃。韩信知道他们讨厌自己，一气之下，就跟他们断绝了关系，愤然离开。

有一次，韩信在城边河里钓鱼，旁边有很多妇女在漂洗丝絮。有位老大娘看见韩信饿了，就把自己的饭让给韩信吃，一连几十天都是这样。韩信心存感激，对那老大娘说："我将来发达了，一定要重重地报答您老人家。"老大娘听后，非常生气地说："你一个堂堂男子汉，却不能养活自己，还好意思说日后怎么样！我是可怜你才给你饭吃，不敢奢望你报答！"淮阴的屠户[1]里有个年轻人，当众侮辱韩信说："你虽然个子高大，还喜欢佩带刀剑，但实际上是个胆小鬼。这谁都知道。你如果不怕死，就拔出剑来刺我；要是怕死，就从我裤裆底下爬过去。"韩信听后，没有说话，而是仔细地打量了他一番，然后就俯身地上，从他裤裆底下爬了过去。满街的人都讥笑韩信，认为他胆小怕事。

后来，项梁反抗秦朝，渡过淮水的时候，韩信带着宝剑去投奔他。韩信在项梁的手下呆了一段时间，一直默默无闻。项梁失败后，韩信又隶属项羽，做了郎中。他多次献策，以求项羽重用，但项羽没有采纳。韩信觉得委屈，就在汉王入蜀时，逃离楚军而归附了汉王。可是，在汉王那里，韩信仍然默默无闻。

韩信在担任接待宾客的小官时，犯了法，被判处死刑，同案的十三个人都已经被斩，刀斧手站到韩信身旁，正准备下手，韩信突然抬头仰视，恰好看见了滕公，就大声说："汉王难道不想统一天下了吗？为什么要斩杀壮士！"滕公非常惊奇，又见他相貌威武，就放了他。随后，滕公邀请韩信一起聊天，发现韩信很有才华，很喜欢他，于是就报告了汉王。汉王任命韩信做治粟都尉[2]，但并不觉得他是奇才。

韩信多次跟萧何交谈，萧何对韩信的才能感到惊奇。有一次，汉王派兵出战，将领们觉得制胜的可能性太小，对汉王也没有信心，半路逃跑的有好几十人。当时韩信也在，他估计萧何等人已经多次向汉王推荐过，可是汉王还是不重用自己，所以也跟那些将领一起逃跑。萧何听说韩信跑了，来不及跟汉王打招呼，马上亲自去追赶。有人向汉王报告说："丞相萧何逃跑了。"汉王听到这个消息，非常恼怒，同时也非常伤心，因为失去萧何就等于失去了左右手。过了一两天，萧何返回，立刻去拜见汉王，汉王又生气又高兴，骂萧何道："我没有对不起你呀！你为什么要逃跑？说不清楚就要你的命！"

萧何回答："我怎么敢逃跑？我是去追逃跑的人。"

汉王问："追谁？"

萧何答："是韩信。"

汉王又骂道："逃跑的将领有好几十个，哪一个不比韩信值得追？你不去追他们，却追韩信，不要骗我了！"

萧何说："其他将领容易得到，可是像韩信这样的人，全天下也找不到第二个！大王如果只想在汉中称王，那就用不着韩信；如果想要争夺天下，那么除了韩信，没有谁够资格跟您商量大事。就看大王的志向有多大了。"

汉王说："我当然想一统天下，怎么可能长期委屈在汉中呢？"

萧何说："大王如果真的要统一天下，那么就该任用韩信，让韩信留下来。如果不能任用他，那他终究要跑掉。"

汉王说："好吧！看在你的面上，我就用他做将领吧！"

萧何说："让他做一般的将领，恐怕留不下韩信。"

汉王无奈，只好说："那就用他做大将。"

萧何这才说："好得很！"汉王马上就要召见韩信，立刻任命他为大将军。萧何不同意："大王向来傲慢，不讲礼节，任命大将就像呼唤小孩子似的。韩信之所以要逃跑，就是因为这个。大王如果真的想任命他，就应该选择吉日良辰，进行斋戒，在广场上设置高坛，举行隆重的仪式，这样才行！"汉王听从了萧何，开始准备任命大将的仪式。众位将领暗地里高兴，都以为自己要做大将军了。等到汉王宣布任命时，竟然是韩信，大家都吃惊得不得了。

授任仪式结束，汉王问韩信："丞相多次谈起将军，对将军夸奖有

加。不知道您现在有什么奇谋大计，可以让我见识见识吗？"

韩信谦让一番，然后问汉王："如今，从气势上看，最有可能夺取天下的，是不是项王？"

汉王说："是的。"

韩信说："大王自己估计，要说勇敢、强悍、仁慈等方面，您跟项王相比，谁更厉害？"

汉王沉默良久，然后说："我还是不如项王。"

韩信起身，拜了两拜，赞同地说："说实话，我韩信也觉得大王不如他。不过，我曾经侍奉过他，让我先谈谈项王的为人。项王勇猛威严，他要是厉声怒喝，准能吓倒很多人；不过，却不任用有才能的将领，只是匹夫之勇罢了。项王待人仁慈有礼，言语温和，部下有人生了病，他可以流着泪把自己的饮食分给病员；可是，当手下人立了功、应当加官

晋爵时，项王却把刻好了的大印拿在手里把玩，直到磨去了棱角，还舍不得送给人家，所以说，项王虽然仁慈，也只不过是'妇人之仁'。

"项王现在虽然称霸天下，诸侯纷纷臣服，但是他目光短浅，不占据关中，非要定都彭城。不但如此，他又违背誓言，杀了义帝，而让自己的亲信取而代之，诸侯表面上没说什么，但是心里不服。还有，项王残忍，军队所到之处，全部夷为平地，天下人心里怨恨，如果不是害怕他的军队，不可能臣服于他。所以，现在的项王，虽然名义上是霸主，实际上却失去了全天下的人心。因此，他实际上是外强中干的。

"现在大王应该采取和他相反的做法：任用天下勇士，那就所向无敌；再把天下城邑封赏给有功之臣，那就可以得到天下人心！再说，项王曾经用欺骗的手段活埋了二十多万秦兵，让秦地人民恨之入骨；而大王不同，您进关之后，一点都没有侵犯秦地百姓，而且废除了秦朝的苛刻法令。秦地百姓感激您，都希望大王能够在秦地当王。而且，按照诸侯的约定，大王也应该在关中称王，关中百姓都知道这件事。大王现在被赶到汉中，秦地百姓没有谁不感到遗憾。现在大王如果起兵东进，不费吹灰之力就可以平定三秦。"

汉王听了韩信的分析，十分高兴，觉得相见恨晚。韩信的计策全部被采纳。

八月，汉王起兵东进，平定了三秦。汉王二年，经过函谷关，收服了魏地和河南一带。然后，联合齐国和赵国共同攻打楚军。四月，汉兵在彭城战败，溃不成军，韩信收编散兵，跟汉王会师，又在京县、索亭之间打败了楚军。从此，楚军再也不敢向西进攻。

汉军在彭城败退以后，塞王司马欣、翟王董翳背叛了汉军，投降了楚国。齐国和赵国看大势不好，也背叛汉王跟楚国讲和。六月，魏王豹请假回去探望母亲，一到封国，立即反对汉王，跟楚国讲和。八月，汉王派韩信攻打魏国。魏王用重兵坚守。韩信增设疑兵，大张旗鼓地在临晋聚集了很多军船，做出要渡河的样子；同时，却偷偷调集军队，在夏阳用木盆渡河，袭击魏王。

魏王惊慌失措，被韩信俘虏。魏国被平定，改置为河东郡。

相关链接

〔1〕屠户：旧时以宰杀牲畜卖肉为业的人家。

〔2〕治粟都尉：官职名，负责掌管军中粮草方面的事务。

敌国破谋臣亡

韩信临死之前，恨恨地说："唉！后悔当初没有听从蒯通，竟然败在妇人小子手里！亏得我韩信一世英名！这是天意啊！"

汉王被围困在固陵的时候，采用张良的计策，征召齐王韩信。韩信带兵赶到垓下，与汉王会师。项羽被打败以后，汉王突然袭击，夺去了韩信的兵权。汉王五年，改封齐王韩信为楚王，定都于下邳[1]。

韩信到了自己的封地，召见了曾给自己饭吃的漂洗丝絮的老大娘，送给她一千金。韩信还召见南昌亭长，给他一百钱，说："您是个小人，做好事有始无终。"他又召见曾经侮辱过自己、叫他从裤裆下爬过去的那个人，任命他做楚国的中尉。

项王有一员逃亡将领，名叫钟离眛[2]，跟韩信的关系一直很好。项王死后，他投奔了韩信。汉王跟项王争夺天下的时候，吃过钟离眛的亏，现在听说钟离眛在楚国，就下令楚国逮捕他。但韩信念于交情，借口推辞。

韩信刚到楚国时，每次巡视各县邑，都带着很多士兵。汉王六年，有人上书，说楚王韩信谋反。汉高祖采用陈平的计策，对外宣称要巡视天下、会见诸侯，其实是要袭击韩信。韩信其实心里明白。汉高祖快要到达楚国了，韩信想出兵反叛，保全自己；但是，又觉得自己无罪，要朝见皇上，又怕被擒获。

这时候，有人劝韩信说："您只要杀了钟离眛去见皇上，皇上一定会高兴，那您就没有了后患。"韩信动心，就召见钟离眛来商量。钟离眛不高兴地说："汉王之所以不敢来攻打楚国，就是因为有我钟离眛在您这儿。如果您非要拿我去讨好汉王，那我马上就自杀！不过，我一死，您也会紧跟着灭亡！"接着，破口大骂韩信说："你真是太不厚道了！"随后就自杀了。

韩信拿着钟离眛的头，去朝拜汉高祖。高祖命令武士捆绑韩信，放在后面的副车上。韩信悲叹："果真如人所说：'狡兔死，良犬烹；高鸟尽，良弓藏；敌国破，谋臣亡！'现在天下已定，我的死期也到了！"高祖说："不是我陷害你，是有人告发你谋反！"于是给韩信戴上刑具。到达洛阳之后，高祖又觉得不忍，就赦免了韩信的罪，贬为淮阴侯。

韩信知道高祖害怕和嫉妒自己的才能，就常常借口生病不去朝见，

也不随从。但心里非常压抑，日日夜夜悲叹怨恨，总是闷闷不乐，觉得跟周勃、灌婴等人处在同等地位是一种耻辱。他曾经去拜访樊哙将军，樊哙用跪拜的礼节迎来送往，口口声声自称臣子，可是韩信出门时，竟然苦笑着说："想不到我竟然和樊哙等人平起平坐！"

皇上曾跟韩信闲谈各位将领的才能，觉得他们各有长短。皇上问："你看我能带多少兵？"韩信回答："陛下最多能带十万兵！"皇上问："那你呢？"韩信回答："我是越多越好。"皇上笑着说："越多越好，为什么被我擒获了呢？"韩信回答："陛下不善于带兵，却擅长驾驭将领，所以我韩信才会被陛下擒获。况且，陛下的能力是上天赐予的，不是人力所及，我即使才能再大，也无能为力。"

陈豨被任命为巨鹿郡守，来向淮阴侯韩信辞行。

韩信拉着陈豨的手，让左右人回避，同他在院子里散步，仰天叹息说："我有话想对您说。"陈豨说道："一切听从将军吩咐！"韩信说："您的辖区，是天下精兵聚集之处；而您呢，又是陛下最亲信宠爱的臣子。如果有人说您反叛，陛下必定不会相信；但要是再有人告您谋反，陛下就会怀疑；要是有人第三次来告您谋反，陛下就必定会大怒，会带兵亲征。您可以好好准备一下，争取一举成事，我可以起兵呼应，有可能一统天下。"陈豨一向了解韩信的才能，信任他，于是答应了。

汉王十年，陈豨果真起兵反叛。皇上御驾亲征。韩信声称身体不好，没有随皇上出征，暗中派人到陈豨那里去，鼓励他说："只管发兵，我韩信会在这里帮助您！"紧接着，韩信召集家臣们开会谋划，然后乘黑夜假传诏令，赦免各官府里的囚徒和奴隶，想要领这批人去袭击吕后和太子刘盈。韩信部署妥当以后，等待陈豨回报。

韩信有个家臣得罪了韩信，韩信大怒，把他囚禁起来，想杀死他。家臣的弟弟于是就上告，向吕后揭发韩信准备反叛的情况。吕后想召见韩信，又怕韩信的党羽不肯就范，就跟萧相国商议，派人装作是从皇上处来，声称陈豨已经被捉住杀掉了，列侯、群臣都要去祝贺。萧相国欺骗韩信说："平定了叛乱，这可是大好事啊！您尽管有病，也得勉强进宫祝贺才好。"韩信无法推辞，只好进宫。一进宫，吕后就命人绑架了韩信，把他杀了。

韩信临死之前，恨恨地说："唉！后悔当初没有听从蒯通，竟然败在妇人小子手里！亏得我韩信一世英名！这是天意啊！"

韩信死后，被夷灭三族。

汉高祖平定了陈豨的叛乱，回到了京城，得知韩信已死，松了一口气，同时又觉得有些可惜，问道："韩信死时说了些什么？"

吕后答："他说后悔没有采用蒯通的计策。"

汉高祖说："这人是齐国的说客。"于是诏令齐国逮捕蒯通。

蒯通被押来长安，高祖问："是你教唆淮阴侯谋反，是不是？"

蒯通回答说："是的。可是这小子不肯采纳，所以落得个自取灭亡。如果他采纳我的计策，陛下又怎么可能杀死他呢？"

高祖听后大怒，命令左右说："烹杀他！"

蒯通大喊："哎呀，冤枉！凭什么烹杀我？"

高祖说道："你教唆韩信谋反，还敢喊冤枉！"

蒯通回答："秦王朝混乱无道，诸侯纷纷自立，英雄群集。秦王失去帝位，天下人争着抢着想取而代之，但只有德才出众的人能够如愿以偿。盗跖所养的狗，见到唐尧也要狂叫，并不是因为唐尧不仁，而是因为他不是狗的主人。我蒯通当时身在齐国，只知道有齐王韩信，不知道有陛下，所以才给韩信出了那个主意。况且，天下豪杰无数，向往君王大业的人很多，只不过能力不行罢了！您能把他们都烹杀了吗？"

高祖于是赦免了蒯通的罪过。

太史公说："假如韩信能够虚心学习圣贤大道，不炫耀自夸，那他对汉朝的功勋，可以跟周公、召公、姜太公这些人相比啊！可是他却偏偏要在天下安定的时候，图谋叛乱，最终被夷灭三族，这又何必呢！"

相关链接
〔1〕下邳：古地名，在今江苏睢宁一带。
〔2〕钟离昧：？—公元前200年，朐县（今江苏连云港）人，项羽手下大将，素与韩信有往来，楚汉相争，项羽垓下兵败后，他投靠了韩信。

512

　　卢绾对最亲近的臣子说:"现在皇上多病,把国家重任委托给了吕后。吕后是个妇道人家,心地险毒,总是找茬诛杀异姓王和大功臣,好为他们吕氏谋利。看来我卢绾是凶多吉少啊!"

　　卢绾[1]是丰邑人,与高祖是同乡。两人的父辈非常要好,而且高祖和卢绾是在同一天出生的,所以乡里人就带着羊和酒同时祝贺两家。高祖和卢绾慢慢长大,两人一起读书一起玩,亲密无间。乡里人很羡慕两家,觉得他们父辈相好,生儿子在同一天,孩子长大又相好,很难得,就又一次带着羊和酒去祝贺两家。

　　高祖还是个平民的时候,因为吃了官司而东躲西藏,卢绾不嫌弃,经常跟着他到处奔走。后来,高祖在沛地起兵,卢绾就以宾客身份随从高祖;进入汉中后,卢绾担任将军,经常在内廷陪伴高祖。再后来,楚汉争霸,卢绾以太尉的身份随从高祖左右,可以自由出入于高祖的卧室,还经常得到衣服被褥和饮食等赏赐。

　　这种不分你我的礼遇,群臣之中,除了卢绾,没有谁敢企望,即使是萧何和曹参等人,也只是因为工作上的原因而受到礼遇,要说亲近宠幸,都比不上卢绾。卢绾被封为长安侯。长安就是从前的咸阳。

　　汉王五年初,项羽已经被打败,汉王就派卢绾另带一支军队,跟刘贾一起去攻打临江王共尉,打败了他。

　　卢绾七月回朝,又马上跟随高祖去攻打燕王臧荼,臧荼战败投降。高祖平定天下之后,诸侯中间不姓刘而被封王的,共有七人。高祖本来想封卢绾为王,但群臣不满,只好作罢。等到俘虏了燕王臧荼,高祖便召集所有将相列侯,让他们在群臣中选择功臣来做燕王。群臣知道高祖想让卢绾为王,就都进言说:"太尉长安侯卢绾,长年跟随皇上南征北战,协助皇上平定了天下,功劳最大,应该封为燕王。"这些话正中高祖下怀,于是高祖封卢绾为燕王。各位诸侯王之中,没有谁比燕王更受宠幸。

　　高祖十一年(公元前196年)秋天,陈豨在代地反叛。高祖领兵到邯郸去攻打陈豨,燕王卢绾领兵配合,从东北部进攻陈豨。陈豨自知不敌,于是派王黄去向匈奴求救。燕王卢绾为了防止匈奴出兵,也派了自己的部下张胜到匈奴,想假称陈豨等人的军队已经被打败,让匈奴不敢贸然出兵。

张胜到达匈奴时,原燕王臧荼的儿子臧衍正好也在匈奴,他见张胜时说:"您之所以受燕国重用,是因为您熟悉匈奴的情况。燕国之所以能够长久存在,没有被灭掉,只是因为其他诸侯不停地反叛,连年战争,汉王还没来得及攻打燕国。如今您为燕国着想,想迅速消灭陈豨等人,可是,您想过没有,陈豨等人一旦被彻底消灭,那么接着就要轮到燕国了!到了那个时候,您也会成为阶下囚,后悔都来不及了!您为什么不叫燕国暂时不要消灭陈豨,并且偷偷跟匈奴联合?这样做,就给自己留下了余地,这样才能保证燕国的长治久安;即使汉朝要打燕国的主意,您也能有恃无恐。"张胜听了觉得有礼,就自作主张,要求匈奴帮助陈豨等人攻打燕国。燕王卢绾怀疑张胜联合匈奴谋反,就上书高祖,请求族灭张胜。张胜回国之后,马上偷偷找到卢绾,详细说明了自己联合匈奴的原因。燕王卢绾恍然大悟,就想办法解脱了张胜的罪名,随便找了几个替死鬼杀掉。此后,张胜就暗中做匈奴的间谍,来往于两地之间。同时,卢绾又暗中派遣范齐去联系陈豨,帮助陈豨长期流亡,想办法让战事连年不断。

高祖十二年(公元前195年),高祖往东攻打黥布。当时,陈豨的军队离得不远,于是高祖就派樊哙去攻打陈豨。陈豨的副将战败投降,交代说燕王卢绾曾派范齐去联系陈豨,共谋反叛事宜。高祖大惊,马上派遣使臣召见卢绾。卢绾觉得蹊跷,于是借口生病不来朝见。高祖又派辟阳侯审食其、御史大夫赵尧去迎接卢绾,同时找机会查问卢绾的手下人。

卢绾更加害怕,干脆闭门藏了起来,心里恐惧苦闷,对最亲近的臣子说:"不姓刘而封王的,如今只有我和长沙王吴芮了。去年春天,汉王族灭了淮阴侯;夏天,又杀了梁王彭越。这些都是阴险的吕后出的主意。现在皇上多病,把国家重任委托给了吕后。吕后是个妇道人家,心地险毒,总是找茬诛杀异姓王和大功臣,好为他们吕氏谋利。看来我卢绾是凶多吉少啊!"高祖多次催促卢绾去朝见,可是卢绾还是借口生病不去。卢绾左右的人感觉不妙,都偷偷离开了。这时候,辟阳侯又查到了卢绾的一些秘密言论,就马上回朝,详细地报告高祖。高祖听后大发雷霆。不久,有个匈奴人投降了汉朝,交代说张胜已经逃到匈奴,正在考虑怎么帮助燕国反抗汉朝。

高祖说："卢绾果真反了！"于是马上派樊哙出兵急攻燕国。燕王卢绾不愿对抗汉朝，就带着他的家属，还有全部大臣以及几千骑兵，驻扎在长城脚下，想找机会入宫请罪。不久，高祖去世，吕后彻底当权，卢绾一看形势不妙，只好率领部下逃进匈奴。匈奴封他为东胡卢王，可是并不尊重他，而是经常借机掠夺和欺凌他。卢绾当时年龄也大了，生活在蛮夷之地，处境艰难，时常思念汉朝故土。一年多以后，死在了匈奴。卢绾的妻子和儿女逃出匈奴，去投降汉朝。他们一行到了汉都，正好赶上吕后生病，不能接见他们，于是安排他们住在燕王的官邸，准备过几天设酒宴接见他们。可是吕后就在这几天去世了，始终没有机会接见他们。卢绾的妻子一急，不久也病死了。

汉景帝中元六年（公元前144年），卢绾的孙子卢他之，以匈奴东胡王的身份来投降，被封为亚谷侯。

○ 品画鉴宝
彩绘骑马俑（西汉）该俑为大骑马俑。马形体高大、健壮，骑俑作左手握缰，右手执械之姿，富于动感。

相关链接

[1] 卢绾：公元前247－前194年，丰邑（今江苏丰县）人，卢、刘两家父辈关系就很好，卢绾、刘邦从小就是好友，后卢绾跟随刘邦征战天下，颇受宠爱，西汉建立后被封为长安侯，又立为燕王。

田儋和田荣

田儋,狄城[1]人,是原来齐王田氏的族人。田儋的堂弟田荣,田荣的弟弟田横,都是英雄豪杰,田氏宗族非常强大,深得人心。

陈涉开始起兵自称楚王的时候,派遣周市攻取魏地,然后北上,一直打到狄城,狄城县令率兵固守,久攻不下。这时候,田儋假装捆绑着他的奴仆,带了一群年轻人来到县府,说要杀掉自己的奴仆,要面见县令,让他来证明自己杀得有理。狄县县令不知有诈,就出来接见,他一出来,就被田儋杀掉了。随后,田儋召集县里的富豪、官吏和青年人说:"现在,各地诸侯都反抗秦朝,都自立为王。齐国历史悠久,我田儋是齐王田氏的族人,应当称齐王。"大家齐声拥护,于是田儋立为齐王,然后马上出兵去攻打周市。周市不敌撤退,田儋趁机平定了齐国的土地。

当时,秦国大将章邯正在临济围攻魏王。魏王情况危急,就派人向齐国请求救援,齐王田儋马上带军出发,援救魏国。章邯采用奇计,大败齐魏联军,在临济城下杀死了田儋。

田儋的弟弟田荣收拾田儋的残兵败将,撤退到了东阿。

齐国人听说田儋战死,就拥立原齐王田建的弟弟田假为齐王,以田角为相国,田间为将帅,来抗拒诸侯。

田荣败逃到东阿之后,章邯紧追不舍,包围了他。项梁听说田荣危急,就带兵赶来,在东阿城下击败了章邯。章邯向西逃跑,项梁乘胜追击。田荣被解围之后,听说齐国人已经立田假为王,就带兵回去攻打齐王田假。田假逃到了楚国,相国田角逃到了赵国。田角的弟弟田间当时正出使赵国,听说国内混乱,干脆就留在了赵国。

田荣清理了齐国,然后就立田儋的儿子田市为齐王。田荣辅佐他处理国政,田横担任将军。

项梁击败章邯以后,章邯的军队反而日益壮大。项梁不安,就派使者通告赵、齐两国,要求出兵共同攻打章邯,免除后患。

田荣没有出兵,而是提出要求说:"如果楚国杀死田假,赵国杀死田角和田间,我就出兵。"楚怀王答复:"田假是我盟国的君王,走投无

路才来归附我们，杀了他是很不合道义的。我们不能杀他。"赵国也不愿杀掉田角和田间。齐国使者见齐国的要求难以实现，就愤然说："蝮蛇有毒，要是咬了人的手，就要砍去手；咬了脚，就要砍去脚。为什么呢？因为留手留脚有害全身。如今田假、田角、田间对于楚国和赵国来说，其实还不如手脚那么重要，为什么不肯舍弃？不杀他们，就是帮助秦国苟延残喘，要是秦国死灰复燃，那么发愤抗秦的英雄豪杰们不但难以保命，恐怕死后连坟墓都要被挖开。你们看着办吧！"

楚国和赵国还是不肯听从，齐国很不高兴，也始终不肯出兵。

项梁孤军奋战，终于被章邯打败，并且死在了战场上。楚军逃跑，章邯于是渡过黄河，到巨鹿去围攻赵军。项羽亲自前往援救赵军，心里对田荣恨之入骨。

项羽保全赵国、降服章邯以后，就西去血洗咸阳。秦国灭亡，项羽分封有功之臣，齐王田市改封为胶东[2]王，定都即墨。齐将田都曾跟随项羽一起救助赵国，所以封为齐王，定都临淄。原齐王田建的孙子田安，在项羽刚渡过黄河援救赵国的时候，攻取了济北的好几个城邑，然后带兵投降项羽，项羽就封他为济北王，定都博阳[3]。

田荣因为背叛项梁，不肯出兵帮助楚赵联军攻打秦军，所以没有被封王；而赵将陈馀也因为失职没能封王。二人因为此事，对项王耿耿于怀。

项王回到楚国以后，各诸侯王也分别回到自己的封地。田荣派人带兵去帮助陈馀，让他在赵地反叛项羽。同时，田荣自己也出兵攻打田都，田都逃到楚国。田荣还扣留齐王田市，不让他到胶东去。田市的手下人说："项王强悍暴躁，大王应该听他的话，到胶东封地去，否则太危险了。"田市害怕项羽，就背着田荣跑到了封地。田荣大怒，追击田市，在即墨杀掉了他，回头又进攻济北王田安，杀了他。这时田荣就自封为齐王，把三齐地区全部合并在一起，归自己统辖。

项王听说了这件事，勃然大怒，马上北伐齐国。齐王田荣的军队战败，逃到平原，田荣被平原人所杀。项王随后血洗齐都，把好好的城邑夷为平地，无辜军民死伤无数。齐人伤心而且愤怒，不约而同地聚集起来反叛他。

田荣的弟弟田横，收编了齐国的残兵败将，得到好几万人，在城阳反击项羽。这时候，汉王刘邦率领诸侯军队打败了楚军，攻入了彭城。项羽听说彭城失守，就离开了齐都，回师彭城，去攻打汉军，接着跟汉军连续作战，在荥阳对峙。楚军撤离了齐国，因此田横得以收复齐国的很多城邑，封田荣的儿子田广为齐王，而田横自任相国辅佐他，独揽国家政事，政事不论大小都由他决定。

相关链接

〔1〕狄城：古地名，在今山东高青东南。
〔2〕胶东：对山东省东部胶莱谷地以东、山东半岛的泛称。
〔3〕博阳：古地名，在今山东泰安东南。

田横下葬之后，两个门客在田横的墓旁挖了坑，都割脖子自杀了，倒在坑里陪葬田横。田横其他门客五百人，听说田横死了，也都相继自杀，不愿舍弃自己的主人而归附汉朝。

田横平定了齐国，三年之后，汉王派郦食其前往齐国，想说服齐王田广和相国田横归附汉王。田横认为归附汉朝的确对自己有好处，就放松了在历下[1]的驻军，对汉朝不再设防。

本来，在郦食其来到之前，汉将韩信带兵来攻打齐国，齐国派华无伤和田解在历下驻军抵抗。汉王使者郦食其一到，齐军就解除了战备，放任士兵喝酒，作好准备同汉军讲和。可是，齐国万万没有料到的是，汉将韩信采用了蒯通的计谋，突然击破齐国在历下的军队，并乘胜打入临淄。齐王田广和相国田横认为郦食其欺骗了自己，就烹杀了他。然后，齐王田广向东逃到高密[2]，相国田横逃到博阳，代理相国田光逃到城阳[3]，将军田既带兵逃到了胶东。楚国派大将龙且来援救齐军，与齐王在高密会师。汉将韩信和曹参围攻高密，打败齐楚联军，杀死了龙且，俘虏了齐王田广。同时，汉将灌婴也追击并俘虏了齐国代理相国田光。当时，田横已经跑到了博阳，听说齐王已死，就自立为齐王，率兵反击灌婴。灌婴在嬴城打败了田横的军队，田横逃到梁地，归附彭越。彭越这时驻守梁地，持中立态度，既想帮汉，又想帮楚。韩信杀了龙且之后，派曹参进军胶东，打败并杀死了田既；又派灌婴出击千乘，打败并杀死了齐将田吸。齐国终于被平定，随后，韩信派人求见汉王，请求立他为齐国的代理国王，汉王当时处境艰难，无奈之下，只好立他为齐王。

一年后，汉军消灭了项羽，汉王立为皇帝，彭越被封为梁王。当时田横还在彭越那里，害怕被杀，就带领手下五百多人逃进东海，住在岛上。汉高祖得知此事，觉得田横兄弟曾经平定齐国，深得齐国民心，齐国的贤人大多归附于他，如果放任他在海岛中发展，恐怕以后会产生变乱。

于是，汉高祖就派使者来到海岛，表示愿意赦免田横的罪过，希望能召见他。田横推辞说："我曾烹杀陛下的使者郦食其，他的弟弟郦商现在是汉朝的将领，而且很贤能，我害怕不容于他，不敢再到汉朝为官。请皇上允许我做一个老百姓，在海岛上终老天年。"使者回来报告，高祖就诏令郦商说："齐王田横即将到来，谁敢动他的随从

人马，立刻诛灭三族！"然后，高祖再派使者去见田横，把皇上诏令郦商的情况详细地告诉他，并且说："田横要是愿意归附，那么大则封王，小则封侯。如果不归附，那就别怪汉朝不客气。"

田横考虑再三，就带着两位门客乘着驿车前往洛阳，去朝见汉高祖。

离洛阳还有三十里左右的时候，田横对使者说："人臣面见天子，应当洗身洗头，否则就是不敬。"于是停留下来。田横支开了使者和其他人，只留下两位门客，然后说："想当初，我田横和汉王一样，都是南面称王的人。可是如今汉王做了天子，而我田横却成为亡国的俘虏，要向他称臣跪拜！这种耻辱我不能忍受。再说，我烹杀了人家的兄长，现在却要同他弟弟并肩伺候汉王。即使他郦商因为畏惧天子的诏令，不敢动我，难道我内心就一点都不惭愧吗？

"况且，陛下之所以想见我，只不过是想看看我长的什么样罢了！如今陛下在洛阳，如果砍下我的头，奔驰三十里地，容貌还不会改变，还是可以一看的。"

说罢拔剑自刎，让门客捧着他的头，随从使者飞车回奏汉高祖。高祖见了，感叹说："唉，田氏家族能够崛起，不是没有理由啊！本来都是地位低微的平民，却能够起家，兄弟三人都相继为王，怎么可能不贤能出众呢！"高祖感叹之余，还为田横流下了眼泪。然后，高祖任命田横的两个门客做都尉，派出两千名士兵，按侯王的礼节安葬田横。

田横下葬之后，两个门客在田横的墓旁挖了坑，都割脖子自杀了，倒在坑里陪葬田横。

田横还有其他门客五百人，留在海岛上等候主人的消息。汉高祖派使者去召见他们，门客们听说田横死了，也都相继自杀，不愿舍弃自己的主人而归附汉朝。

高祖听说这件事，大为吃惊，知道田横的门客都不是一般人，而田横和田氏兄弟更是难得的人才。

相关链接

〔1〕历下：古邑名，在今山东济南西，春秋战国时属齐国，南对历山，城在山下，故名。

〔2〕高密：战国时为高密邑，秦时设县，在今山东潍坊东南部。

〔3〕城阳：古郡名，西汉初设立，治所在莒县（今山东日照西北部）。

勇士樊哙

早先，樊哙只是个杀狗的屠夫，高祖起兵反秦，樊哙扔下了屠刀，随从高祖攻下了沛县。此后，樊哙又经常随从沛公，战功不断，爵位也不断提升，最后，沛公赐封他为贤成君。

舞阳侯樊哙[1]，沛县人，是高祖的同乡。

早先，樊哙只是个杀狗的屠夫，与高祖关系很好，曾经与高祖一起隐居芒山、砀山一带。高祖起兵反秦的时候，樊哙扔下了屠刀，随从高祖攻下了沛县。高祖自称沛公之后，用樊哙做舍人[2]。樊哙十分英勇，跟随沛公南征北战，立有战功，沛公赐给他国大夫的爵位。沛公在濮阳攻打章邯的时候，樊哙率先登城，一个人就斩杀秦兵二十三人，沛公于是又赐他公大夫的爵位。此后，樊哙又经常随从沛公，战功不断，为沛公立下了汗马功劳，爵位也不断提升，最后，沛公赐封他为贤成君。

后来，沛公最早进入函谷关，封锁了关口。项羽以为他要抢先称王，很生气，于是驻军戏下，作好准备攻打沛公。沛公不愿与项羽冲突，就亲自带了一百多名骑兵，通过项伯的关系来面见项羽，辩白说，封锁关口并没有什么恶意，而是为了防备秦军。

项羽信以为真，很高兴，就设宴款待。酒喝得差不多时，亚父范增派项庄在席前舞剑助兴，要趁机刺杀沛公，项伯却一再掩护沛公。当时只有沛公和张良能进入营帐就坐，樊哙留在营外，他听说沛公有性命危险，就拿着铁盾进入营内。军营卫士阻止樊哙，樊哙就硬闯了进去。

项羽瞪着这个不速之客，喝问他是什么人。张良回答："是沛公的陪乘樊哙。"项羽于是赐给他一碗酒和一只猪腿。樊哙喝完酒，拔剑切肉，把它吃光了。项羽问："能再喝酒吗？"樊哙说："我死都不怕，何况是喝酒呢！沛公首先入关平定咸阳，露营在霸上，专心等待大王驾到。可是大王一到，就听信小人的谗言，跟沛公过不去！您这样做，我担心会让天下分裂，大王也会失去民心啊！"

项羽听了，沉默不语。这时候，沛公起身上厕所，召樊哙出去。出来后，沛公留下车驾，只骑了一匹马，带着樊哙等人，抄小路逃回霸上的军营，而留下张良向项羽辞谢。项羽当时已经不再怀疑沛公，松了一口气，也就没了要杀他的念头。这一次，如果没有樊哙冒死闯入营内，谴责项羽，那么沛公的生死，还很难说。

第二天，项羽入城血洗咸阳，然后封沛公为汉王。汉王感激樊哙，封他为列侯，称为临武侯。后来又提升为郎中，随从汉王进入汉中。

汉王回师，平定三秦，樊哙另外带兵攻打西县县丞的军队，然后又攻打雍王的轻骑部队，都获胜利。樊哙随从汉王攻打其他几座城池，多次首先登城、大破秦军，被提升为将军。后来，秦朝已灭，楚汉争霸，樊哙又随从汉王攻打项羽，战功累累。汉王增加平阴二千户作他的食邑，让他以将军身份镇守广武。项羽领兵东进，樊哙又跟随高祖抗敌，并出兵阳夏，俘虏楚将周将军的士卒四千人，并在陈县大败项羽。

项羽死后，汉王做了皇帝，因为樊哙有功，加封食邑八百户。当时汉朝初定，国内叛乱蜂起，樊哙又随从皇帝在国内纵横驰骋。先是攻打反叛的燕王臧荼，俘虏臧荼，平定燕地。楚王韩信谋反时，樊哙随从皇上到陈县，活捉韩信，平定了楚地。皇上改赐樊哙列侯爵位，跟诸侯剖符定封，世代相传不断，以舞阳作为食邑，称为舞阳侯。后来，樊哙又以将军身份随从高祖出征平叛，与绛侯等人共同平定了代地，又增加食邑一千五百户。不久，陈豨叛乱，樊哙再次出兵，攻破柏人，平定了清河和常山两部共二十七县，摧毁了东垣，彻底打垮了陈豨叛军，之后，樊附被提升为左丞相。当时，匈奴人经常联合叛军，对汉朝虎视眈眈。樊哙于是又与匈奴兵大战，战无不胜。

几年之内，樊哙多次随从高祖出征，亲自斩杀了一百七十六个人的首级，俘虏二百八十八人。另外，还打败过七支军队，占领五座城邑，平定六郡、五十二县，虏获丞相一人，将军十二人，其他将官十一人。

樊哙娶了吕后的妹妹吕须为妻，生了儿子樊伉。因为这一层关系，所以，跟其他将领相比，他跟皇室的关系最为亲密。

黥布起兵反叛的时候，高祖正好病重，懒得见人，整天躺在内宫睡觉，命令门卫不准让任何人进入。绛侯周勃以及灌婴等人，跟高祖关系亲密，也没敢进去启奏国事。十几天后，樊哙万分着急，就不顾门卫的

阻挡，推开宫中小门径直闯了进去，大臣们也都跟随着他。进了宫中，大臣们看到皇上正枕着一个宦官躺着。

见此情景，樊哙等人流着泪对皇上说："当初陛下和微臣等人，起兵于小小的丰、沛地区，南征北战这么多年，终于平定了天下，这是多么了不起的壮举啊！如今天下已经平定，您是多么疲惫啊！不过，陛下虽然疲惫，而且病重，但是不理政事可就不对了。您不肯接见我们商议国事，难道要与宦官商议国事吗？陛下难道不知道赵高是怎样搞垮秦朝的吗？"高祖听了，马上笑着起身，毕恭毕敬地接待大臣们。

过了不久，燕王卢绾谋反，高祖派樊哙以相国的身份去攻打燕国。当时高祖病得很重，有人趁机诋毁樊哙，说他勾结吕氏，只要皇上一去世，樊哙就要带兵杀尽戚夫人和赵王如意等人。高祖信以为真，非常恼怒，就派陈平和周勃去夺取樊哙的将位，让他们在军营中处决樊哙。陈平和周勃觉得樊哙不会反叛，另外，他们又畏惧吕后，所以最后没有杀掉樊哙，而是把樊哙抓了起来，送到长安。到了长安，高祖已经逝世，吕后就释放了樊哙，恢复了他的爵位和封邑。

孝惠帝六年（公元前189年），樊哙去世，谥号为武侯。儿子樊伉接替侯位，樊伉的母亲吕须也被封为临光侯。

樊伉继承侯位九年后，吕后逝世。大臣们诛杀了吕氏家族和吕须的亲属之后，接着杀掉了樊伉。舞阳侯的爵位中断了几个月。汉文帝登位后，再封樊哙的另一位庶子樊市人为舞阳侯，恢复原来的爵位和食邑。樊市人继位二十九年去世，谥号为荒侯。儿子樊他广继承侯位。六年后，家里有个佣人得罪了樊他广，受到了主人的惩罚，心怀怨恨，就上书造谣说："荒侯樊市人有生理缺陷，不能做爱，就让自己的夫人跟他弟弟淫乱，生下了樊他广，樊他广其实不是荒侯的儿子，不应该继承爵位。"

皇上把这件事交给法官审理。孝景帝中元六年，樊他广的侯爵被剥夺，被废为平民，封国也废除。

相关链接

〔1〕樊哙：？—公元前189年，沛县（今江苏沛县）人，出身寒微，曾以屠狗为业，后跟随刘邦参加反秦斗争、楚汉之争及平定内乱，以勇武而闻名，为西汉著名大将、开国功臣，封舞阳侯。

〔2〕舍人：古代高官或贵族家里的门客，也可以用作官名，前冠以头衔，如太子舍人等。

有一次，高祖开玩笑伤了夏侯婴，有人告发了高祖。高祖申诉自己不是故意的。后来，夏侯婴因为这件事受到高祖的牵连，被拘禁一年多，但是高祖因此而开脱了罪责。

　　汝阴[1]侯夏侯婴[2]，是沛县人。夏侯婴早年出任沛县马房地区的司御，因为工作关系，经常迎来送往，每次经过沛县泗水亭，都要找高祖长谈，而且每次都是越聊越投机，总是要聊到很晚。后来，夏侯婴做了候补县吏，跟高祖接触更多。有一次，高祖开玩笑伤了夏侯婴，有人告发了高祖。高祖当时是亭长，为官伤人，要加重治罪。高祖申诉自己不是故意的，夏侯婴也为他作证。后来，夏侯婴因为这件事受到高祖的牵连，被拘禁一年多，挨了好几百大板，但是高祖因此而开脱了罪责。

　　高祖起兵之后，准备攻打沛县，先让夏侯婴出使沛县，争取和平解决。高祖降服沛县的那一天，做了沛公，赐给夏侯婴七大夫的爵位，任用他做太仆。之后，夏侯婴随从高祖去攻打胡陵，与萧何一起说服了胡陵长官，结果，沛公没费一兵一卒，胡陵就主动投降了。高祖非常高兴，赐给夏侯婴五大夫的爵位。此后，夏侯婴又随从高祖夺取了几座城市，在雍丘一带打败李由的军队，因为驾兵车急攻突破有功，高祖赐给他执帛爵位。夏侯婴又以太仆的身份驾车随从高祖，在东阿、濮阳一带攻打章邯的军队，也因为勇猛而立功，高祖赐给他执圭的爵位。

　　夏侯婴随从高祖多年，俘虏过六十八人，降服士兵八百五十人，得到的官印有整整一匣子。高祖感激他的忠诚，欣赏他的才能，就改封他为滕公。项羽灭了秦朝之后，封沛公为汉王，汉王马上赐封夏侯婴为昭平侯，同时担任太仆，随从汉王进入蜀、汉地区。

　　楚汉争霸的时候，夏侯婴随从高祖攻打项羽。彭城一战，项羽大败汉军。汉王失败，驾车仓皇逃跑。路上，遇见了走散了的儿子和女儿（也就是后来的孝惠帝和鲁元公主），就把他们拉上车，一起逃跑。车上人多了，马儿越来越疲惫，越跑越慢，敌人紧追不舍，距离越来越近。汉王万分焦急，三番五次把两个孩子推到车下去，想抛弃他们。夏侯婴不忍，每次都跳下车，把惊恐万分的两个孩子抱起来，载着他们一起逃跑。汉王很生气，途中有十几次想要斩杀夏侯婴，但后来大家都比较幸运，没有被项羽军抓到。后来，汉王把孝惠帝和鲁元公主送到食邑，不再让他们跟随自己出战。

汉王到达荥阳以后，收编散兵，重振军威，把祈阳赐给夏侯婴作食邑。夏侯婴还是经常驾车随从汉王攻打项羽，最后打败了楚国。

汉王登位做了皇帝。

这年秋天，燕王臧荼反叛，夏侯婴以太仆的身份随从高祖攻打臧荼。第二年，夏侯婴随从高祖到陈县，逮捕了楚王韩信。高祖改封汝阴给夏侯婴作食邑，并剖符定封，世代不断。不久，夏侯婴又攻打代地有功，增加食邑一千户。接着，夏侯婴随从高祖攻打隶属于韩王的匈奴骑兵，大胜。

高祖追击败兵到达平城时，被匈奴军队包围，整整七天无法突围。高祖派使者用厚礼赠送单于的嫡妻阏氏，终于解除了一面的包围。高祖得以出城，一出城就准备驱马狂奔，夏侯婴觉得不妥，坚持慢慢行走、保持队形，同时拉弓上箭，时刻对准外围的匈奴兵。

最后，高祖终于得以逃脱。逃脱后，高祖又增加细阳一千户给夏侯婴作食邑。后来，夏侯婴又多次打败匈奴骑兵，功劳出众，高祖就又赐封了五百户给夏侯婴。陈豨和黥布叛乱的时候，夏侯婴又以太仆的身份，冲入叛军阵营，大败敌军。于是高祖再次加封，把汝阴六千九百户作为食邑，免除以前的食邑。

从汉高祖刘邦在沛县起义的时候开始，夏侯婴就长期担任太仆，一直到高祖去世。后来，夏侯婴又以太仆的身份侍奉孝惠帝。当初，楚汉战争的时候，刘邦曾经战败逃跑，路上三番五次要抛弃孝惠帝和鲁元公主，是夏侯婴救了他们，现在孝惠帝成了汉朝的皇帝，不忘旧恩，就把宫殿北面最好的公馆赐给夏侯婴，并且命名为"近我"，以表示特别的尊重。孝惠帝去世之后，夏侯婴以太仆的身份侍奉吕后。吕后去世，大臣们准备迎立代王来主持国政，代王到时，夏侯婴跟东牟侯清理宫室，

废除少帝，然后用天子的车驾到代王府迎接代王，跟大臣们共同拥立代王，称为孝文皇帝。八年后，夏侯婴去世，谥号为文侯。

夏侯婴去世之后，儿子夏侯灶继位，七年后死去。儿子夏侯赐继位，三十一年后去世。儿子夏侯颇娶了平阳公主，在位十九年。元鼎二年，因为跟他父亲的婢妾通奸，事发之后畏罪自杀，封国被废除。从此之后，夏侯家族就成了平民。

相关链接

〔1〕汝阴：地名，在今安徽阜阳，因位于汝水之阴而地名。

〔2〕夏侯婴：？—公元前172年，西汉沛县（今江苏沛县）人，从小即与刘邦交好，后跟随起兵，多次立下战功，为太仆，又封汝阴侯，刘邦死后继而辅佐惠帝、文帝，人称"滕公"。

有一次，周昌在高祖休息的时候，入宫奏事，恰好碰见高祖搂着戚姬亲热，周昌转身就跑。高祖追上来，抓住周昌，骑在周昌的脖颈上，问道："你看，我是怎样的君主呢……"

周昌[1]是沛县人，有个堂兄叫作周苛，秦朝的时候都是泗水郡的小官。高祖在沛县起义之后，打败了泗水的郡守和郡监，周昌和周苛便开始随从沛公，沛公见两人还不错，就派了一个职位给周昌，让周苛做幕僚[2]。两人随从沛公进入关中，推翻了秦朝。项羽进入关中之后，封沛公为汉王，汉王封周苛为御史大夫，封周昌为中尉。

汉王四年，楚军在荥阳城围攻汉王，汉王逃出重围，让周苛留下来据守荥阳城。楚军攻破了荥阳城，抓住了周苛，但没有杀他，而是想说服他投降，做楚国的将领。周苛不从，大骂道："你们还是赶快投降汉王吧！不然的话，你们以后都要被他俘虏，一个都跑不掉！"项羽大怒，烹杀了周苛。周苛已死，汉王就任命周昌为御史大夫。周昌随从汉王与项羽抗争，最后打败了项羽。汉王六年，周昌和萧何、曹参等人一起受封，周昌被封为汾阴侯，周苛的儿子周成借了父亲的光，被封为高景侯。周昌为人坚强刚毅，敢于直言，连萧何、曹参等人都对他敬畏有加。有一次，周昌在高祖休息的时候，入宫奏事，恰好碰见高祖搂着戚姬亲热，周昌转身就跑。高祖追上来，抓住周昌，骑在周昌的脖颈上，问道："你看，我是怎样的君主呢？"周昌抬头说："陛下是夏桀、商纣一样的君主。"这时皇上笑了，从周昌的脖颈上跳下来，打心底里敬畏周昌。

后来，高祖想要废除原来的太子，改立戚姬的儿子如意为太子，大臣们极力劝谏，但毫无作用，后来张良出面周旋，高祖才打消了这个主意。当时，周昌也上朝劝谏，态度强硬，言辞恳切。

高祖问他为什么不能另立太子，周昌先天口吃，又情绪激动，断断续续地回答说："我口头上说不清楚，但我心里期期知道这不行。虽然陛下想要废弃太子，但我期期不能奉命。"高祖听了，忍不住笑了起来。退朝以后，吕后侧着耳朵在东厢房偷听，看到了周昌，就欠身对他道谢说："如果没有您，太子差不多就要被废弃了。"

后来，戚姬的儿子如意没有成为太子，而是被封为赵王。当时赵王

年仅十岁，高祖担心自己一旦去世，他没有能力保
全自己，因此很是担心他的将来。

御史大夫周昌有个手下，叫作赵尧，年纪很轻。
赵国人方与公对周昌说：“您的手下赵尧，年纪虽轻，
然而却是个奇才，您一定得重视他，他以后肯定会
接替您的职位。”

周昌笑着说：“赵尧年纪还轻，现在只不过是个
誊写员而已，怎么可能达到我这个地位呢！”

过了不久，赵尧去侍奉高祖。高祖经常闷闷不
乐，有一次还悲伤地唱起歌来，群臣不知道皇上为
什么会这样，都手足无措地呆站在旁边。这时候，赵
尧上前请安说：“陛下之所以不高兴，是不是因为赵
王年幼，而戚夫人跟吕后又有嫌隙？陛下是不是担
心自己百年之后，赵王不能保全自己？”

高祖回答：“是的。我总是放不下这件事，不知
道怎么办好。”

赵尧说：“陛下应该为赵王安排一个尊贵而又刚
强的相国，他必须是吕后、太子和大臣们都敬畏的
人才行。”

高祖回答："是啊，我也这样想，但群臣中间有谁行呢？"

赵尧说："御史大夫周昌，这个人刚正不阿、坚毅不拔，而且吕后、太子和大臣们历来都敬畏他。群臣之中，没有谁比周昌更合适了。"

高祖说："好。"当时就召见周昌，对他说："我现在没有其他的办法，不得不烦劳您了，请您帮我去辅佐赵王吧！拜托了！"

周昌流着眼泪说："当初陛下刚起兵的时候，我就开始随从陛下，至今已有几十年了！陛下为什么偏偏在这个时候，要把我舍弃给诸侯王呢？"高祖说："我也知道这是降职，但我实在是太担忧赵王，想来想去，除了您就没有更合适的人了。拜托您，就请您勉为其难地走一趟吧！"于是，御史大夫周昌被调任为赵国的相国。

周昌走后很久，高祖把玩着御史大夫的官印说："周昌走了，谁适合做御史大夫呢？"随后，仔细看了看赵尧说："看来，没有谁可以替换赵尧。"于是，赵尧成了御史大夫。赵尧先前也有军功，享有食邑，出任御史大夫以后，还曾随军攻打陈豨，立下了战功，被封为江邑侯。

高祖去世以后，吕后专权，想把刘家天下据为吕氏所有，就派使臣去召见赵王，想杀掉他。赵国的相国周昌猜出了吕后的企图，就让赵王借口生病，不去面见吕后。使臣来催促了多次，周昌还是坚决不送赵王回京。吕后忧虑起来，就派人召见周昌。周昌来到京城，谒见吕后，吕后怒骂周昌："我跟戚氏有仇，你不是不知道！你怎么这样不知好歹，竟然不让赵王回京，你到底想怎么样？"周昌拒不认错，就被吕后扣留在长安。接着，吕后又派人去召见赵王，赵王没办法，就来到了长安。过了一个多月，吕后给他下了毒药，终于杀掉了赵王。从此以后，周昌总是以生病为借口，拒绝再见吕后。过了三年，郁郁而终。

五年以后，吕后听说在高祖生前，现任御史大夫赵尧曾经帮忙出主意，要保全赵王，就找了个借口，治了赵尧的罪，然后用任敖接任御史大夫职位。

相关链接

〔1〕周昌：？－公元前192年，沛县（今江苏沛县）人，初为秦泗水小吏，后与其堂兄周苛跟随刘邦夺取天下，任中尉，又升御史大夫，封汾阴侯，以耿直敢谏著称。高祖怕死后吕后加害如意母子，派周昌为赵相国，如意死，他也郁郁而终。

〔2〕幕僚：古代军中将帅幕府的参谋等人称"幕僚"，后泛指官府中的助理人员。

有个叫作公孙臣的鲁国人，上书说汉朝是属于土德时代，其验证是将有黄龙出现。孝文皇帝把这个奏议交给张苍审定，张苍置之不理。过了不久，确有黄龙出现在成纪县。张苍没有办法，只好自动引退，托病告老。

任敖升任御史大夫，只做了三年就被免职。吕后去世，又用淮南王的相国张苍担任御史大夫。

张苍[1]跟绛侯周勃等人拥立代王刘恒为汉文皇帝。文帝四年，丞相灌婴去世，张苍继任丞相。

从汉朝建立到汉文帝继位，已有二十多年，天下刚刚安定，将相公卿都是军官出身。可是张苍不同，他喜好读书，没有什么书不阅读，没有什么学问不通晓，而且张苍特别精通音律、历法。在他担任丞相的时候，重新修订了音律和历法。他推求金、木、水、火、土五德运转的规律，认为汉朝正当水德的时代，因此像前朝一样，仍然崇尚黑色。他吹奏律管、调整音阶、谱写乐章，以便作为天下的规范，并且用它们作类比来确定时令和节气。这些工作完成之后，整个国家的制度都清晰起来。在汉代，谈论音律和历法的学者，向来都以张苍的研究为依据。

安国侯王陵曾经对张苍有恩，张苍一直感恩戴德。等到张苍显贵后，还经常像对待父亲一样的去侍奉王陵。王陵死后，张苍当了丞相，每逢休假，往往要先去拜访王陵的夫人，献上美食，然后才敢回家。

张苍担任丞相，国家安定平和，在平平淡淡中就过去了十多年。后来，有个叫作公孙臣的鲁国人，上书皇帝，说汉朝是属于土德时代，其验证是将有黄龙出现。孝文皇帝把这个奏议交给张苍审定，张苍坚持认为汉朝属于水德时代，说公孙臣的看法不对，所以置之不理。可是，过了不久，确有黄龙出现在成纪县[2]，汉文帝于是召见公孙臣，用他做博士，起草顺应土德的历法和制度，更改元年。

张苍没有办法，只好自动引退，托病告老。

张苍曾经向皇帝引荐过一个人到朝廷做官，此人胆大包天、贪赃枉法，皇上非常生气，就拿这件事来责备张苍。张苍自知理亏，于是干脆辞职。

张苍担任丞相，一共十五年。汉景帝前元五年，张苍去世，谥号叫文侯。儿子康侯继承侯爵，八年后去世。康侯的儿子张类继承了侯位，在位八年，因为参加诸侯丧礼就位时犯了不敬罪，侯国被废除。

张苍身材伟岸。当初，张苍的父亲身高不满五尺，而张苍的身高达到了八尺多，而且气质威严，不同常人，后来果然封侯，官至丞相。张苍的儿子也很高。到了孙子张类，身高六尺多，犯法失去了侯爵。在很多人看来，张苍之后，实在是一代不如一代。

张苍在免除了丞相职务以后，年纪已经很老，嘴里的牙齿都掉光了。于是，张苍就只吸食乳汁，雇了很多青年妇女做奶妈。张苍妻妾数以百计，而且，只要是怀孕的就不再宠幸她。虽然纵欲贪淫，但是张苍身体很好，一百多岁才去世。

相关链接

[1] 张苍：？—公元前152年，阳武（今河南原阳东南）人，秦时任御史，后为汉封国相国等职，官至丞相，封北平侯，博学多闻，精通律历，相传年百余而卒。

[2] 成纪县：古县名，在今甘肃省静宁县一带。

有一次，丞相申屠嘉上朝，发现邓通正在皇帝的身边，礼节怠慢。申屠嘉退朝之后，回到相府，马上写了一道手令，要邓通来到丞相府，斥责他说："朝廷是高皇帝的朝廷。你这小臣，竟敢在大殿上嬉戏，大为不敬，当处斩刑！"

申屠嘉[1]丞相是梁地人，他年轻的时候力大无比，能拉开最强的弓弩，于是以武官的身份随从高祖攻打项羽。项羽失败身死之后，申屠嘉随从高祖攻打黥布的叛军，担任都尉。汉惠帝时，申屠嘉担任淮阳郡守。汉文帝元年，皇上提拔从前随从高祖的高官，全部封为关内侯，获得食邑的有二十四人，而申屠嘉获得食邑五百户。

张苍当了丞相之后，申屠嘉升任御史大夫。张苍免去相位之后，汉文帝想起用皇后的弟弟窦广国，想让他担任丞相，但是心里有顾虑，怕天下人说他偏爱外戚。文帝考虑了很久，最后打消了这个念头。

当时，高祖时代的大臣大多已经去世，剩下来的几乎都难以胜任，挑来挑去，就用御史大夫申屠嘉担任丞相，并封他为故安侯。

申屠嘉为人清廉正直，有口皆碑。凡是朝廷命官，如果因为私事而去拜访申屠嘉，他都拒绝接待。

当时，太中大夫[2]邓通最受宠幸，被赏赐的财物累计过亿。他经常在家里招待百官，连汉文帝都曾经到邓通的家里宴饮作乐，邓通受宠的程度可想而知。

有一次，丞相申屠嘉上朝。邓通正在皇帝的身边，因为跟皇帝很熟悉，在礼节上就有所怠慢，皇帝也不以为意。可是申屠嘉看不下去了，于是在报告工作之后，就顺便对皇帝说："陛下宠信臣子，可以让他富贵；但是，朝廷上要讲究礼节，不可以太随便！"皇帝却说："用不着你说，我就是看他顺眼！"

申屠嘉退朝之后，回到相府，马上写了一道手令[3]，要邓通到丞相府来。邓通不敢过去，申屠嘉更加生气，准备斩杀邓通，邓通大为恐惧，马上进宫报告文帝。文帝安慰邓通说："你不要害怕，现在只管回去，如果有什么变动，我立刻派人去召见你。"

邓通回去，想了半天，还是主动到了丞相府，脱下帽子，光着双脚，叩头请罪。

申屠嘉照常坐着，故意不施礼，斥责他说："朝廷是高祖的朝廷。你

这小臣，竟敢在大殿上嬉戏，大为不敬，当处斩刑！"随后申屠嘉马上吩咐左右手下说："来人啊，立即斩了他！"

邓通拼命叩头，头磕在地上，额头上全都是血。但申屠嘉还是不放过他，让手下拉他出去斩首。

恰好在这个时候，文帝估计丞相放不过邓通，就派使者来召见邓通，并对丞相表示歉意说："邓通只不过是我用来开心解闷的弄臣，您放了他吧！"申屠嘉无奈，只好作罢。邓通得到释放，马上回到宫廷，对文帝哭诉说："丞相差一点杀了我！"

申屠嘉当丞相五年之后，汉文帝逝世，汉景帝即位。

景帝二年（公元前154年），晁错担任内史，受到宠幸，把持了国家大政。他请求皇帝更改各种法令，又建议贬责和处罚各位诸侯，尽可能削弱他们，以便保持刘家天下。丞相申屠嘉提出不同意见，但没有被皇帝采用，心里有些委屈，有些怨恨晁错。

晁错的职位是内史，内史府的门朝东开着，有些不方便，于是改开一道门，从南边出入。而朝南开的门，凿在了太上皇庙的外墙上。申屠嘉便想借此治晁错的罪，想告他擅自开凿宗庙的外墙，准备奏请皇上诛杀晁错。晁错有个门客得到消息，就跑去报告晁错，晁错恐惧万分，连夜进宫拜见皇上，向景帝投案自首。

第二天，上朝的时候，丞相申屠嘉奏请诛杀内史晁错。景帝早就有所准备，于是回答说："晁错凿穿的不是真正的庙墙，而是宗庙的外墙，外墙里面还有其他官员住着呢！况且，这是我叫他做的，晁错没罪！"

退朝以后，申屠嘉对长史说："唉！我办事不利。其实，我当初可以先斩了晁错，然后再报告皇上。我偏偏先请示了皇上，结果反被晁错戏弄了。"申屠嘉回到相府之后，越想越憋气，终于呕血死了。

申屠嘉死后，谥号称节侯。儿子共侯申屠蔑继承了爵位，三年后去世。共侯的儿子申屠去病继承侯位，三十一年后去世。申屠去病的儿子

534

○ 品画鉴宝　彩绘陶俑出土原状（汉）

申屠臾继承侯位，六年后，因接受贿赂而犯罪，侯国被废除，从此，申屠氏开始沦为平民。

申屠嘉为人正直，可以说是刚毅守节的人了，然而没有什么谋略和学识，跟萧何、曹参、陈平等人完全不同。申屠嘉死后，陶青、刘舍、许昌、薛泽、赵周等人担任过丞相。他们都是凭列侯继承人的身份，谨小慎微，做丞相做得平淡之极，没能取得什么成就，也没有任何值得记载的事情。

相关链接

〔1〕申屠嘉：？－公元前155年，西汉梁国（今河南商丘南）人，曾随刘邦抗击项羽并平定内乱，为督尉，文帝时官至丞相，封故安侯。

〔2〕太中大夫：官职名，为郎中令属官，负责掌管议论。

〔3〕手令：亲手所写的命令、告谕等。

陆贾诗书治天下

陆贾去看望陈平，当时，陈丞相正在深思，没有马上看见陆贾。陆贾奇怪，问："想什么呢？怎么这样入神？"陈平说："您猜我在想什么？"陆贾想想，说："不外乎忧虑诸吕、少主罢了。"

陆贾[1]本是楚国人，以门客身份随从高祖平定天下。陆贾口才好，非常雄辩，时常替高祖出使诸侯各国，总是能够圆满地完成任务。

高祖在位时，中国刚刚安定，尉他平定了南越，便在那里称王，有意对抗汉朝。高祖派陆贾出使，想赐给尉他印章，封他为南越王。陆贾到了南越，见尉他像南越土著一样，梳着椎形发髻，又开两腿像畚箕那样坐着，在席子上接见陆贾。

陆贾上前劝告尉他说："您是中原人，父母兄弟的坟墓都在中原。可是您如今却偏偏要违反天性，抛弃戴帽子、系带子的习俗，想凭小小的越地与天子对抗，这可是自寻死路啊！想当初，秦朝政治混乱，豪杰纷起，汉王首先进入关中，占据咸阳。项羽违背盟约，自立为西楚霸王，诸侯都归属他，当时可以说是最为强大的了。但是汉王从巴、蜀起兵，征服了诸侯，灭掉了项羽。只用了五年，汉王就平定了全国，这不是人力所能办到，而是上天赐给了汉王天下！

"大王您现今在南越称王，满朝文武都主张出兵讨伐大王，大汉天子没有同意，因为他可怜老百姓，觉得他们刚刚经历战争的苦，不忍心再发兵征战。所以呢，才派遣我来授给您王印，允许您称王，以后可以互通使节。这样的天子，是多么仁慈啊！可是大王您呢？您竟然想凭借刚刚建立的小小越国，要对抗强大的汉朝！大汉天子如果生气，就会毁掉大王的祖坟，诛灭您的宗族，然后再派十万军队来到南越，其实他们根本就不用攻打您，越人自己就会杀死大王而投降汉朝。这对汉朝来说，可是易如反掌啊！"

尉他听到这里，再也坐不住了，起身向陆贾谢罪，然后，又问陆贾说："我跟萧何、曹参、韩信相比，谁更贤能？"陆贾回答："大王更为贤能。"又问："我跟皇帝相比，哪一个贤能？"

陆贾回答："皇帝从沛县丰邑起兵，讨伐暴秦，诛灭强楚，替天下兴利除害，继承了三皇五帝的功业，统治了全中国。中国的人口数以亿（古代一亿为十万）计，土地方圆万里，人口稠密，万物丰富，政令统

一，这是开天辟地以来所没有过的。可是大王您呢？人口不过几十万，而且都是蛮夷之人，居住在偏僻崎岖的山边海角，好像汉朝的一个郡，大王怎么能跟汉朝皇帝相提并论！"

尉他大笑说："我当初没有在中原起事，所以只能在这里称王。假如我生活在中原，难道就比不上汉帝？"

随后，两人聊了很久。尉他很喜欢陆贾，热情挽留陆贾留下来，跟他一起饮酒作乐，高兴了好几个月。尉他总是说："整个越地，没有谁值得我交谈。直到先生您来了，我才能每天都听到过去听不到的事情。"尉他心里感激，赏赐给陆贾各种宝贝和礼物，价值几千金。陆贾带来了汉高祖的印玺，赐封尉他为南越王，让他对汉称臣，服从汉朝的统治。

最后，两人依依惜别，陆贾回朝汇报，高祖觉得事情办得圆满，很高兴，任命陆贾为太中大夫。

陆贾是读书人，时常在高祖面前称引《诗》《书》。有一次，高祖不耐烦，高声大骂他说："我是骑着马打天下的，哪里用得着《诗》《书》！以后不要再念叨那些玩意给我听！"

陆贾不服软："在马上取得天下，就要在马上治理天下吗？当初，商汤、周武王以武力夺取天下，然后便顺应形势，以文治固守天下，文武并用，这才是长治久安的办法。而吴王夫差和智伯穷兵黩武，最后只能灭亡；秦朝严刑苛法，终于不得好死。假如秦朝统一天下之后，能施行仁义，陛下又怎么有机会取得天下？"

高祖自知理亏，心里不高兴，脸有愧色，就对陆贾说："好吧，好吧！那你替我写本书，讨论一下秦朝为什么失去天下，再讨论一下我取得天下的原因是什么，顺便说说古代各国的大事。"

陆贾于是就著书立说，论述国家存亡的道理，共写了十二篇。每奏上一篇，高祖没有不拍案叫好的，高祖左右的人也跟着高兴，欢呼"万岁"，并把陆贾的书称为《新语》。

惠帝时期，吕后执政，想封吕氏族人为王，但害怕大臣议论，只好在暗中想办法。陆贾反对吕后，但觉得自己无法阻止他们，不敢上朝争辩，于是称病辞职回家。

陆贾挑选了一个土地肥沃的地方，就在那里安家落户。陆贾有五个儿子，他拿出自己出使南越时所得到的一些宝物，换了一千斤黄金，分给儿子们，每个儿子二百斤黄金，让他们安心从事生产。平时，陆贾常常佩带着价值百斤黄金的宝剑，乘坐套着四匹马的大车，带着十个能歌善舞、弹琴击瑟的随从，在五个儿子中间往来，还对儿子们说："我跟你们约定：到了你们家里，你们必须供给我的人马酒食，尽量满足我们的需要。每十天，我就另换一家。我死在谁家，谁就获得宝剑、车马和随从人员。一年之中，我也会到其他地方交游做客，很多时间并不在你们家里。这样，我每年到你们家里的次数，一般不超过两三遍，经常见面就会不新鲜，你们用不着因为时间长了而厌烦我。"

吕后当政一段时间之后，开始分封吕氏族人为王，吕氏家族独揽了国家大权，想要架空少主，把刘家天下据为己有。右丞相陈平很忧虑这件事，但考虑到自己的势力不足以抗争，怕祸患降临到自己头上，只好对吕氏的作为视而不见，但心里放不下，经常表面上闲居养生，实际上却在深思，思量对策。

陆贾去看望陈平，两人很熟，陆贾就没有通知陈平，而是径直来到陈平的住处，直接就座。当时，陈丞相正在深思，没有马上看见陆贾。过了好大一会儿，他才注意到老朋友来了。陆贾很奇怪，问道："想什么呢？怎么这样入神？"陈平说："您猜我在想什么？"陆贾想想，说："您位居上相，享受三万户食邑的侯位，可以说极端富贵，再不会有什么欲望了。如果有忧虑，不外乎忧虑诸吕、少主罢了。"陈平说："是啊！你说，我该怎么办才好？"

陆贾回答："俗话说：天下安定，注意丞相；天下危急，注意武将。将相如果能和睦协调，那么士大夫就会亲附；如果士大夫亲附，那么即使天下有变乱，大权也不会分散。现在整个汉朝的安危都掌握在您和太尉两位手中。您为什么不和太尉搞好关系，团结起来，一起解决问题呢？"

随后，陆贾替陈平策划了几个方案，准备对付吕氏。陈平采用了他的意见，拿出五百斤黄金作为礼物，献给太尉周勃，还备办了隆重的乐舞和酒宴款待他。太尉受到礼遇，也以同样的规格回报。这样，两人抛弃前嫌，加强了团结。由于他们的合作，最后粉碎了吕氏的阴谋，国家重新获得了安宁。在整个削弱吕氏的过程中，陆贾有不可磨灭的功劳。

吕氏家族被诛灭之后，孝文帝继位，陆贾重新受到了重视。孝文帝刚刚即位的时候，南越的尉他又开始蠢蠢欲动，所以文帝想派人出使南越。陈丞相等人提议让陆贾担任太中大夫，让他出使南越。陆贾果然不辱使命，成功地说服尉他，让他去除了居住黄屋[2]以及行文称制的越级行为，让他等同诸侯，文帝的意旨完全得到贯彻。

陆贾最后以高寿辞世，终老天年。

相关链接

[1] 陆贾：约公元前240－前170年，本为楚人，初随刘邦平定天下，后官至太中大夫，为西汉著名政论家、词赋家，能言善辩、长于外交，曾两次成功说服尉他归附汉室，著有《新语》传世，词赋已佚。

[2] 黄屋：古人认为黄色是尊贵的象征，是皇家才能享用的颜色，因此尉住黄屋是一种越级行为。

平原君朱建

孝文帝的时候，淮南王杀死了辟阳侯，原因是他与吕氏家族有关联。文帝听说平原君曾经替辟阳侯出谋划策，准备治他的罪。平原君准备自杀，儿子们和手下官吏都说："现在事情还没查清楚，何必早早自杀呢？"平原君回答："这事看来是躲不过去啦！我一死，祸源就断了，就不会连累到你们了。"终于割脖子自杀了。汉文帝听说后，心里有些不安，怜悯地说："唉，我并没有说要杀他呀！"

平原君朱建[1] 本是楚国人。早年，他曾做过黥布的丞相，因犯罪而被罢官，后又服侍黥布。黥布想要反叛，向他征求意见，平原君劝他千万不要反叛，黥布不听，而是相信了梁父侯。汉朝很快就杀掉了黥布，并一一处罚那些参与叛乱的臣子。平原君未曾参与，于是得以免除刑杀。

平原君能言善辩。在政治上，清廉正直，不随波逐流，不阿谀奉承，所以大家都比较尊重他。当时，辟阳侯[2] 行为不正，却得宠于吕后。他想结交平原君，但平原君不肯接见他。后来，平原君的母亲去世，陆贾前去吊唁。平原君家里贫穷，还没有办法出葬，正在借贷丧服、用具。

陆贾看了，觉得可怜，就私下里想出了一个办法，然后叫平原君马上出葬。随后，他跑去见辟阳侯，祝贺说："平原君的母亲死了！"辟阳侯莫名其妙："平原君的母亲死了，为何要向我祝贺呢？"陆贾说："前些时候，您想结交平原君，但他不肯，其实都是因为他母亲的缘故。现在他母亲死了，您如果能送上丰厚的丧礼，那他肯定会替您卖命！"辟阳侯觉得有道，就带着一百斤黄金前往送丧。其他人见辟阳侯亲自出席平原君母亲的丧礼，也蜂拥而至，送来的丧礼共计黄金五百斤。

辟阳侯得到吕后的宠幸，为非作歹，得罪了人。有人跑到孝惠帝那里，揭发抨击辟阳侯，孝惠帝大怒，把辟阳侯交给法官，想要杀掉他。吕后因为有隐衷，不便说话，只好干着急没办法。人臣们多痛恨辟阳侯，这个时候都很高兴，巴不得皇上能马上杀了他。

辟阳侯很着急，派人说想会见平原君。平原君推辞说："现在官司闹大了，我可不敢会见您！"

随后，平原君暗中去求见孝惠帝的宠臣闳籍孺，说服他道："您受到皇帝的宠信，天下无人不晓。辟阳侯是太后的宠臣，现在被交给了法官，大家都说是您进了谗言，想杀死他。如果辟阳侯真的被杀，那么明天太后心怀恼怒，也会找借口杀死您。您为何不去替辟阳侯向皇帝说说情？皇帝

如果听从您的意见，释放辟阳侯，那么太后必定很高兴。如果两位主上都宠幸您，那您的富贵可就会加倍了啊！"闳籍孺听了，先是非常恐慌，然后思考再三，听从了他的意见，进宫去劝说皇帝，惠帝果然释放了辟阳侯。

辟阳侯被囚禁的时候，想会见平原君，平原君避而不见。辟阳侯以为他背弃了自己，非常恼怒。等到他成功地救出自己，才感动不已。

吕后去世之后，大臣们开始诛杀吕氏家族。辟阳侯跟吕氏关系十分密切，本来应该难逃劫难，但最终却没有被杀。为什么呢？都是靠陆贾和平原君为他出谋划策。

到了孝文帝的时候，淮南王杀死了辟阳侯，原因还是因为他与吕氏家族有关联。文帝听说平原君曾经替辟阳侯出谋划策，就派狱吏去逮捕平原君，准备治罪。

狱吏来到平原君门前，还没进门，平原君就准备自杀。儿子们和手下官吏都说："现在事情还没查清楚，何必早早自杀呢？"平原君回答："这事看来是躲不过去了！我一死，祸源就断了，就不会连累到你们了。"终于割脖子自杀了。

汉文帝听说后，心里有些不安，怜悯地说："唉，我并没有说要杀他呀！"为了表示道歉，便召见他的儿子，任命为中大夫。不久之后，中大夫受命出使匈奴，单于对他无礼，他便大骂单于，最后死在了匈奴的营帐里。

相关链接

〔1〕朱建：？－公元前177年，楚人，据说能言善辩、刚直清正，初事黥布，因曾反对其反叛汉室，故黥布败亡后得到刘邦赦免，迁长安，赐号平原君。

〔2〕辟阳侯：西汉大臣审食其的封号。审食其初为吕后舍人，善阿谀奉承，得宠幸，高祖封辟阳侯，吕后专权时为左丞相，权势极大。

大儒叔孙通

叔孙通是个读书人，平时习惯穿着儒生的服装。汉王厌恶读书人，也讨厌读书人的打扮，于是叔孙通换上了短衣，随从楚人的习惯，汉王这才高兴。

叔孙通是薛县人。秦朝的时候，凭文学才能被征为待诏博士[1]。

几年后，陈胜等人揭竿而起，秦二世很恐慌，马上召集博士儒生们问道："从楚地征调的守边士兵反了，攻打蕲县，进入了陈地，这件事，各位觉得怎么对付才好？"博士儒生三十多人上前说："为人臣子，不该反对朝廷，否则就是叛乱，叛乱就要判处死刑，不可赦免。希望陛下赶紧出兵攻打他们。"秦二世听了"叛乱"二字，觉得心慌，非常生气，变了脸色。

这时候，叔孙通上前说："各位儒生都说错了。如今天下成为一体，各个郡县的城堡都已经拆除，各地的兵器也已经熔毁，向天下人表示不再使用武力。再说，秦朝上有英明的君王，下有完备的法令，人人奉公守职，四面八方都来归附，怎么可能有胆敢叛乱的人呢！陈胜这批人只不过是偷鸡摸狗的盗贼罢了，何足挂齿？再说，郡守、郡尉正在捉拿他们归案，哪里值得陛下忧虑！"

秦二世听了这番话，心里觉得舒服了一些，高兴地说："好！还是你说得有道理。"二世又遍问儒生们，儒生们有的说是叛乱，有的说是盗贼。秦二世又不高兴，命令御史追究，把那些说是叛乱的儒生们交狱吏治罪；而那些说是盗贼的，都不予追究。二世还赐给叔孙通丝绸二十匹、衣服一套，任命他为博士。

叔孙通离开宫殿，直接回到自己的住处。儒生们追赶着责问他说："先生阿谀奉承到了这种地步！我们真是没想到！你为什么这么说话呀？"

叔孙通苦笑着回答："诸位有所不知，我也是自身难保啊！各位也都去自寻生路吧。"随后，叔孙通简单收拾行装，逃离了秦廷，前往薛郡，当时的薛郡已经投降楚军了。等到项梁到达了薛郡，叔孙通就随从了他。后来，项梁在定陶兵败身死，叔孙通就随从了楚怀王。再后来，楚怀王被项羽迁往长沙，叔孙通就留下来侍奉项羽。汉王二年，汉王带领五个诸侯的军队攻入彭城，叔孙通当时在彭城，就投降了汉王。

叔孙通是个读书人，平时习惯穿着儒生的服装。汉王厌恶读书人，也不爱看读书人的打扮，于是叔孙通改变了自己的穿着，换上了短衣，随从楚人的习惯，汉王这才高兴。

叔孙通投降汉王的时候，随从他的儒生弟子有一百多人，但叔孙通一直没有向汉王推荐过谁，偏偏推荐那些从前群盗中的壮士。弟子们私下都骂他说："我们服侍他这么多年，有幸能跟他投奔汉王，如今他不推荐我们，偏偏要推荐那些强盗，为什么呢？"叔孙通听了他们的怨言，便对他们解释说："汉王现在正冒着弓箭刀枪争夺天下，各位难道能帮他打仗吗？所以我先推荐那些能斩将拔旗的人。各位不要着急，先等等，我绝不会忘记你们的。"

汉王欣赏叔孙通的才能，任命他为博士，号称稷嗣君。

汉王五年，汉军已经打败项羽，并吞了天下，诸侯会集在定陶，共同尊奉汉王为皇帝。在宴会上，群臣喝酒作乐，还互相争功，有人喝醉了酒，就胡喊乱叫，甚至拔剑击刺屋柱，高祖看了，很不高兴。

叔孙通知道高祖越来越厌恶他们，便对高祖说："那些人素质低下，很难与他们商议未来大计，只能和他们保守成业。我希望征召鲁国的儒生，以及我的弟子，共同起草朝廷的礼仪，来规范天下。"

汉高祖问："你们制定出来的规矩，该不会太烦难吧？那我可受不了。"

叔孙通答："五帝有不同的乐制，三王有不同的礼制。礼制，是适应时代人情所制定的行为规范。所以，夏、商、周三代的礼仪，都是根据前朝礼仪而加以增删，可以让人分辨出它们的异同，使得两个朝代不至于互相重复。我可以结合古代和秦朝的礼仪，来制定礼仪。"

高祖说："好吧，你可以试着办！必须要做到简单易行，估计我能够受得了，你就可以定下来。"

叔孙通于是奉命到了鲁国，征召儒生三十多人。鲁国有两位儒生不肯走，对叔孙通说："您侍奉的君主将近十位了，都是靠阿谀奉承而得到亲近，所以您才有今天的荣华富贵。如今天下刚刚平定，死人还没有埋葬，伤员还没有康复，可是您又想要制定礼乐！要制定礼乐，应该在积德百年之后才对啊！我们可不愿意跟您做事。您的所作所为不合古道，我们不去。您自己去吧，不要玷污我们！"

叔孙通并不生气，而是笑着说："你们可真是迂腐鄙陋的读书人啊，时势变化了，可是你们一点都不知道！"

于是叔孙通便带着三十个儒生一同西行，再加上皇帝左右治学的人，还有叔孙通的弟子一百多人，在野外拉起绳索，树立茅草和其他器具，进行演习。所有的细节，都力求简易，完全去掉了秦朝苛刻烦琐的礼仪和法规。演习一个多月以后，叔孙通觉得可以了，就请高祖前来视察。高祖看后，觉得很满意，就命令群臣学习，准备在十月举行朝会。

汉高祖七年（公元前 200 年），长乐宫落成，诸侯、群臣都来参加朝会。仪式如下：天刚亮的时候，谒者司仪，引导大家依次进入殿门，宫廷里陈列大量车马、步兵和侍卫官员，还要陈设各种兵器，张挂旗帜。传命进宫的人快步走，殿下的郎中在台阶两旁并排站立，台阶上要站几百人。功臣、列侯、众将军、军官，按次序排列在西边，面向东边；文官从丞相以下，排列在东边，面向西边。

这时，高祖乘坐挽车 [2] 从寝宫出来，众官员擎着旗帜传呼警戒，引导各个级别的官员，按次序朝拜高祖。典礼完毕，再举行正式宴会。陪侍高祖坐在殿上的各位官员，都俯伏低头，按官位高低，依次起立，给高祖祝酒。行酒九巡之后，谒者宣布"酒会结束"，于是百官退场。在整个过程中，御史监督百官的表现，发现有不合礼仪的，就请他退场。整个朝会和宴会上，没有人敢喧哗失礼。

这时，汉高祖才得意地说："哎呀！我今天才知道做皇帝的尊贵。"高祖心里高兴，于是便任命叔孙通做太常，赏赐他黄金五百斤。

叔孙通乘机进言道："我有一群弟子，随从我很久了，还跟我一起制定礼仪，希望陛下也能让他们做官。"汉高祖把他们全部任命为郎。叔孙通出宫后，把五百斤黄金都赏赐给弟子们，弟子们既得官又得财，都喜形于色地说："叔孙先生实在是圣人啊！实在是圣人！只有他才懂得当前的要务！"

汉高祖九年（公元前198年），高祖调叔孙通做太子太傅。汉高祖十二年，高祖想要用赵王刘如意去替换太子，叔孙通进谏高祖说："从前，晋献公宠爱骊姬，于是废掉太子申生，改立骊姬的儿子奚齐，晋国因此乱了几十年。而秦朝呢，因为不早日确定扶苏为太子，让赵高得以假传圣旨，立胡亥为帝，弄得秦朝后继无人，这是陛下亲眼看到的。如今太子仁慈孝顺，天下人都知道；而太子的母亲吕后，跟陛下同甘共苦这么多年，难道您忍心背弃她？如果陛下非要废弃太子而改立小儿子，我希望先受死刑，愿意以死谏诤！"

高祖自己也觉得废太子的想法不合适，就说："先生别当真！我只是开个玩笑罢了。"

叔孙通说："太子是天下的根本，根本一动摇，天下就会震动，怎么可以拿天下大事来开玩笑！"

高祖没办法，只好认错说："好了，好了，我听您的意见。"

后来，高祖设置酒宴，看见张良所招来的宾客都随从太子进来朝见，知道太子羽翼已丰，于是就消除了改立太子的念头。

高祖逝世以后，孝惠帝就位，对叔孙先生说："先帝的陵园和祠庙，群臣还不熟悉。还要靠您训导。"因此调他做太常，制定宗庙的礼仪制度。以后，叔孙通又逐步制定汉朝各种礼仪制度的细节，所以，汉朝的所有礼仪制度，差不多都是叔孙通的功劳。

孝惠帝经常要到城东的长乐宫去朝拜吕后，每次来往，都要清理道路，禁止人民通行。为了不烦扰百姓，于是就修建了凌空的阁道，正好建在未央宫武库的南边，比高帝庙高出很多。

叔孙通上朝时，请求跟皇上密谈，说："高帝庙，是汉朝始祖的宗庙，怎么能让后代子孙在凌驾于高帝庙的上空行走呢？"

孝惠帝大为恐惧，说："哎呀，我没想到这一点，我马上派人拆毁它！"

叔孙通说："君主不能有过失。如今已经做错了，如果拆毁它，就是表示自己有过失。希望陛下再为高祖建一个别庙，既可以引开注意力，又可以进一步扩大宗庙，这可是大孝啊！"皇上于是下令，建立了别庙。很多人都不知道，别庙的兴起，其实是因为阁道的缘故。

孝惠帝曾经准备在春天出游，叔孙通说："春天是该品尝鲜果的时候。现在樱桃正好成熟，希望陛下出游时，能顺便带樱桃，去敬献宗庙。"惠帝觉得这个想法很好，便答应了他。从此以后，用各类鲜果敬献宗庙的礼仪就开始了，一直流传到现在。

相关链接

〔1〕博士：古代为官职名，始置于战国时期，负责掌管图书，通晓古今，以备顾问。

〔2〕挽车：又名步挽、步挽车，为古代一种用人力拉的车子。

季布是项羽的大将，沦落为通缉犯，再降格为家仆，终于得到皇帝的赦免，还得到了官职，大家都称赞他能屈能伸，能克刚为柔，是真正的大丈夫。

季布[1]是楚国人，为人讲究义气，颇有侠义心肠，在楚国名声很大。

季布早年曾经跟随项羽，率领军队南征北战，多次围困汉王，使汉王陷于绝境。后来，楚汉争霸结束，项羽兵败身死，汉王做了天子，君临天下，于是悬赏千金，捉拿季布，并传令全国，有胆敢窝藏季布的，要罪连三族。

季布躲藏在濮阳周氏家里。周氏对季布说："汉朝悬赏重金捉拿将军，抓得很紧急，要不了多久就会追踪到我这里，将军要是肯听从我，我就帮您出个主意；如果不肯听从我，我也不想活了，活下去也没有好结果。"季布走投无路，只好答应他。周氏于是就让季布剃光头，戴上颈箍，穿上破烂的粗布衣服，安置在大货车里，和他的几十个家僮一起，被送到鲁国朱家的住地，当作家仆卖掉他们。

朱家心里知道是季布，也就买了下来，安排他到田里劳动。朱家告诫他的儿子说："田地里的事情，都要听从这个家奴的，在饮食上，我们吃什么，就要给他吃什么，绝对怠慢不得。要是怠慢了他，我必拿你治罪！"

随后，朱家便乘坐马车赶到洛阳，拜见汝阴侯滕公。滕公跟朱家关系很好，就留他喝了几天酒，朱家趁机对滕公说："季布犯了什么大罪，皇上为什么追捕得这样紧？"

滕公回答："楚汉战争的时候，季布多次替项羽围困皇上，皇上对此耿耿于怀，忘不掉，所以一定要捉到他。"

朱家问："依您看，季布是个怎样的人呢？"

滕公答："当然是个贤能的人。"

朱家说："作为人臣，理当替自己的君主效劳，所以说，季布替项羽效劳，只是他的职责罢了，是他应该做的。再说，难道项羽的臣子就都该杀掉吗？如今皇上刚得到天下，如果只因为个人恩怨，就花这么大力气去追捕一个人，这岂不是向天下人显示他没有器量吗？况且，凭季布的本事，汉朝要是这样追捕下去，他不是向北逃奔匈奴，就是往南投靠南越！记恨勇士，却无意中资助了敌国，这可是有先例的啊！当初，伍子胥为什么要鞭尸楚平王呢？就是因为这种事呀！您为什么不抽空劝劝皇上呢？"

滕公知道朱家是位大侠客，听了他这么一席话，料想季布就藏在他家里，于是便答应道："好吧！我试试！"等到一有机会，滕公就按照朱家的意思向高祖进言，高祖觉得有理，马上就赦免了季布。不久，季布被高祖召见，谢罪以后，高祖任命他做郎中。

季布从项羽的大将，沦落到通缉犯，再降格为家仆，终于得到高祖的赦免，还得到了官职，大家都觉得很佩服，都称赞他能屈能伸，能克刚为柔，是真正的大丈夫。而朱家也因为帮助了季布而闻名当代。

孝惠帝时，季布担任中郎将。当时的匈奴很强大，不把汉朝放在眼里，单于曾经写信来侮辱吕后，出言不逊，吕后大为恼怒，召集各位将领商议怎么应对。上将军樊哙拍着胸脯说："给我十万士兵，我就能横扫匈奴！"将领们都想奉承吕后，就都争着说："对啊！应该摆平他们！"可是季布却偏偏说："樊哙胡说八道，应该斩首！当初，高帝曾经领兵四十多万，尚且被匈奴困在平城，如今樊哙怎么可能只用十万士兵就横扫匈奴？这明明是撒谎嘛！再说，秦朝因为对匈奴用兵，陈胜等人乘机起义，至今战争的创伤还没有治好，可是樊哙在这种时候，还敢当面阿谀奉承，想要动摇天下！"

大家听了季布的话，都大为惊恐，吕太后宣布退朝，后来再也没有提起攻打匈奴的事。

季布出任河东郡守以后，有人说季布贤能，孝文帝于是就召见他，想用他做御史大夫。但是又有人对孝文帝说，季布虽然勇敢，但酗酒任性，难以亲近，用不得。季布到达京城之后，在馆舍里居住了一个月，才被皇帝召见，而且皇帝一见他的面，就让他回原郡。

季布心里不满，因此进言说："我没有什么功劳，却受到皇上恩宠，能在河东任职。现在陛下无缘无故召见我，肯定是有人拿我来欺骗陛下；我来到了京城，没有接受任何任务，就回原郡，肯定是有人在诽谤我。陛下随便听了一个人的称誉，就召见我，再随便听了一个人的诽谤，就遣送我，这件事如果被天下有见识的人听说，恐怕他们要嘲笑您啊！这件事让他们知道，他们可就有根据窥视陛下的深浅了！"

548

皇上沉默无语，感到很惭愧，过了好久才说："没这么回事，您多心了！河东郡是我最重要的郡，所以我才特地召见您啊！"

季布无话，就辞别了皇上，回到了原任上。

楚国人曹丘[2]先生擅长雄辩，多次凭借口才、利用权贵，捞取钱财。他曾经侍奉过赵同等人，又跟窦长君关系很密切。季布得知此事，寄信劝窦长君说："很多人都说曹丘先生并不忠厚，您不要跟他交往。"后来，曹丘回故乡，想要窦长君写封信，介绍他去见季布。窦长君说："季将军不喜欢您，您还是不要去了。"可是曹丘非要见季布不可，反复请求窦长君写信，终于得到了一封信。他派人先把信送给季布，季布果然大怒，准备等曹丘到来之后狠狠骂他一顿。

曹丘到了之后，还没等季布开口，就向季布作揖说："楚国人有句俗话说：'黄金百斤，不如季布的一句诺言。'您在梁、楚一带获得这么了不起的名声，靠的是什么呢？靠的是大家的宣扬。我是个楚国人，您也是楚国人，如果我在天下各地宣扬您的名声，那么您的名声就会远远超出楚国！您为什么要这样坚决地拒绝我呢！"

季布听了，觉得有理，就领曹丘进入内室，留住了好几个月，把他当作贵客，送了不少重礼给他。后来，季布的名声越来越大，与曹丘的宣扬有很大关系。

季布有个弟弟，名叫季心，是关中数一数二的勇士。季心待人谦恭，又乐于行侠仗义，方圆几千里的士人，都争着替他效命。季心曾经杀人，逃亡到吴地，藏匿在袁丝家里，季心知恩图报，像侍奉兄长一样对待袁丝，像养育弟弟一样对待灌夫、籍福等人，而自己也因为待人和善有礼而受到尊重。季心曾经做过中尉下属的司马，但是中尉对他也不敢不以礼相待。当地青年人办事，常常要假借他的名义，这样就会好办一些。当时，季心因为勇敢，季布因为守信，都名震关中。

相关链接

〔1〕季布：生卒年代不详，楚人，初事项羽，楚汉战争中多次围困刘邦，刘邦称帝后对他进行追捕，后得赦免，任河东郡守。季布为人讲信誉、重承诺，楚人有"得黄金百斤，不如得季布一诺"的说法。

〔2〕曹丘："曹丘"为复姓，本名不详。通过曹丘先生的宣扬，季布更加声名远扬，因此后代以"曹丘"或"曹丘生"作为荐引、称扬者的代称。

栾布视死如归

栾布被推推搡搡地走向汤锅的时候，回头说："希望能让我说一句话再死！"皇上问："什么话？"栾布答："陛下疑神疑鬼，如果这样下去，我担心有功之臣会人人自危。如今我也不想活了，我愿意接受烹刑。"

叔孙通是薛县人。秦朝的时候，凭文学才能被征为待诏博士。

栾布 [1] 是梁国人。当初，梁王彭越还是平民的时候，跟栾布交往很密切。栾布家境贫寒，跑到齐国谋生，做了酒店里的佣工。几年后，彭越到巨野一带当强盗，栾布被人出卖，在燕国当奴仆。后来，栾布替他的主人家报了仇，燕国将领臧荼推举他担任都尉。臧荼后来立为燕王，就任用栾布做将领。不久，臧荼反叛，汉朝前来攻打，俘虏了栾布。梁王彭越听说了这件事，就向汉祖进言，请求赎回栾布，让他担任梁国大夫。

栾布担任梁国大夫之后，经常出使各国。有一次，在他出使齐国的时候，汉朝征召彭越，以谋反罪抓了彭越，并且夷灭三族。然后又把彭越的头悬挂在洛阳城门下示众，并且下令说："有胆敢收尸的，就逮捕他。"不久，栾布从齐国回来，得知彭越被杀，非常伤心，就到彭越的脑袋下面汇报工作，一边说话一边痛哭。官吏逮捕了栾布，并报告高祖。高祖召见栾布，大骂道："你是不是也跟彭越谋反？我命令任何人不得收尸，你偏偏要祭他哭他，这明摆着是跟彭越谋反嘛！我不烹杀你，留你干什么！"

栾布被推推搡搡地走向汤锅的时候，回头说："希望能让我说一句话再死！"高祖问："什么话？"栾布答："当初皇上在彭城被困，在荥阳、成皋一带打败仗的时候，项王之所以没有顺利西进，只是因为有彭王据守在梁地，跟汉军联合而使楚军陷于困境。当时，天下大势其实就在彭王手里，他跟楚联合，汉就失败，跟汉联合，楚就失败。再说，垓下会战，如果没有彭王，项氏就不会灭亡。天下平定以后，朝廷分封彭王，彭王也想把封爵传于万代。如今陛下向梁国征兵，彭王因病不能前来，陛下就疑神疑鬼，以为他谋反。但是谋反的迹象还没出现啊！而您却根据微不足道的细节诛杀他！陛下如果这样下去，我担心有功之臣会人人自危。如今彭王已经死了，我也不想活了，我愿意接受烹刑。"

高祖深受感动，赦免了栾布的罪过，任命他做都尉。

　　孝文帝时，栾布当了燕国丞相，官做到将军。栾布声称："穷困的时候，要是经不起屈辱，就不是好汉；富贵的时候，要是不能使自己心情愉快，就不是贤人。"这时候，栾布已经发达了，对曾经有恩于己的人，就优厚地报答他，对曾经迫害自己的人，就借助法律消灭他。吴、楚七国反叛时，栾布立下了军功，被封为俞侯。燕、齐两国都替栾布建造了祠庙，号称栾公社。

　　汉景帝中元五年（公元前145年），栾布去世。儿子栾贲继承侯位，担任太常。因为祭祀时所用的牲畜不合法令的规定，封国被废除。

相关链接

[1] 栾布：？—公元前145年，西汉梁国（今河南商丘南）人，素与彭越友善，高祖时官至都尉，文帝时任燕相，又任将军，七国之乱时，因功封俞侯。

袁盎多次直言劝谏，虽然得到大家的尊重，但最后还是不能久留朝廷，被调任陇西都尉。在陇西期间，袁盎爱兵如子，士兵们都争相为他效命。不久，袁盎升任齐国丞相，后来又改任吴国丞相。

袁盎[1]是楚国人，父亲原先是强盗团伙的成员，后来移居安陵。吕后时期，袁盎做过吕禄的家臣。汉文帝的时候，袁盎的哥哥袁哙保举袁盎做了中郎。

绛侯周勃担任丞相，每次朝会结束后，都是最早退朝，非常得意。而文帝还是对他很好，恭恭敬敬地以礼相待，常常亲自送别他。袁盎看不惯，于是向文帝进言说："陛下以为丞相是什么样的人？"

文帝答："当然是国家的重臣。"

袁盎说："绛侯只能说是功臣，算不得国家重臣。什么是国家重臣呢？是能够同君主共存共亡的人。吕后在位时，吕氏家族掌权，擅自封王封侯，刘家命脉虽然没有断绝，但已经命若游丝了。当时，绛侯担任太尉，掌握兵权，却不能匡正汉室，不能扶正刘家天下。吕后去世了，大臣们一起反叛吕氏家族，太尉手上有兵权，恰好碰到这个成功的机遇，做了一件大事。所以，他只是个功臣，不是国家重臣。现在丞相有些自以为是，对君主骄矜自傲，而陛下却谦恭揖让，臣下和君主都有失礼节，我私下认为，陛下不该采取这种态度。"

后来的朝会，文帝逐渐变得庄严起来，丞相也逐渐懂得敬畏。不久之后，绛侯得知了内情，忿忿地责备袁盎说："我跟你哥哥要好，你却在朝廷上诽谤我！"

袁盎觉得自己有理，始终不肯赔礼道歉。

后来，绛侯被免除了丞相职务，灰溜溜地回到封国。有人嫉恨他，趁机上书诬告他谋反。文帝信以为真，把绛

○ 品画鉴宝

祭祀场面贮贝器（西汉）贮贝器为汉人存放贝币的容器，此器身为圆筒形，盖上铸各种动态人物一百二十七个，似为表现祭祀场面。

侯抓了起来，囚禁在牢狱里。这时候，各位公卿大臣没有一个人敢站出来，替绛侯说话，只有袁盎挺身而出，声明绛侯没有罪。最后，绛侯能够释放，主要是因为袁盎真心出力。绛侯非常感激，于是跟袁盎的关系越来越好。

淮南王刘长进京朝见，因为与辟阳侯有仇，就杀了他，杀人之后，见没有人过问，就更是飞扬跋扈，举止骄横得很。袁盎劝谏皇上说："诸侯太骄横，必然会出事，应当适当削减他们的封地和权力。"文帝觉得言重了，没有采纳他的意见。

淮南王于是更加骄横。后来，棘蒲侯柴武的太子谋反，被汉朝发觉，受到惩罚，牵连到了淮南王，皇上将他放逐到蜀郡去，用囚车传送。袁盎当时担任中郎将，进谏说："陛下向来让淮南王为所欲为，从不禁止，所以才弄到这个地步。如今又突然这样折磨他，好像不太合适。淮南王刚愎自用，从来没吃过这种苦，要是他遭受风寒死在路上，陛下就会被天下人认为是心胸狭窄的人，他们会觉得天下之大却容不得淮南王，您就会无辜落下杀弟之名！"

文帝不听。果然，淮南王到达雍地以后不久，就病死了。

文帝听到消息，不吃不喝，哭得很伤心。袁盎前来拜见，一进门就叩头请罪。文帝说："唉，都是因为没有采纳您的意见，所以才弄成这样。"

袁盎安慰他说："请皇上自己放宽心，这件事已经过去了，后悔也没有用。况且，陛下已经做了三件高出世人的大事，这件小事不足以败坏您的名声。"

文帝问："我做了哪三件高出世人的大事？"

袁盎回答说："陛下住在代国的时候，太后常年生病，陛下替母亲担忧，整整三年的时间里，晚上难以合眼，睡觉连衣服都不脱，汤药如果不是陛下亲口尝过，就不敢进奉给太后。曾参作为平民，尚且难以做到这样，可是陛下却以君王的身份做到了，要说孝顺，陛下可是远远超过曾参。吕氏家族当权时，大臣专政，天下动荡，然而陛下毅然从代国奔赴祸福未知的京城，即使是孟贲、夏育的英勇，也比不上陛下。陛下到达代王的官邸之后，五次辞让天子的尊位。想当初，许由也只不过让了一次，而陛下却让了五次，比许由多了四次。这三件，可都是大事啊！再说，陛下放逐淮南王，是想要让他吃吃苦头，迫使他改正错误，他病死，完全是因为有关人员监护得不够谨慎，这并不是您的过错啊！"

这时候，文帝才长出一口气说："好吧，那下一步应该怎么办？"

袁盎说："淮南王有三个儿子，陛下应该好好安排一下。"于是文帝把淮南王的三个儿子都封为王。从此以后，袁盎在朝廷名声大振。

袁盎时常称引大义，慷慨激昂。宦官赵同觉得袁盎太煞有介事，仰仗自己很受到文帝的宠幸，所以经常辱骂和伤害袁盎。袁盎为此感到忿忿不平，但又毫无办法。袁盎的侄儿袁种担任常侍骑，手持符节护卫在皇帝的车驾左右，也挺受皇帝重视，觉得袁盎被赵同欺负，面子上过不去，于是就劝袁盎说："您跟他斗，在朝廷上侮辱他，看他还能怎么样！"

有一次，汉文帝外出，赵同陪乘，袁盎知道了，就急忙赶去，俯伏在车前向文帝进言说："我听说，够格跟天子同坐六尺高的大车的，都是天下英豪。如今汉朝虽然缺乏人才，但陛下也不能跟受过宫刑的人同坐一辆车呀！"

文帝笑着让赵同下车。赵同没有办法，只好流着泪下车。

汉文帝从霸陵上山，然后想要纵马狂奔下山。袁盎骑着马，靠在车边挽住了马缰绳。文帝问："将军是否害怕？这有什么可怕的？"袁盎回答："我听说，家有千金的人，坐的时候，不靠近屋檐边，家有百金的人，不靠在楼台边的栏杆上。而圣明的君主呢，不在面临危险的时候心存侥幸。陛下想让六匹马飞驰下山，如果马受惊、车毁坏，那么也许陛下不当回事，但对高祖和太后怎么交代？"文帝自知鲁莽，只好承认错误。

文帝巡视上林苑，皇后和慎夫人随从。慎夫人向来很受皇上宠幸，在宫中的时候，常常跟皇后坐在同一条席子上。到了上林苑，大家就座的时候，袁盎布置座席，把慎夫人的位置安排在了皇后的后面。慎夫人发怒，不肯坐。文帝也很生气，拂袖而去。

袁盎并不慌张，而是追上去劝说道："我听说，尊卑有次序，才能上下和睦。如今陛下既然已经立了皇后，就不该让慎夫人跟她平起平坐。慎夫人只是侍妾，侍妾和主上怎么可以同席而坐呢？这样下去，就会失去尊卑的次序，以后就不好办了。再说，陛下如果宠爱她，可以重赏她嘛，用不着这样抬举她。而且，反过来说，陛下如果一直像现在这样宠爱慎夫人，弄不好会给她的将来埋下祸患。当初吕后折磨戚夫人，把她弄成'人猪'，不就是因为戚夫人太受宠幸吗？"文帝听到这里才转怒为喜，召见慎夫人，把袁盎的话告诉她。慎夫人很感激，赐给袁盎黄金五十斤。

袁盎多次直言劝谏，虽然得到大家的尊重，但最后还是不能久留朝廷，被调任陇西都尉。在陇西期间，袁盎爱兵如子，士兵们都争相为他效命。不久，袁盎升任齐国丞相，后来又改任吴国丞相。辞行的时候，袁种对袁盎说："吴王多年以来骄横放肆，国内奸臣很多。假如您到了那里还想要畅所欲言，想揭发惩治贪官污吏，那就太危险了。他们不是上书控告您，就会用利剑来刺杀您，您一定要小心哪。南方土地低洼，空气潮湿，但您如果能够每天喝点酒，也没什么。记着时常劝说吴王不要反叛。这样平平淡淡过下去，还是可以摆脱祸难的。"袁盎深表感谢，就照着袁种的意见做，得到了吴王的优待。

有一次，袁盎请假回家探亲，在路上遇到了丞相申屠嘉，就十分恭敬地下车拜见丞相，丞相没有下车，只是在车上向袁盎简单回礼。袁盎回到家里之后，觉得受到丞相怠慢，很丢面子，愧对下属。想了想，就前往丞相府，请求会见丞相。丞相耽搁了很久才接见他。

袁盎跪着说："希望能单独接见。"

丞相不耐烦："如果您所说的是公事，就到官署与长史属官商议，我会把您的意见上奏给皇上；如果是私事嘛，我不接受私下密谈。"

袁盎于是就跪着说道："您担任丞相，自己觉得跟陈平、绛侯相比怎么样？"

丞相答："我不如他们。"

袁盎说："好，您知道自己不如他们就好。陈平、绛侯辅佐高帝平定天下，当了将相，后来又讨伐吕氏家族，保全刘氏天下，功劳无人能比。而您呢，本来只是个拉得动强弓的武士，日积月累做到郡守，再做到丞相，并没有立下什么大的功劳。当今陛下贤明，每次朝会，郎官呈上奏章，他都要停下车来听取他们意见，不可采纳的就搁下来，可以接受就采用。以陛下的高贵，为什么还要这么谦虚呢？因为只有这样才能招徕天下贤士。因为皇上这样谦虚，所以他总是可以学到新东西，一天比一天圣明。而您呢，不过是个丞相，却封闭自己的视听，钳制天下人的言路，一天比一天愚昧。圣明的君主，不可能一直容忍愚昧的丞相，您要是不改改，那您的好日子可就没多少了啊！"

丞相拜了两拜说："我申屠嘉鲁莽无礼，的确太不明智，幸亏将军教诲。我一定改。"随后，热情地引领袁盎入内室同坐，奉为贵客。

袁盎向来讨厌晁错。晁错在座的地方，袁盎就离开；袁盎在座，晁错也离开。两人互相厌恶，连话都不说。汉文帝逝世之后，汉景帝即位，晁错担任御史大夫，就派官吏盘查袁盎收受吴王财物的事，量罪定刑。好在景帝开恩，袁盎才避免了刑罚，只是被贬为平民。

吴、楚两国刚刚反叛的时候，晁错对丞史[2]说："袁盎接受了吴王很多金钱，专门替他掩饰，一再说他不会反叛。可是现在吴王果然反叛了，而朝廷一点准备都没有，都是因为袁盎。应该重重惩治袁盎，他肯定知道反叛的阴谋。"

丞史说："还没有明确的证据，不能惩治他。再说，如今叛军已经打过来了，应该集中精力平叛，惩治袁盎有什么用！而且，我觉得袁盎不会像您说的那么坏。"

晁错听了，也有些糊涂了，不知道怎么处理袁盎才好。

有人把丞史和晁错的对话告诉了袁盎，袁盎非常恐惧，连夜跑去拜见窦婴，向他说明吴王反叛的原因，希望能够到景帝面前亲口对质。窦婴进宫报告景帝，景帝就召令袁盎进宫会见。晁错来到景帝面前，请求皇上让旁人回避。晁错当时也在场，不得不离开，心里面怨恨得很。等大家都离开了，袁盎就原原本本地叙述吴王反叛的来龙去脉，而且说这次反叛，都是因为晁错的缘故，只有立即斩杀晁错来向吴王谢罪，吴军才肯撤兵。景帝没有马上表态，而是派袁盎担任太常，窦婴担任大将军，为平叛出力。两人得势，各地长辈和贤人，都

争相亲附他俩，随从的车子每天都有几百辆。

等到晁错被诛杀以后，袁盎以太常的身份出使吴国。吴王想让他出任吴国的将领，袁盎不肯。吴王大怒，想杀死他，就派了一个都尉，带领五百人把袁盎围困在军中。

几年前，袁盎担任吴国丞相的时候，有个从史[3] 曾经跟袁盎的婢女私通，袁盎知道这件事，但装作不知道，也不跟别人说，对待他仍然和以前一样。有人告诉从史："丞相知道你跟他的婢女私通。赶快跑吧！"从史大惊，马上仓皇逃窜。袁盎亲自驾车追赶，把婢女赐给了他，仍旧让他当从史。

现在袁盎被困守在吴国，而当初的那个从史，刚好担任困守袁盎的校尉司马。司马不忘旧恩，就把自己的全部行装卖掉，换了二石浓酒，送给士兵喝。当时天气非常寒冷，士兵们又饿又渴，见酒就喝，西南角的士兵都醉倒了。司马趁夜深人静溜到袁盎那里，把他拉起来，说："赶快走，要不明天吴王就会杀了您。"

袁盎不相信，好奇地问："你是谁？干什么的？"

司马说："我是您以前的从史，曾经和您的婢女私通。"

袁盎这才想起来，但是辞谢说："您还有父母，我老了，不值得您帮这么大的忙。"

司马说："您尽管离开吧！我已经作好了逃亡的准备，父母也安排好了，您担忧什么！"随后，用刀割开军营的帐幕，引导袁盎从小路上逃出去，把守的士兵都喝醉了，正躺在那里睡觉，连有人从身上跨过去都不知道。

袁盎脱险之后，司马朝另外一个方向逃走。袁盎解下皇帝给的印信，藏在怀里，挂着拐杖步行七八里，天亮时，遇到了梁国的骑兵，就跟他们借了马，飞奔逃离，回到朝廷汇报。吴、楚叛军被打败以后，皇上改封楚元王的儿子刘礼做楚王，袁盎担任楚国丞相。袁盎关心政事，几次上书进言，都没有被采用。袁盎很失望，再加上身体不好，就干脆辞职回家，跟乡里人厮混，整天来往游乐，斗鸡赛狗。

　　洛阳人剧孟曾经拜访袁盎，袁盎非常友好地对待他。安陵有个富人对袁盎说："我听说剧孟是个赌徒，将军为什么要跟他交往？"袁盎不以为然地回答说："剧孟虽然是个赌徒，然而他母亲去世时，客人送葬的车子就有一千多辆，这足以说明他有超过众人的地方。再说，当今天下，能够救人急难的人不多了，不是以父母在为由，就是借口自己有事而拒绝，只有季心和剧孟不这样，而是真的能帮助人。您总是带着好几名骑士，但是您想过没有，要是真的有什么危险的事情发生，您那些人真的可以倚靠吗？"

　　接着，袁盎干脆谩骂富人有眼无珠，拒绝跟他交往。王公贵人们听说这件事，都觉得袁盎不同常人。

　　袁盎虽然在家闲居，但景帝时常派人来向他咨询国家大事。景帝曾经想把皇位传给梁王，袁盎进言劝说，景帝就打消了这个想法。梁王因此怨恨袁盎，就派人来刺杀袁盎。刺客到了关中，得知袁盎为人正直仁厚，口碑甚好，于是就扔下刀剑，直接去会见袁盎说："梁王给了我不少钱，让我来刺杀您。可是，您是个宽厚的长辈，我不忍心。但以后行刺您的还会有十多批，您要注意啊！"

　　袁盎心里很不安，家里又多怪事，就去占卜。回来的时候，遇到了另外的梁国刺客，终于被杀掉了。

相关链接

〔1〕袁盎：？—公元前148年，本名爰盎，字丝，祖上为楚人，后徙安陵（今陕西咸阳东北），游侠出身，经其兄保举而为官，历任齐、吴国相，反对削弱诸侯，被晁错以受贿罪告发，贬为庶人，因曾反对景帝让位于梁王而被梁国刺客杀死。

〔2〕丞史：即丞和史，古代为中央及地方官吏的助理官员。

〔3〕从史：即从吏，古代官员的从属小官。

晁错修改的法令有三十条，每一条都触动诸侯的利益。晁错的父亲感叹："唉！你这么做，刘家天下是安宁了，但晁家怎么办？"果然不久，皇上就召见晁错，在东市将他斩首示众。

晁错是颍川[1]人，曾经在张恢先生那里学过申不害和商鞅的刑名学说，跟洛阳的宋孟和刘礼是同学。后来，他凭着文学才能担任了太常掌故[2]。

晁错为人正直，待人待己都非常严厉。汉文帝时，全国几乎没有一个对《尚书》有研究的人，只听说济南有个伏生[3]，是以前秦朝的博士，研究过《尚书》。伏生已经九十多岁了，年老不能应征，文帝于是就下令太常派人到他那里学习。太常派晁错到伏生处学习《尚书》。回来后，晁错就根据《尚书》来劝说皇帝施行仁政。文帝很欣赏他，就诏令他先后担任太子舍人、门大夫、太子家令。晁错凭着他的博学和辩才，得到了太子等人的宠幸，太子家里人都称他为"智囊"。

汉文帝时，晁错多次上书，主张削弱诸侯势力，并且要修改相应的法令。晁错上书几十次，文帝都没有采纳，但很欣赏他的才学，提升他做中大夫。当时，只有太子赞同晁错的主张，而袁盎和各大功臣都不喜欢晁错。

景帝继位后，任命晁错为内史。晁错多次请求与景帝密谈政事，景帝总是听从。不久之后，晁错受到的恩宠超过了九卿，多次修改国家法令。

丞相申屠嘉心里不服气，但又无可奈何。当时，内史府建在太上庙外的空地里，门朝东开，进出很不方便。晁错于是就朝南开了两扇门，凿开了太上庙外空地上的围墙。申屠嘉听说后，想抓住晁错的这个过失，请求皇上诛杀晁错。晁错听到这个消息，当夜求见皇上，原原本本地向皇上说明了这件事。

第二天一早，申屠嘉上朝，趁机说了晁错擅自凿穿太上庙的围墙作门，请求景帝把他交给廷尉处死。景帝说："那不是庙墙，而是庙外空地上的围墙，不至于触犯法令。"申屠嘉知道自己晚了一步，只好谢罪。退朝后，他生气地对长史说道："我应当先斩了他再报告皇上，却非要先请示，反被这小子戏弄了，实在是失误。"申屠嘉因为这件事很憋气，终于生病死了。

晁
错
削
诸
侯

○ 品画鉴宝　彩绘俑方阵（西汉）

　　申屠嘉死后，晁错更加显贵，被提升为御史大夫。晁错向景帝陈述诸侯的罪过，请求削减他们的土地，没收他们的旁郡，以便加强刘氏的统治。景帝命令公卿、列侯和皇室集会商议这件事，没有谁敢表示反对，只有窦婴跟晁错争辩，从此与晁错有了嫌隙。

　　晁错修改的法令有三十条，每一条都触动诸侯的利益。诸侯哗然，无不痛恨晁错。晁错的父亲听到这消息，特地从颍川赶来，对晁错说："皇上刚刚就位，你执掌大权，刚刚上任，就忙着削弱诸侯，疏远人家的骨肉，所有人都埋怨你，你到底怎么想的呢？"

　　晁错回答说："不这样，天子就不受尊崇，国家也不得安宁。削弱诸侯有什么奇怪的！"

　　晁错的父亲感叹："唉！你这么做，刘家天下是安宁了，但晁家怎么办？"不久，晁错的父亲服毒自杀，死前说："大祸将至，反正都是一死，我还等什么？"死后十几天，吴、楚七国果然反叛，用的是诛杀晁错的名义。窦婴、袁盎于是进言，要求皇上诛杀晁错。皇上考虑再三，就召见晁错，在东市将他斩首示众。

晁错死后，谒者仆射邓公担任校尉，去攻打吴、楚两国叛军。回到京城之后，上书汇报军事情况，觐见景帝。

景帝问："你从军中来，有没有听说晁错死后，吴、楚两国是不是准备退兵？"

邓公回答："吴王谋反，已经酝酿几十年了，早晚都要反叛。现在他起兵，虽然以诛杀晁错为名，但他的本意并不在于晁错。您现在杀了晁错，恐怕全天下的士人都将闭口，不敢再进言了。"

景帝说："何出此言呢？"

邓公答："晁错担心，要是诸侯过于强大，朝廷就难以控制他们，所以才请求削减诸侯势力，以便尊崇朝廷。这可是为了皇室的利益啊！没想到，计划刚刚施行，他就遭到杀戮。他的死，对内让忠臣不敢说话，对外替诸侯报了仇。这件事，陛下做的可不是很恰当呀！"

景帝沉默了好久，说："您说得对，我现在也后悔了。"随后就任命邓公担任城阳中尉。

相关链接

〔1〕颍川：地名，即今河南禹州。

〔2〕太常掌故：官职名，在太常（寺）里负责掌管礼乐制度等方面的史实。太常，官名，秦称奉常，汉景帝时改为太常，为九卿之一，负责掌管宗庙礼仪及博士选拔，后代多有沿用，形成机构，称太常寺。

〔3〕伏生：即伏胜，秦汉之际济南（今山东章丘西）人，初为秦博士，专攻《尚书》，相传秦始皇焚书坑儒时，他将该书偷藏于墙壁中，至汉，废禁书令，便在齐鲁之地教授弟子，文帝派晁错前往学习。

○品画鉴宝

雄钮斧（西汉）此器鉴部饰绳纹、云纹及圆圈纹，鉴侧铸一雄鸟，仰首垂尾，作观望状。

561

皇上登车，召张释之来陪乘，缓缓前行。在车上，皇上向张释之询问秦朝的弊端。张释之一一回答。到了宫中，皇上便任命张释之做了公车令。

廷尉张释之 [1]，是堵阳县人。早年，他和哥哥张仲一起生活。张仲比较富裕，就资助他当了骑郎，侍奉孝文帝。可张释之做官做了十年都没能升迁，没有什么人知道他。张释之心里不安，自言自语道："这样做官，总有一天会耗尽哥哥的家产，唉，算了吧！"于是就想辞官回家。

中郎将袁盎知道他很贤良，舍不得他离去，就推荐张释之补任谒者缺职。张释之在朝见完毕后，就向文帝进言，谈论国家大事。文帝说："切实一点，不要太好高骛远，谈点马上就可以实行的。"于是张释之就谈论秦、汉之间的史实，如秦朝为什么灭亡和汉朝为什么兴起，等等。张释之谈了很长时间，头头是道。文帝称赞他有见识，很欣赏他，就任命张释之做了谒者仆射。

一次，张释之跟随文帝出行，登上虎圈。文帝问上林尉登记的各种禽兽档案的情况，问了十多个问题，上林尉左顾右盼，全都答不出来。当时，看管虎圈的啬夫正在旁边，就代替上林尉很详细地回答了皇上，想借对答如流来显示自己的能力。

文帝说："官吏不就应当像这样吗？上林尉无能！"于是诏令张释之任命啬夫为上林苑令。

张释之考虑了很久，然后上前说："陛下认为绛侯周勃是怎样的人呢？"

文帝说："是忠厚长者。"

张释之又再问："东阳侯张相如是怎样的人呢？"

文帝又说："是忠厚长者。"

张释之说："绛侯、东阳侯被公认为是忠厚长者，可这两个人谈论事情的时候，竟然说不出几句完整的话。凭什么让人们仿效啬夫呢，为什么非得凭着伶牙俐齿喋喋不休呢！再说，秦朝因为喜欢任用舞文弄墨的官吏，所以官吏们争着做表面文章，却无法道出内心的实情。因此，秦朝皇上听不到自己的过失，日渐衰败，到了二世，秦朝便土崩瓦解。现在如果陛下因为啬夫能言善辩就破格提升他，那么我恐怕全天下都会受到这种风气的影响，大家都会争着夸夸其谈，而没有实质内容。而且，下面仿效上面比影之随形、响之应声还要快。所以啊，皇上做什么和不做什么，可是事关重大啊！"

文帝说："你说得很对。"于是作罢，不再打算任命啬夫了。

文帝登车，召张释之来陪乘，缓缓前行。在车上，文帝向张释之询问秦朝的弊端。张释之——回答。到了宫中，文帝便任命张释之做了公车令。

不久，太子和梁王一同乘车入宫朝见，经过司马门没有下车，张释之追上来拦住太子、梁王，不让他们进殿门，并控告他们说，不在司马门下车是犯不敬罪。这件事连薄太后都听说了。

文帝脱下帽子谢罪说："我教儿子不够谨严。"薄太后于是派使者秉承诏令赦免了太子、梁王，然后他俩才得以进入。文帝因为这事，觉得张释之与众不同，就任命他为中大夫。

不久，张释之又升官至中郎将。有一次，张释之跟随文帝出行到霸陵，文帝坐在霸陵上面向北边远望。当时，慎夫人在旁边，皇上让慎夫人弹瑟，自己和着瑟的调子而唱歌，情意凄凉悲伤。伤心到极点之后，文帝就回头对群臣说："唉！拿北山的石头做外椁，用大麻、棉絮剁细塞在石椁的缝隙里，再用漆黏合起来，那就谁也打不开了吧！"

身边人都说："是。"

张释之上前说："假使那里面有能够引起贪欲的东西，那么即使禁闭起整个南山做棺椁，也还有缝隙；假使那里面没有能够引起贪欲的东西，那么即使没有石椁，也不必忧虑！"

文帝称赞张释之说得对。从那以后，文帝任命张释之为廷尉。

又有一次，文帝出行经过中渭桥 [2]，有一个人从桥下面跑出来，文帝驾车的马受了惊吓。随从捉住那人，交给张释之审问。

那人说："我是乡下人，来到这里，听到清道戒严，就藏在桥下面。过了很久，认为文帝已经过去，才出来，看到文帝的车马和仪仗队，吓得我立刻就跑。"

张释之上奏，说他犯了清道戒严的禁令，应该处以罚金。

文帝发怒说："这个人惊了我的马，亏得我的马脾性柔和，假如是其他的烈马，不就要摔伤我了吗？可廷尉却只判处以罚金！"

张释之说："法律是天子和天下人一同尊奉的。如今依法律应该这样判定，如果非要更改，随便加重处罚，那么这样的法律就不会取得

人民的信任。如果当时皇上杀了他，也就罢了。但是既然交给廷尉处理，那就必须公平。廷尉是天下公平之所在，一旦有倾斜，天下使用法律时都会任意取轻或取重，人民把自己的手脚放在哪里好呢？希望陛下明察。"

文帝沉默了半天，然后说："廷尉就应当这样。"

不久以后，有人偷了高祖庙内神座前的玉环，被捉拿到，文帝大怒，交给廷尉判处。张释之依照法律中偷盗宗庙器物的条文向皇上禀奏，奏请应当判处死刑。文帝大怒说："那人胡作非为，竟然偷盗先帝宗庙里的器物，我交给你来处理，就是想灭他的族，可是你却依据法律奏请，这不是我的本意。"

张释之脱下帽子叩头谢罪说："按照法律这样判决，其实已经够重了。斩首与灭族同是死罪，但以犯罪轻重的程度而论，有所差别。如果偷盗宗庙器物就诛杀全族，如果万一有哪个愚蠢的百姓偷挖了长陵[3]上的一抔土，陛下又怎样处罚他呢？"

文帝余怒未消，悻悻然下了朝。后来，文帝和太后谈论这事，才批准了廷尉的判决。这时，中尉周亚夫和梁国都侯王恬开看到张释之正直、公正，于是和他结为亲密朋友。张廷尉从此受到天下人的称誉。

文帝驾崩，太子即位，即景帝。张释之曾经得罪过他，怕他报复，便托称有病，想辞职离去，可又怕会招来更大的刑罚，想进

○ 品画鉴宝
圆形镶嵌云纹扣饰（西汉）此器正中嵌白色玛瑙珠，外镶孔雀石小珠及玛瑙环，背面有矩形扣。

宫谢罪，却不知会怎么样。后来，张释之听取了王先生的建议，终于觐见景帝当面谢罪，景帝没有怪罪他。

王先生擅长黄帝、老子学说，是有名的隐士。曾经被召进宫廷中，当时三公九卿都聚在一起站立着。王先生是老年人，说："我的袜子松了。"然后回头命令张廷尉："给我系好袜子！"张释之于是就跪下来给他系袜子。过后，有人问王先生："为什么偏偏在朝廷上当众侮辱张廷尉，让他跪着系袜子呢？"王先生说："我年老并且地位低贱，自料帮不了张廷尉什么忙，张廷尉是当今天下的名臣，我姑且委屈他一下，让他跪着系袜子，想借此来抬举他。"各位公卿听了，都认为王先生贤良，而更加敬重张廷尉。

张廷尉侍奉景帝一年多，后来任淮南王相。张释之去世之后，他的儿子张挚做官做到了大夫，后被免职。由于他和他父亲一样不会讨当权者欢心，所以，免职之后，一直到死也没有再当官。

相关链接
〔1〕张释之：生卒年不详，字季，南阳堵阳（今河南南阳方城县）人，西汉著名法律家，以执法严明而著称。
〔2〕中渭桥：桥名，在今陕西咸阳市东的渭水之上，始建于秦昭王时期。
〔3〕长陵：即汉高祖刘邦的陵墓，在今陕西咸阳的咸阳原上。

敢于犯上的冯唐

皇上大怒，召见冯唐责怪说："您为什么当众侮辱我，难道没有僻静的地方吗？"冯唐谢罪说："我这个粗鄙人不知道忌讳。"

冯唐 [1] 是汉代的名臣，他得以被皇帝赏识，还有一段渊源。

冯唐的祖父是赵国人。他父亲迁移到了代郡。汉朝建立后，冯家又移居安陵。冯唐以孝行出名，任中郎署长，侍奉文帝。文帝乘车经过中郎官署时，问冯唐："老人家为什么当了郎官呢？家在什么地方？"冯唐一一如实做了回答。

文帝说："我居住在代郡时，我的属下多次对我称赞赵国将领李齐的贤能，跟我讲他在钜鹿城下战斗的故事。如今我每次吃饭，都会想到李齐鏖战钜鹿的故事。老人家知道李齐这个人吗？"冯唐回答说："作为将领，他还比不上廉颇、李牧。"文帝说："为什么这么说呢？"冯唐答："我祖父在赵国时，出任官将帅，与李牧关系很好。我父亲从前当过代王的丞相，和赵将李齐友好，了解他的为人。"

文帝听了冯唐讲述廉颇、李牧的为人后，十分高兴，拍打着大腿说："唉！我偏偏得不到廉颇、李牧这样的将领，不然，现在我难道还担忧匈奴吗！"冯唐说："恕臣直言！陛下即使得到了廉颇、李牧，也不可能重用他们。"文帝大怒，愤然起身入宫。过了很久，文帝召见冯唐责怪说："您为什么当众侮辱我，难道没有僻静的地方吗？"冯唐谢罪说："我这个粗鄙人不知道忌讳。"

文帝虽然恼火，可是也拿冯唐的直言不讳没有办法。

这个时候，匈奴大举入侵朝邯，杀死了北地郡都尉孙印。皇上为匈奴入侵担心，于是又问冯唐说："您怎么知道我不会重用廉颇、李牧呢？"冯唐回答："我听说，上古时代的君王派遣将领时，要跪着推车子，说：国门以内的事，我来控制；国门以外的事，请将军来处理。将军在外，可以根据自己的意愿来赏赐手下人军功和爵位，回来再上奏朝廷。这可不是空话啊！我的祖父说，李牧担任赵将驻守边疆时，把从军中交易市场上征收的租税都用来犒赏将士，赏赐多少，由自己决定。朝廷只是交给他任务，责令他必须战胜，至于他怎么做，并不从中干预。所以，李牧才能发挥他的才智，向北驱逐单于，打败东胡，灭掉澹林，向西抑制强大的秦国，向南抗衡韩国、魏国，使得赵国几乎成了霸主。

可等到赵王迁即位，却听信郭开的谗言，诛杀了李牧，让颜聚取代他，于是军败，士兵四处逃跑，被秦国消灭。

"如今，魏尚担任云中太守时，把军市交易的税收全部拿来犒赏将士，还拿出自己的俸钱，每五天杀一次牛，宴请宾客、军吏和属官，因此匈奴躲得远远的，不敢靠近云中要塞。有一次，匈奴派重兵入侵，而魏尚带领很少的骑兵攻击他们，就大获全胜。为什么他的将士那么厉害呢？就是因为长官值得亲近，值得为他付出。那些士兵都是平民百姓的子弟，从田中来参军，哪里知道'尺籍[2]''伍符[3]'之类的军法条令。他们知道的，就是奋力作战，斩杀敌首，捕获俘虏。可是，向衙门报功时，一个字不符合，法官就依据法律来制裁他们。他们的赏赐往往不能兑现，可司法官所奉行的法令却一定要执行。我认为陛下法令太苛细，赏赐太轻，刑罚太重。比如云中太守魏尚吧，他上报斩杀敌军数目的时候，差了六个首级，陛下就交给司法官治罪，削夺他的爵位，还判了他一年徒刑。由此说来，陛下即使得到廉颇、李牧，也不能任用！"

文帝听了这番话觉得很有道理。当天就派冯唐拿着节令去赦免魏尚，让他重新任云中郡守，而任命冯唐为车骑都尉，掌管中尉和各郡、国的车兵。

汉文帝后元七年（公元前156年），景帝即位，任命冯唐为楚国的国相，后被免职。武帝即位，诏求贤良人材，推举冯唐。冯唐当时九十多岁，不能再做官，就让冯唐儿子冯遂任郎官。冯遂字王孙，也是才能出众的人。

〇 品画鉴宝
灰陶加彩乐舞杂技俑（西汉） 这是一件陶塑组雕，成功塑造了二十多个人物群像，突出了乐舞主题和杂技的高难度技巧。

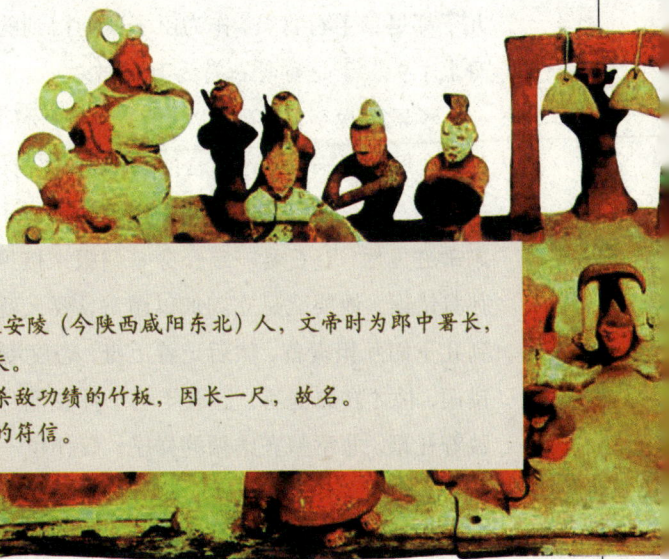

相关链接
〔1〕冯唐：生卒年代不详，西汉安陵（今陕西咸阳东北）人，文帝时为郎中署长，曾指出其"轻赏重罚"之失。
〔2〕尺籍：古代军中用来记载杀敌功绩的竹板，因长一尺，故名。
〔3〕伍符：古代军中各伍互保的符信。

恭敬孝道的万石君

万石君，原名石奋，文帝时当了太子太傅，景帝时担任九卿。孝景帝晚年，万石君以上大夫的身份回家养老，每年定期回来参加朝会。每次回来，经过皇宫的门楼，一定下车快步走；看到皇上所乘的马车，一定会俯身按着车前横木表示敬意。他的子孙做小官，回家来进见他，万石君一定会穿着朝服来接见，不称呼名字。

万石君 [1] 原来叫石奋。他的父亲是赵国人，赵国灭亡后，石家迁居到温县 [2]。高祖向东攻打项籍时，经过河内，当时石奋才十五岁，做小官，侍候高祖。高祖和他谈话，很喜欢他的恭敬，问他说："你家还有什么人？"

石奋回答说："我家里贫穷，上有母亲，不幸双目失明；还有一个姐姐，擅长弹琴。"

高祖说："你能跟随我吗？"

石奋说："愿意尽力效劳。"

于是高祖召他姐姐前来，封为美人，让石奋任中涓 [3]，兼管传达，把他家迁到长安城里的戚里。孝文帝时，石奋已经当上了中大夫。他没有文才学问，但恭敬谨严没人能比得上。

文帝的时候，太子太傅张相如被免官，到处选拔可以担任太子太傅的人，大家都推举石奋，于是石奋当了太子太傅。孝景帝即位后，用他担任九卿。后来，石奋和皇上的关系太过于亲近了，景帝有点顾忌，就调开石奋，让他做了诸侯国相。石奋的四个儿子，因为品行善良，孝敬父母，办事谨严，全都做了二千石的大官。于是景帝说："石君和四个儿子都是二千石官员，作为臣子所能得到的尊贵，竟然都集中在他一家身上了！"于是称呼石奋为万石君。

孝景帝晚年，万石君以上大夫的身份回家养老，每年定期回来参加朝会。每次回来，经过皇宫的门楼，万石君一定下车快步走；看到景帝所乘的马车，一定会俯身按着车前横木表示敬意。他的子孙做小官，回家来进见他，万石君一定会穿着朝服来接见，不称呼名字。如果哪位子孙有错误，他要么是立刻加以谴责，要么就静静地坐着，拒绝吃饭。直到儿子们互相责备，然后光着上身，态度虔诚地来谢罪，并且保证改正错误，他才转怒为喜。已成年的子孙在他身边，即使平常在家，也一定戴着礼帽，非常整齐肃穆的样子。奴仆也一派恭敬和悦，特别谨慎。景

帝经常给他家赏赐食物，每次他都是跪下叩拜，俯伏着吃，好像景帝就在眼前一样。子孙遵循他的教导，也和他一样。万石君一家凭着孝敬谨严而闻名于各郡各国。即使齐、鲁等地的儒生，也自愧不如。

武帝建元二年（公元前139年），郎中令王臧因为推行儒学而犯罪。皇太后认为儒生夸夸其谈而缺少实质内容，不如万石君一家不多说话而身体力行，就让他的长子石建任郎中令，小儿子石庆任内史。

万石君身体好，他的儿子石建头发花白的时候，万石君却还非常健康，一点病都没有。石建任郎中令，每五天休假一次，每次都要回来拜见父亲。回来之后，总是偷偷拿来父亲的内裤和溺器，亲自洗好，再放回原处，不敢让万石君知道。石建当时任郎中令，像父亲一样说话谨慎，在朝廷上就好像不会说话一样。因此皇上更加尊敬他们，非常礼貌地对待他们。

万石君晚年迁居到了陵里。有一次，内史石庆喝醉了回家，进入外门没有下车。万石君知道后，气得不吃饭。石庆很害怕，就光着上身去请罪，万石君就是不原谅他。最后，石庆带着全族人，还有哥哥石建，都去请罪，万石君责备说："内史是显贵的人，进入乡里，乡里的长辈都走开回避，而内史坐在车中自得其乐，太不应当了！"从此以后，石庆和众子弟进入里门，都快步赶回家中，不敢麻烦别人。

万石君在元朔五年（公元前124年）去世。他的长子郎中令石建痛哭哀悼，扶着杖才能走路。一年多后，石建也去世了。

万石君的众子孙都有孝行，可是石建最突出，甚至超过了万石君。

石建任郎中令的时候，曾有一次上书奏事，文件批下来之后，石建仔细阅读，突然害怕地说："哎呀，我写错字了！'马'字下面应该有

五个点，可我只写了四个点，少了一个点。要是皇上发现，那我可就该死了！"越说越害怕，由此可见他做事的谨慎。

万石君的小儿子石庆任太仆，驾车外出，皇上问他驾车子的有几匹马，石庆用鞭子逐一数完马后，才举起手说："六匹马。"石庆在各位儿子中是最随便的了，但还是这样认真。石庆任齐国相，全齐国的人都仰慕他们家的品行，他们根本就不用发号施令，就把齐国治理得太太平平。大家敬佩他，还替他建立了石相祠。

元狩元年（公元前122年），武帝设立太子，选拔群臣中可以做太子老师的人，石庆从沛郡太守调任太子太傅，七年后升为御史大夫。

元鼎五年（公元前112年）秋天，丞相犯罪，被免官。皇上有制书诏告御史说："万石君不是一般人，先帝非常尊重他。他的子孙有孝行，也不同凡响，应该让御史大夫石庆任丞相，封为牧丘侯。"

当时，朝廷正在四面出击，南面征讨南越、东越，东边攻打朝鲜，北边驱逐匈奴，西边讨伐大宛[4]；同时，国内也是动荡不安。国家财

政短缺，桑弘羊等人就开辟财源，王温舒之流就推行严苛的法律，而兒宽等人推崇文才学术，得到皇帝的赏识，也做到了九卿之官；这些人都是当时国家真正的权臣，交替当权，事情实际上并不由丞相来决定。所以，在那个时候做丞相，忠厚谨慎最为适宜。石庆在职九年，没能够发表什么匡正时弊的言论，也没做成什么大事。他曾经请求皇上惩办大臣所忠、九卿咸宣的罪行，但没能让他们服罪，自己反而因此获罪，后来用钱赎了罪，才得以脱身。

元狩四年（公元前119年），关东有二百万流民，没有户籍的人有四十万。公卿大臣们议论纷纷，都觉得应该把流民迁移到边疆，以此作为对他们的处罚。武帝听了，觉得这种做法对流民太不公平，很不应该，所以非常生气。他认为丞相年老谨慎，不会参加这样的议论，就赐丞相休假回家，然后就开始查究那些议论纷纷的大臣。

丞相回家之后，为不能胜任职守而深感惭愧，于是上书说："我有幸得以担任丞相，但才能低下，没有能力来治理国家，弄得全国仓库空虚，百姓流离失所，按罪应当处死。但皇上仁慈，不忍心惩罚我。希望归还相印，希望能让我告老还乡，给贤能的人让路。"

天子说："粮仓已经空了，百姓已经跑了，可你却要辞去职位，你想把危难推给谁呢？"石庆十分惭愧，只好重新处理政事。

石庆办事谨慎，可是没有什么雄才大略，也没有能力替百姓说话。

太初二年（公元前103年），丞相石庆去世，被赐号为恬侯。石庆的二子石德做了石庆的继承人，接替侯爵。石德担任太常的时候，犯法应当处死，后来赎罪免死刑降为平民。

当初，石庆担任丞相的时候，他的子孙都像他一样严谨而踏实，做大官的有十三人。石庆死后，这些人大多因为犯罪而被免官，这样一来二去，孝敬、谨严的家风就慢慢衰落了。

相关链接

〔1〕万石君：石奋父子五人为官，被汉景帝称为"万石君"，后人多用此指一家中有多人做官者。

〔2〕温县：县名，始置于汉，在今河南温县。

〔3〕中涓：官职名，为君主亲近的侍从官，后用来指帝王亲信。

〔4〕大宛：中亚塞族人古国名，位于帕米尔高原西麓，今乌兹别克斯坦费尔干纳地区，汉朝时以出产名马而闻名。

卫绾做官，一般只是照章办事，勤勤恳恳，但是才能一般。他从开始做官一直到做丞相，从来都没有过什么出奇的提议。但天子认为他诚实宽厚，可以辅佐少主，所以尊重他，给他的赏赐非常多。

建陵侯卫绾[1]是代郡大陵人，最初因为善于驾车而当了郎官[2]，侍奉文帝，后来因为连续立功而升为中郎将，虽然没有别的才能，但忠厚谨严超过一般的大臣。

孝景帝做太子的时候，曾经招呼文帝身边的人一起饮酒，而卫绾托称有病没有来，太子心里多少有些不高兴。文帝快要驾崩时，嘱咐孝景帝说："卫绾是忠厚人，你可要好好待他。"不久，文帝去世，景帝即位，虽然心里还是有些责怪卫绾，但是没有说出来。卫绾非常感激，工作上更加谨慎勤力。

有一次，景帝要去上林苑，命令卫绾陪同乘车，回来时问道："你知道为什么能陪同我一起乘车吗？"

卫绾答："我只知道踏踏实实地做事，但是不知道为什么能受到这样的重视。"

景帝接着问道："我做太子时召你来，你不愿意来，为什么？"

卫绾回答："臣死罪，不过我确实是生病！真的是生病！"

景帝看他一脸真诚，相信了他，从此才真正原谅了他。过后不久，景帝赐给他宝剑作为奖赏。卫绾拒绝说："先帝赐给我的宝剑，已经有六把，我不敢再接受了。"景帝问到："很多人都喜欢宝剑，你多了就可以用来交换和买卖呀，难道你的宝剑一直留到了现在？"

卫绾说："都在。"

景帝让他拿来那六把宝剑，宝剑还在鞘中，没有使用过。景帝大为感动。

卫绾严于律己，宽以待人。很多时候，郎官们犯了错，都是由卫绾来顶罪承担，从不与他们争辩；而自己有了功劳，他却常常让给别的中郎将。景帝认为他廉洁公正，忠厚而没有什么诡计，就任命他为河间王太傅。吴、楚造反时，景帝命令卫绾任将军，率领河间的部队攻打吴、楚，卫绾杀敌有功，被任命为中尉。三年后，又因军功，被封为建陵侯。

第二年，景帝废弃太子刘荣，准备诛杀太子党羽栗卿等人。景帝认为卫绾太忠厚，要是让他去诛杀栗卿，他肯定不忍心，于是就赐他休假回家，而派郅都逮捕栗卿，杀了他全家。事情完结后，景帝立胶东王做太子，征召卫绾，任命他为太子太傅。过了几年，卫绾升为御史大夫。再过了五年，取代桃侯刘舍升任丞相。

卫绾做官，一般只是照章办事，勤勤恳恳，但是才能一般。他从开始做官一直到做丞相，从来都没有过什么出奇的提议。但天子认为他诚实宽厚，可以辅佐少主，所以尊重他，给他的赏赐非常多。

卫绾担任丞相三年之后，景帝驾崩，武帝登位。建元年间，武帝发现各地官署里的很多囚犯都是无辜的，认为是卫绾的过错，觉得他根本就不称职，于是免了他的官。

卫绾去世后，儿子卫信继袭侯爵，卫信由于助祭献金不合规定而失去了侯爵，从此卫家成了平民。

相关链接

〔1〕卫绾：生卒年代不详，代国大陵（今属山西）人，西汉大臣，初以善于驾车而为官，历任中郎将、御史大夫等职，最后官至丞相，为人忠厚，但在政治上无甚作为。

〔2〕郎官：即侍郎、郎中等职，为帝王亲近侍从官员。

神医扁鹊

扁鹊对中庶子说："请告诉国君，说我是齐国渤海秦越人，家在郑地，没有机会望见国君的神采很遗憾。听说太子不幸而死，我能让他活过来。"

扁鹊是齐国渤海郡郑地人，原名叫秦越人。扁鹊早年在一家客馆里做主管。当时有个叫长桑君[1]的客人经过这里时，扁鹊感到他是个很奇特的人，就一直很谨慎恭敬地对待他。长桑君也知道扁鹊不是一般的人。他在这家客馆里出出进进了有十多年，一天，他叫扁鹊单独来坐，两个人私下聊了一会，长桑君悄悄地告诉扁鹊说："我年纪大了，恐怕活不久了，我有一个秘方，想传给您，希望您不要泄露出去。"

扁鹊说："我一定恭敬照办。"

于是长桑君从怀中取出一包药递给扁鹊说："用没有落地的露水来喝下这药，三十天以后就能洞察一切事物了。"

扁鹊接过了药方，忽然之间，长桑君就不见了，大概他原本就不是凡人吧。

扁鹊照他的话服药三十天后，就能隔着墙壁看见另一边的人。他据此来看病，完全看得见人的五脏疾病所在，只是以诊脉为名罢了。他行医有时在齐国，有时在赵国。在赵国的时候就名叫扁鹊，扁鹊原来是上古时代的一位医生。秦越人比上古的那位扁鹊晚生了两千多年，只是因为他治病的本领特别大，人们都尊他为"扁鹊"。后来大家都叫他扁鹊，他原来的名字秦越人，反倒很少有人知道了。

那时，众大夫的势力非常强大，但国君宗族的力量很弱小，晋国的赵简子是大夫，独揽国家大事。有一次赵简子生了病，五天不省人事，大夫们都很害怕，于是召来扁鹊。扁鹊进来看了病人一眼，就走出去了，大夫董安追上来问扁鹊，扁鹊说："他的血脉正常，你们大家不要惊怪！以前秦穆公也曾经这样，七天以后才苏醒。

"苏醒的那天，他告诉公孙支和子舆说：'我到了天帝那里，十分快乐。我待了那么久，是因为正碰上天帝要指教我。天帝告诉我，晋国将要大乱，五代都不得安宁。之后将有人成霸主，称霸不久就会死去。霸主的儿子将使他们的国家男女淫乱。'公孙支把这些话记下来收藏好，秦国史书也根据这些记录记载了这件事。晋献公的淫乱，晋文公的称霸，而晋襄公在打败秦军后的放纵淫乱，这些都是您听说过的。如今你

们主君的病和他相同，不超过三天一定痊愈，痊愈后必定有一些话要对你们说。"

过了两天半，赵简子果然醒了，他告诉众大夫说："我到了天帝那里，十分快乐，和百神在天的中央游玩，听着各种乐器奏着许多乐曲，看着各种各样的舞蹈，不像上古时代的乐舞，乐声动人心弦。有一只熊想抓我，天帝命令我射杀它，我就把它射死了，又有一只罴走过来，我又射中了罴，罴也死了。天帝十分高兴，赐给我两个竹筒，里面装有首饰。我看见我的儿子在天帝的身边，天帝把一只翟犬交给我，说：'到你儿子长大后，把这个赐给他。'天帝还告诉我：'晋国将要一代一代地衰落，过了七代就灭亡。秦国将在范魁的西边大败周人，但他们也不能占据那个地方。'"

董安于听了这些话，记录下来收藏好。有人把扁鹊的话告诉赵简子，赵简子惊异叹服，赐给扁鹊四万亩田地。

后来扁鹊经过虢国。正逢虢国太子病死，扁鹊到虢国宫门前，问喜好方术的中庶子[2]说："太子患了什么病，怎么国中都在举行祝祷，别的事情都放下了？"

中庶子说："太子患了气血不和的病症，气血运行交错违逆而不能宣泄，突然发作出来，就造成内脏受伤害。正气不能抑制邪气，邪气积聚而不能发散，因此阳脉松弛而阴脉拘急，所以突然昏倒死去了。"

扁鹊说："他死了多少时候了？"中庶子说："从鸡叫时到现在。"扁鹊说："入殓了吗？"中庶子说："还没有，他死了还不到半天。"

扁鹊说："请告诉国君，说我是齐国渤海秦越人，家在郑地，没有机会望见国君的神采很遗憾。听说太子不幸而死，我能让他活过来。"

中庶子说："先生该不会是胡说吧？凭什么说太子可以活过来呢？我听说上古的时候，有位名医叫俞跗，治病不用汤药酒剂、石针导引、按摩药熨，一察看就能发现疾病的所在，顺着五脏的腧穴，就能剖开肌肉，通导经脉，结扎筋腱，按髓脑，触膏肓，疏理隔膜，清洁肠胃，洗涤五脏，炼精气，换形体。先生的医术能这样，那么太子就可复活了；不能这样，而要让太子复活，那简直连刚刚会笑的婴儿都骗不了。"

听了这话，扁鹊仰天长叹说："先生说的那些医疗方法，就像从竹管里看天，从缝隙里看花纹。我秦越人的医疗方法，不需切脉理，看气色，听声音，察形态，就能讲出病症之所在。知道疾病的外在表现就能推知内在的原因，知道疾病的内在原因就能推知外在表现。人体有病会从外表反映出来，据此可以诊断一千里外的病人，我决断的方法很多，不只停留在一个角度看问题。您认为我的话是不真实的，您试试进去诊察太子，会听到他耳有鸣响，看到他鼻翼翕动，沿着他的两腿直到阴部，会觉得还是温热的。"

中庶子听了扁鹊的话，眼睛一眨不眨，舌头翘着放不下，就把扁鹊的话进去告诉了虢君。虢君听了后大惊，出来在宫廷门楼前接见扁鹊，说："听到您崇高的品德已经很久了，可是没有机会拜见您。先生经过我们小国，希望能救助我们，偏僻小国的寡臣我真是十分荣幸，有了先生，太子就能活了；没有先生，太子就只能抛尸野外，填塞溪谷，永远不能回来。"话没说完，虢君就悲痛得气满郁结，涕泪纵横，悲痛得控制不住自己，连容貌神情都变了。

扁鹊说："像太子这样的病，就是所谓的'尸蹶'。因为阳气进入阴脉，脉气缠绕冲动了胃，经脉受损伤脉络被阻塞，分别下注入三焦、膀胱，因此阳脉下坠，阴脉向上争扰，会导致气闭而不通，阴气上争扰而阳气内行，下气在内鼓动而不能运行，上气外绝而不为役使，上面有隔绝了阳气的脉络，下面有破坏了阴气的筋纽，这样阴气破坏、阳气隔绝，就会使人的面色衰败、血脉混乱，所以人的身体会安静得像死去的样子。太子实际上没有死。因为阳入袭阴而阻绝脏气的能治愈，阴入袭阳而阻绝脏气的必死。这些情况，都是五脏气机逆乱致病时突然发作的。精良的医生能治愈这些病，拙劣的医生因为困惑往往使病人陷入危险的境地。"

扁鹊于是让他的弟子子阳磨制针石[3]，用来针刺三阳（太阳、少阳、阳明）、五会（百会、胸会、听会、气会、糯会）等经络的穴位。过了一会儿，太子就苏醒了。扁鹊又叫弟子用能入体五分的药熨和药剂一起煎煮后交替在两胁下熨治。过不多久，太子已经能够坐起来了。扁鹊再进一步调和阴阳，太子只服用了二十天的汤药就完全复原了。天下人都认为扁鹊是一位能起死回生的神医。扁鹊说："我秦越人并不是能够使死人复活，其实他本来没有死去，我只是能使他起来罢了。"

扁鹊经过齐国，进入宫廷拜见桓侯，说："您有小病在皮肤与肌肉的交接处，如果现在不治疗，病情将要加重。"齐桓侯说："我没有病。"

扁鹊出去之后，桓侯对身旁的人说："医生喜好功利，想拿医治没病的人来显示功绩。"

五天以后，扁鹊又来拜见，说："您的病在血脉里，如果现在不医治将会更加严重。"桓侯不高兴地说："我没有病。"扁鹊走了出去，桓侯很不高兴。

又过了五天，扁鹊又来拜见，对桓侯说："您的病在肠胃之间，如果现在不加治疗将会更加严重。"桓侯不理睬他。扁鹊走后，桓侯更不高兴了。

又过了五天，扁鹊还来拜见，这次扁鹊一眼望见桓侯，转身就跑。桓侯觉得很奇怪，就派人去追扁鹊，问他为何这样。

扁鹊说："病在皮肉之间的时候，汤剂、药熨的效力就能达到治病的目的；病在血脉中，靠针刺和砭石的效力就能达到治病的目的；病在肠胃中，药酒的效力就能达到治病的目的；病入骨髓，就是掌管生命的神也对它没有任何办法了。现在病入骨髓，我因此不敢请求为他治病了。"

五天以后，桓侯一病不起，派人去召扁鹊，扁鹊已经逃离了齐国。桓侯于是就病死了。

扁鹊的美名传扬天下。他经过邯郸，听说当地尊重妇女，就做妇科医生；经过洛阳，听说洛阳人敬爱老人，他就做治疗耳、目、鼻病的医生；他来到咸阳，听说秦国人爱护小孩，就做小儿科医生；随着各地的风俗需要而改变自己的医治范围。秦国的太医令李醯，自己知道医技不如扁鹊，派人刺杀了他。到现在天下讲论诊脉治法的人，都是遵循扁鹊的理论。

相关链接
〔1〕长桑君：生平事迹已不可考，相传为战国时期神医，以秘方传于扁鹊，又以药授其饮服，于是扁鹊不但医术精湛，而且看病时能透视人体五脏六腑。
〔2〕中庶子：官职名，战国时期为君主、太子等的侍从官员。
〔3〕针石：古代用砭石制成的石针，可作为针灸针刺工具。

太仓公年轻的时候，很喜欢医术。高后八年，他又向同郡元里的公乘阳庆专门学习医术。学了三年后，他给人家治病，判断死生，很多都应验了。

太仓公 [1] 原是齐国都城里一个管理粮仓的长官，他是临淄人，姓淳于，名叫意。淳于意年轻的时候，很喜欢医术。高后八年时，淳于意又向同郡元里的公乘阳庆专门学习医术。阳庆是个七十多岁的老人，没有儿子。他让淳于意把他自己以前学过的医书全部扔掉，再把自己的秘方全部交给他，并传授给他黄帝、扁鹊的脉书，以及观察面部不同颜色来诊病的方法，以此了解病人的生死，判断疑难病症，决定能否医治，并有关于药物的理论，这些理论全都十分精辟。

学了三年后，淳于意给人家治病，判断死生，很多都应验了。可是他往来于各诸侯国之间行医求学，经常不在家，有时不愿给人治病，因此许多病人都怨恨他。

文帝四年中，有人给朝廷上书，控告淳于意，根据罪行，应该用传车 [2] 将他押解向西到长安。淳于意有五个女儿，都跟随着哭泣。淳于意大怒，骂道："生孩子不生男的，在危急关头没有可用的人！"小女儿缇萦 [3] 听了父亲的话，很伤感，就跟随父亲西行到了长安。她上书朝廷说："我父亲是官吏，齐国人民都称赞他的廉洁、公正，如今犯法被判刑。我十分痛心死的人不能再生，而受刑致残的人不能再康复，即使想改过自新，那也无路可行。我愿意自身没入官府做奴婢，来赎我父亲的罪刑，使他能够改过自新。"

缇萦的上书被汉文帝看到，文帝怜悯她的心意，赦免了淳于意，这一年中也废除了肉刑。

淳于意在家时，有诏书下来，问前太仓长臣淳于意："您对于医术有什么专长，能治愈什么病？有没有医书？都是在哪里学的医术？学了多长时间？曾治好的病人，都是什么地方的人？他们都得了什么病？医治用药后，病情都怎么样？请详细具体地讲一讲。"

淳于意回答说：

"我从年轻时起，就很喜欢医术，试着用医术方剂给人看病，有很多没有效验。到高后八年，有幸向临淄元里的公乘阳庆学习。那时阳庆七十多岁，我得以拜见侍奉他。他对我说：'把你所学的医书全部扔掉，

579

这些是不对的。我有古代先辈医家传下来的黄帝、扁鹊的脉书，以及观察面部颜色的不同来诊病的方法，了解人的生与死，判断疑难病症，决定能否医治，还有药物理论的书，全都十分精辟。我家中给用富足，没什么好牵挂的，我心里很欣赏您，想把我的秘方书全都教给您。'

"我马上说：'太幸运了，这真不是我敢奢望的。'我立即离开座席拜了两次。从此，我跟随老师学习他的《脉书》《上经》《下经》《五色诊》《奇咳术》《揆度阴阳外变》《药论》《石神》《接阴阳》等秘书和医术，学习理解并体验，大约花了一年时间。第二年，我就开始学以致用了，虽然有效，但还不算精到。我一共向他学习了三年左右，我曾经治过的病人，诊治病情判断生死的，都有效验，已达到精良的地步。如今阳庆已死了十年左右，我曾向他学习了三年，现在我已经三十九岁了。

"齐国有位名叫成的侍御史说自己有头疼病，我给他诊脉，告诉他说：'你的病很严重，一时无法解说清楚。'出来后，我单独告诉成的弟弟昌说：'这是疽病，在肠胃里面发生，过五天后就会发肿，过八天后就会吐脓血而死。'成的病是饮酒后行房事引起的。成果然如期而死。我知道成的病情，因为我切他的脉时，切得出他肝脏里有病的脉气。肝气重浊而平静，这是内里严重而外表不明显的疾病。

"脉象理论上说：'脉长而像弓弦一样挺直，不能随四季的变化而更替，这是病在肝脏。脉虽长而直硬却均匀的，是肝的经脉有病，出现了时疏时密躁动有力的代脉，就是肝的脉络有病。'肝的经脉有病，脉均匀的，他的病得自于筋髓里。脉象时疏时密、一会儿停止一会儿有力，这种病得自于酒色过度。

"我之所以知道五天后会有毒疮肿起，八天后他会吐脓血而死，是因为切他的脉时，少阳经络的脉位开始出现代脉。代脉的出现，说明少阳经脉得病后，进而发展到了少阳络脉。代脉是经脉生病，病势遍及全身，患者就有生命危险。络脉出现病症，这时，在左手关部一分处出现代脉，这是热积郁体中而脓血未出，到了关上五分处，就到了少阳经脉的边界，到八天后会吐脓血而死，所以到了关上二分处会产生脓血，到了少阳经脉的边界就会肿胀，

○品画鉴宝

漆绘人物禽兽纹奁（西汉）此器如竹筒，直壁，圈足。器身纹饰分四段，每段各自构成一个完整的画面，线条流畅洗练，人物形态生动自然。

其后疮破脓泄而死。当初内热就熏灼着阳明经脉，并灼伤络脉的分支，络脉病变就会经脉郁结发肿，经脉郁结发肿后就会糜烂离解，所以络脉之间交互阻塞。热邪上侵头部，头部受到侵扰，因此他会头疼。

"齐王二儿子的男孩生病，召我去切脉诊治，我告诉他说：'这是气膈病。这种病使人烦闷，吃不下饭，经常呕吐涎沫。这种病产生于心情忧郁，使人常常厌食。'我立即给他开了下气汤饮服，服药一天，膈气下消，两天后他就能吃东西，三天后就病好了。

"我之所以知道这男孩的病情，是因为我诊他的脉时，诊到心有病的脉气，脉象浊重急躁，这是阳络病。脉象理论说：'脉达于手指时壮盛迅速，离开指下时艰涩而前后不一，病在心脏。'周身发热，脉气壮盛，称作重阳，阳热过重，就扰乱心神，所以心中烦闷，吃不下东西，就会络脉有病，络脉有病就会血从上出，血从上出的人就会死亡。这是内心伤悲所引起的，病得自于忧郁。

"齐国有个名叫循的郎中令生病了，许多医生都认为是逆气进入胸腹，主张用针刺治疗。我诊治后，说：'这是涌疝，这病使人不能大小便。'循说：'不能大小便已经三天了。'我用火剂汤给他服用，服了第一剂就能大小便，服第二剂大小便就很畅通，服了第三剂后，病就好了。他的病是由房事引起的。我在切他的脉时，发现他右手寸口的脉象很急迫，脉象反映不出五脏患有疾病，右手寸口脉象壮盛而快。脉快是中焦、下焦热邪涌动，他的左手脉快是热邪往下流，右手脉快是热邪上涌，都没有五脏病气的反应，所以说是'涌疝'。中焦积热，所以尿是赤红色的。

"齐国有一位名叫信的中御府长生病，我入室为他切脉，告诉他说：'这是热病的脉气。可是暑热多汗，脉稍衰，不致于死亡。'又说：'这个病是得自于正在流水中洗浴时，感到非常寒冷，寒冷止后就开始发热。'信说：'对，是这样的！去年冬天，我为齐王出使楚国，走到莒县阳周水边，看到莒桥坏得很严重，我就揽住车辕不想过河，谁知马受了惊，坠到了河里，我也落入水中，差一点儿淹死。官吏马上把我从水中救出来，衣服全湿透了，我感到身上一会儿发冷，一会儿又发热，像着了火，到现在还不能受寒。'我立即为他开了液汤火剂退热，服一剂后就不再出汗了，服第二剂热退去了，服了三剂病就好了。他服药大约有二十天，身体完全恢复了。

"我知道信的病情，是因为我切他的脉时，发现他的脉象属于'并

581

阴脉'。脉象理论说：'内热、外热错乱交杂者死。'我切他的脉时，没有发现错乱交杂的现象，但都是并阴脉。并阴脉，脉状顺的能用清理的方法治愈，热邪虽没有完全消除，仍能治好保住性命。我诊知他的肾气有时重浊，在太阴寸口依稀能切到这种情形，那是水气。肾本是主管水液运行的，所以由此知道他的病情。如果一时失治，就会转变成寒热病。

　　"齐太后生病，召我入宫去诊脉，我说：'是风热侵袭膀胱，大小便困难，尿色赤红的病。'我用火剂汤给她服下，服一剂就能大小便，服两剂病就好了，尿色和以前一样。这种病得自于解小便时着凉，也就是脱掉衣服之后因汗水被风吹干而着凉的。之所以知道齐太后的病情，是因为我给她切脉时，发现太阴寸口湿润，这是受风的脉气。'脉象理论说：'脉象用力切脉时大而坚实有力，轻轻切脉时大而紧张有力，是肾脏有病。'但我在肾的部位切脉，情况相反，脉象粗大躁动。粗大的脉象是显示膀胱有病；躁动的脉象显示中焦有热，而尿色赤红。

　　"齐国章武里的曹山跗生病，我给他诊脉，告诉他：'这是肺消瘅，加上寒热证。这种病必死，无法医治。适当地进行调养就可以了，这已经不能再治了。'理论上说：'这种病三天后会发狂，乱走乱跑，五天后就死。'后来他果然如期死去。山跗的病得自于大怒之后行房事。我所以知道山跗的病，是因为我切他的脉时，从脉象上发现他有肺气热。脉象理论说：'脉来不平稳不鼓动的，身形羸弱。'这是五脏从上到下多次患病的结果，所以我切脉时，发现他的脉状不平稳，而且有代脉的现象。脉不平稳的，是血气不能归藏于肝；代脉，经常杂乱并起，有时浮躁，有时宏大。这是肺、肝两络脉断绝，所以说是死而不治的病。之所以加上有寒热证，是说他精神涣散，躯体如尸。精神涣散躯体如尸的人，身体就羸弱；身体羸弱，不能用针灸的方法，也不能服药性猛烈的药。

　　"我还没去诊治的时候，齐国太医已先诊治他的病，在他脚上的少阳脉口给他针灸，而且让他服用半夏丸，病人马上下泄，腹中虚弱；又在他的少阴脉针灸，这样便重伤了他的肝筋阳气。像这样一再损伤病人的元气，因此我才说它是加上寒热症。此外，之所以说他三天之后就会发狂，是因为肝的络脉横过乳下与阳明经相连结，所以络脉的横过使热邪侵入阳明经脉，阳明经脉一旦受伤，人就会疯狂奔跑。过五天后就死，是因为肝心两脉相隔五分，肝脏的元气五天就耗尽了，元气耗尽人就死了。

　　"齐国的中尉潘满如小腹疼痛，我给他诊脉，说：'这是腹中的气体遗留，积聚成了瘕症。'我就对齐国一位名叫饶的太仆、一位名叫繇的内史说：'中尉如再不自己禁止行房事，就会在三十天之内死去。'过了二十多天，他就尿血而死。他的病得自于酗酒后行房事。我之所以知道他的病，是因为我发现他的脉象深沉小弱，这三种情形合在一起，是脾有病的脉气。而且右手寸口脉脉象来得紧而小，显现了瘕病的现象。两种脉气互相制约影响，所以三十天内会死。太阴、少阴、厥阴三阴脉一齐出现，符合三十天内死的规律；三阴脉不一齐出现，决断生死的时间会更短；交会的阴脉和代脉交替出现，死期还短。所以一旦他的三阴脉同时出现，就像前面说的那样，会尿血而死。

"阳虚侯的丞相赵章生病，医生们都认为是寒气进入体内，我给他诊脉，说：'是迵风病。'患有迵风病，饮食咽下后，总是呕出或泻出来，不能被消化吸收。理论上说：'五天就死。'后来他过了十天才死。他的病是因为饮酒过多。我为他切脉时，发现他脉滑，这属于内风病的脉。饮食下咽喉而总是呕出不留的，医理上说五天就死，这是前面说的分界法。后来十天才死，是因为这个病人酷爱喝粥，所以胃中充实，胃中充实才能过期而死。我的老师说：'能容纳水谷的，过期才死，不能容纳水谷的，死期不到就会死。'

"济北王生病，叫我去给他诊脉，我说：'这是风厥，胸部烦闷。'就为他调制药酒，喝了三石，病好了。他的病是因为出汗时躺在地上。之所以知道济北王的病，是因为我切他的脉时，感到风邪的脉，心脉重浊。依照病理'病邪进入人体肌表，体表的阳气就会耗散，而寒气侵入。'寒气内盛就往上逆，而阳气下流，所以他会胸闷。之所以知道他是出汗时躺在地上而引起的病，是因为切他的脉时，脉气有阴邪。出现这种脉，必然是病已入里，用药酒治疗时，寒湿之气会随着汗液排出来。

"齐国北宫司空的夫人出於生了病，许多医生都认为是风气入体内，主要是肺有病，就针刺她的足少阳经脉。我诊她的脉，说：'这是疝气病，疝气影响膀胱，大小便困难，尿色赤红。这种病遇到寒气就会遗尿，使人小腹肿胀。'她的病得自于想解小便又不能解，接着行房事。我之所以知道出於的病，是因为我给她切脉时，发现她的脉象大而有力，但脉来的艰难，那是厥阴肝经有变动。脉来艰难，那是疝气影响膀胱。小腹所以肿胀，是因为厥阴络脉结聚在小腹，厥阴脉有病，和它相连的部位也会发生变化，这种变化就使得小腹肿胀。我就在他的足厥阴肝经施灸，左右各灸一穴，就不再遗尿而尿清，小腹也止住了疼痛。再用火剂汤给她服用，三天后，疝气消散，病就好了。

"济北王召我给他的侍女们诊病，诊到一个名叫竖的女子时，看上去没病。我告诉永巷长说：'竖伤了脾脏，不能太劳累，依病理看，到了春天会吐血而死。'我问济北王：'这个人有什么才能？'济北王说：'她喜好方技，有多种技能，能在旧方技中创出新意来，去年从民间买的，如她一样的四个人，共用了我四百七十万钱。'济北王又问我：'她是不是有病？'我回答说：'她病得很重，依病理会死去。'济北王召她来看，她的脸色没有变化，认为我不对，没有把她卖给其他诸侯。到春天，她捧着剑跟济北王去厕所，济北王离去，她仍留在后边，济北王派人去叫她，她已脸向前倒在厕所里，吐血而死。她的病得自于流汗。流汗的病人。依病理说是病重在内里，毛发、面色都润泽，脉不衰减，这也是内关一类的病。

"齐国丞相门客的奴仆跟随主人上朝，进入王宫，我看到他在宫门外吃东西，望见他的脸色有病气。我马上告诉了一个名叫平的宦官。平喜欢诊脉，跟着我学习，我就将这个奴仆的病指给他看，告诉他说：'这是脾脏有损伤的面色，到春天时，胸隔会阻塞不通，不能吃东西，依病理到夏天将泄血而死。'宦官平就去告诉丞相说：'您门客的奴仆有病，病得很重，离死期不远了。'丞相不相信，问：'你怎么知道？'他说：'您上朝入宫时，您门客的奴仆在宫门外吃个没完，我和太仓公站在那里，太仓公就指给我看说，患这种病是要死的。'丞相就把这个门客召请来问他：'您的奴仆有病吗？'门客说：'我的奴仆没有病，身体没有什么疼痛。'

"但是，到了春天，这个奴仆果然发病了，四月时，果真泄血而死。我之所以知道他的病，是因为知道他的脾气普遍影响到五脏，脾受伤害就会在脸上某一部位显示相应的病色，伤脾之色，看上去脸色是黄的，仔细再看是青中透灰的死草色。许多医生不知这种情形，认为是体内有寄生虫，不知是伤害了脾。这个人所以到春天病重而死，是因为脾病脸色发黄，黄色在五行属土，脾土不能胜肝木，所以到了肝木强盛的春天就会死去。到夏天而死的原因，依照病理'病情严重，而脉象正常的是内关病'。内关病，病人不会感到疼痛，好像没有一点儿痛苦，如果再添任何一种病，就会死在仲春二月；如果能精神愉快顺天养性，能够拖延一季度。他所以在四月死，是因为我诊他的脉时，发现他是个精神愉快顺天养性的人。他能够做到这样，人还算养得丰满肥腴，也就能拖延一些时候了。他的病得自于流汗太多，受火烤后又在外面受了风邪。

"齐王黄姬的哥哥黄长卿家设酒席待客，叫我去。客人们坐着，还没有上菜。我望见王后的弟弟宋建，告诉他说：'您有病，四五天前，您的腰、胁疼痛，不能俯仰，还解不出小便。不赶紧医治，病就会侵入肾脏。趁着还没有滞留五脏，赶快医治。现在病正侵入肾区，这就是所谓肾痹。'宋建说：'正是这样。我过去有腰脊痛的毛病，四五天前，下雨，黄家的几个女婿看到我家建仓廪下基石，就去摆弄，我也想学他们，却举不起来，就放下了。黄昏的时候，腰脊疼痛，无法小便，到现在还没好。'宋建的病得自于喜好持重物。我之所以知道宋建的病，是因为我观察他的颜色，他颧骨部位的颜色发干，肾部及腰围以下有四分左右的部位枯干，所以知道他四五天之前发病。我马上调制柔汤让他饮下，十八天左右，病就好了。

"济北王有位姓韩的侍女患有腰背疼痛的病，恶寒、发热，许多医生都认为是寒热病。我给她诊脉，说：'这是内寒，月经不通。'就用药为她熏灸，很快月经就来了，病也就痊愈了。这病得自于想要男子而没得到。我之所以知道韩女的病，是因为给她诊脉时，切到肾的病脉，脉来艰涩而不连属。艰涩而不连属，所以月经来得艰难；脉形坚固，所以月经不通。肝脉浮而紧，按着它也没有移动，溢出在左手寸口，所以说是想男子而得不到。

"临淄里有个名叫薄吾的女人病得很重，许多医生都认为是寒热病，很严重，会死，无法医治。我给她诊脉，说：'这是蛲瘕病。'这种病使人肚子大，腹部皮肤黄而粗糙，用手触摸肚腹，病人会感到很难受。我用芫花一撮用水送服，随即泄出约有几升的蛲虫，病也就好了。过了三十天，她的身体就完全康复了。蛲瘕病得自寒湿气，寒湿气积蓄太多，不能发散，变化为虫。我之所以知道她的病，是因为我切脉时，循按尺部脉位，她尺部脉象紧而粗大，又毛发枯焦，这是有虫的症状。她的脸色有光泽，是内脏没有邪气，病也不重的原因。

"齐国一位姓淳于的司马生病，我给他诊脉，告诉他说：'应该是迥风病，迥风病的症状，是饮食咽下后就又呕吐出来。这病得自于饱餐后快跑。'淳于司马说：'我到君王家吃马肝，吃得很饱，看到送上酒来，就跑开了，后来又骑着快马回家，到家就下泄了几十次。'我告诉他说：'把火剂汤用米汁送服，过七八天就好了。'当时医生秦信在旁边，我离去后，秦信对身边姓阁的都尉说：'他认为司马得的什么病？'都尉说：'他认为是迴风病，能够治疗。'秦信就笑着说：'这是不了解。淳于司马的病，依病理在九天后就死去。'经过九天没有死，司马家又召请我。我去询问他，全如我所诊断的。我就为他调制火剂米汤让他服用，七八天后病就好了。我之所以知道他的病，是因为诊他的脉时，他的脉象完全符合正常的法则。他的病情和脉象一致，所以不会死。

"齐国有个名叫破石的中郎生病，我给他诊脉，告诉他说：'肺脏破伤，无法医治，会在十天后的丁亥日那天尿血而死。'就在十一天后，破石真的尿血而死了。破石的病，得自于从马上摔下来，跌在了石头上。我之所以知道破石的病，是因为切他的脉时，肺阴脉脉象来得非常浮散，好像从几条脉道而来，又不一致。同时他脸色赤红，这是心脉压着了肺脉的表现。我之所以知道他是从马背上摔下来的，是因为切到反阴脉，反阴脉进入虚里，然后乘肺脉，在肺的脉位出现了散脉，原来脸色白却变红，那是心脉侵袭肺脉的表现。他之所以与预料的死期不合，是因为老师说过：'病人能容纳水谷的，就能超过期限才死，不能容纳水谷的，不到期限就会死。'这个人酷爱吃黄黍，黄黍补肺，所以过期。之所以尿血，是因为诊脉的理论说：'病人性喜安静的，血从下出而死，性喜活动的，血从上出而死。'这个人喜欢安静，不急躁，又长久坐着不动，伏在小桌上睡熟，所以血从下部泄出。

"齐王有一个名叫遂的侍医生了病，他自己炼制五石散服用。我去拜访他，他对我说：'我有病。希望你为我诊治。'我立即给他诊治，告诉他说：'您得的是内脏有热邪的病。病理说，内脏有热邪，不能小便的，不能服用五石散。石药药力猛烈，您服后小便次数减少，赶紧停止服用吧。从你的脸色看来，要生疮肿。'他说：'从前扁鹊说过：阴石可以治阴虚有热的病，阳石可以治阳虚有寒的病。药石的方剂都有阴阳寒热的分别，所以内脏有热的，就用阴石柔剂医治；内脏有寒的，就用阳石刚剂医治。'

"我说：'您错了。扁鹊虽然说过这样的话，然而必须审慎诊断，确立标准，订立规矩，斟酌权衡，依据参照色脉表里、盛衰、顺逆的原则，参验病人的举动与呼吸是否谐调，才可以下结论。医药理论说：体内有阳热病，体表反应阴冷症状的，不能用猛烈的药和砭石的方法医治。因为强猛的药进入体内，邪气就会更加恣肆，而郁热就会蓄积更深。诊病理论说：外寒多于内热的病，不能用猛烈的药。因为猛烈的药进入体内就会躁动阳气，阴虚病症就会更严重，阳气更加强盛，邪气到处流动行走，就会重重团聚在腧穴，最后激发为疽疮。'

"一百多天后，他的乳上果然生了疽疮，蔓延到锁骨上窝后，他就死了。这就是说理论只是大体情形，必须掌握其中的原则。平庸的医生有一处没学到，就会使得条理、阴阳出现差错。

"齐王以前当阳虚侯时，病得很严重，许多医生都认为是蹷病。我给他诊脉，认为是痹症，病根在右胁下，大如倒扣着的杯子，使人气喘，气上逆不能饮食。我就用火剂粥给他服用，六天后，逆气平降；就让他再服丸药，前后又六天，他就病愈了。病得自于房事不节制。我为他诊治时，不懂得如何用经脉理论解释这种病，只是大略知道疾病的所在部位。

"我曾经为安阳武都里的成开方诊病，他自称没有病，我说他将被沓风病所苦，三年后四肢不能自己支配，喑哑不能言语，一旦喑哑就会死去。现在听说他四肢已经不能动，虽喑哑却还未死。他的病得自于多次喝酒之后受了剧烈的风邪。我之所以知道成开方的病，为他诊治，是因为他的脉象符合《奇咳术》的说法：'脏气相反的会死。'切他的脉，得到肾气反冲肺气的脉象，病理说：'三年会死。'

"安陵坂里有位名叫项处的公乘生病，我给他诊脉，说：'这是牡疝病。'牡疝是发生在胸隔下，上连肺脏的病。病得自于行房事不节制。我对他说：'千万不要干用力的事，做这样的事就一定会呕血而死。'项处后来去蹴鞠，腰部寒冷，出了很多汗，吐了血。我再次为他诊脉后说：'会在第二天黄昏时死去。'结果他到时就死了。他的病是因房事而得。我之所以知道他的病，是因为切脉时得到反阳脉，反阳的脉气进入上虚，第

○ 品画鉴宝

长流银匜（西汉）此器为医疗用具，与银漏斗相配合，作抢救危险病人的灌药器。

二天就会死。一方面出现了反阳脉，一方面上连于肺，这就是牡疝。

"其他我能诊断出生死时间以及治好的病太多了，时间太长，忘记了，不能全部记住，所以不敢拿这些来回答。"

诏书还问："你所诊治的病，许多病名相同，诊治的结果却不同，有的死了，有的没死，为什么呢？"

"病名大多是相类似的，不能分辨，所以古代圣人创制了脉法，来确立诊断的标准，订立规矩，斟酌权衡，依照规则，测量人的阴阳情形，区别人的脉象，并分别命名，与自然界变化相应，参考人的情况，因此才可以区别各种疾病，使它们病名各不相同，医术高明的人能够区分它们，医术拙劣的人就会将它们混淆。然而脉法不能全都应验，诊治病人要用分度脉的方法来加以区别，才能区别相同名称的疾病，说出病因在什么地方。如今我诊治的病人，都曾留下诊治记录。我之所以这样区别疾病，是因为我跟随老师刚学成，老师就死了，因而记录诊治的情况，预期决断生死的时间，以此来验证失误、正确的情况是否符合脉法，因为这个缘故，现在很清楚各种疾病情况。"

"你预期决断病人生死的时间，有的却没有应验，这又是什么原因呢？"

"这都是因病人饮食喜怒不加节制，或是因为不恰当地服药，或是因为不恰当地进行针灸，因此没有如期而死。"

"在你正能够了解病人的生死情况，论说药品的适应性时，诸侯王、大臣有曾经向你请教的吗？齐文王生病时，不找你去诊治，什么原因呢？"

回答说："赵王、胶西王、济南王、吴王都曾派人来召我去，我不敢去。齐文王生病时，我家里很贫困，想替人家治病，确实害怕官吏会委任我为侍医而拘缚住我，所以我把户籍迁到亲戚邻居等人名下，不再治理家事，到处行医游学，长期寻访医术精妙的人并向他们求教，拜见侍奉过许多老师，学到了他们的主要本领，也全领会了他们医书的内容，并且进行过分析评定。我住在阳虚侯的封国中，于是侍奉过他。阳虚侯入朝，我跟随他到长安，因此能给安陵的项处等人诊治病。"

"你知道齐文王生病不起的原因吗？"

"我没有看到齐文王的病情，可是我私下听说齐文王患有气喘、头痛、视力差的病。我认为这不是病。我认为这是肥胖而蓄积了太多精气，身体得不到活动，骨头支撑不起，所以气喘，不应当医治。脉法理论说：'二十岁时血脉正旺，应当多跑动，三十岁时应当多快步走，四十岁时应当安静地坐着，五十岁时应当安静地睡卧，六十岁以上应当使元气深藏。'齐文王年纪不满二十，正当脉气旺盛之时，却懒于走动，不顺应自然规律。后来我听说医生用灸法治疗，病情马上加重，这是分析论断病情上的错误。据我分析，这是正气外争而邪气内入，也就不是年轻人所能康复的了，所以才会死亡。对于这种形气俱实的情况，应该调和饮食，选择晴朗天气，或者驾车，或者步行，来开阔心胸，调和筋骨、肌肉、血脉，疏泻体内郁积的旺气。所以，二十岁时，是人们说的'易实'时期，按医理来说不应当用砭法灸法来治疗，使用这种方法会导致气血奔流。"

"你老师阳庆又是从哪里学的医术？齐国的诸侯是否知道他？"

回答说："他们并不知道阳庆从哪儿学的。阳庆家境殷实，擅长医术，但却不愿意为人治病，应当是这个原因才不被人知道。阳庆还告诫我说：'千万不要让我的子孙知道你曾学过我的医术。'"

"阳庆是怎么看中并喜爱你的？怎么想把全部医术教给你？"

"我本来并没听说老师阳庆的医术精妙。我后来之所以知道阳庆，是因为我年轻时喜欢各家医术，我试用他的医方，大多有效，而且非常精妙。我听说菑川唐里的公孙光擅长使用古代流传的医方，于是就去拜见他。我得以拜见侍奉他，并从他那里学到调理阴阳的医方以及口头流传的医理，这些我全部接受记录下来。我想要学到他所有精妙的医术，公孙光却说：'我的医方全部拿出来了，对你不会有所吝惜。我的身体已经衰老，你不须再侍奉我了。这是我年轻时所受的妙方，现在都给你了，不要教给别人。'我说：'能够拜见侍奉在您跟前，得到您的全部秘方，我太幸运了。我到死也不敢胡乱传给别人。'

"过了一些日子，公孙光闲着没事，我们就深入分析论说医方，他认为我对历代医方的论说是高明的。他高兴地说：'你将来一定会成为国医。我所擅长的医技都生疏了，我的同胞兄弟住在临菑，擅长医学，我不如他，而且他的医方很奇特，都是世间难以听到的。我中年时，曾经想接受他的医方，阳庆不肯，说我不是那种可以接受医方的人。我和你一起前往拜见他，他就会知道你喜爱医术了。他如今也老了，但他家里却很富有。'当时我们还没去，恰逢阳庆的儿子阳殷前来献马，通过老师公孙光进献给齐王，因为这个缘故我就和阳殷熟悉了。公孙光又把我托付给阳殷说：'淳于意喜好医术，所以你一定要好好对待他，他是倾慕圣人之道的人。'于是公孙光就写信把我推荐给阳庆，因此我也就认识了阳庆。我侍奉阳庆很恭谨，因此他很喜爱我。"

"官民曾经有人向你学习医术，并全部学到你的医术吗？如果有他又是什么地方人？"

"临菑人宋邑曾经来跟我学习，我教他察看脸色诊病，他跟我学了一年多。济北王曾派太医高期、王禹来学，我教他们经脉上下分布的部位和异常络脉的结系之处，经常论说腧穴所处的方位，以及经络之气运行时的邪正顺逆的情况，怎样选定针对病症需要砭石针灸治疗的穴位，也学了有一年多。菑川王也时常派太仓署中管理马匹的长官冯信向我请教医术，我教给他按摩中的顺、逆两种方法，而且论述用药的方法，鉴定药的性味，以及组合配伍方剂，制汤药的方法。高永侯的管家杜信喜好诊脉，前来向我学习，我教他经脉上下分布的部位、《五色诊》，他跟着我学了两年多。临菑召里的唐安前来学习，我教他《五色诊》、上千经脉分布的部位、《奇咳术》、四季气候随着阴阳变化而变化的道理，没有学成，被任命为齐王的侍医。"

"你诊病决断生死，能够完全没有失误吗？"

"我诊治病人，一定首先切他的脉，然后才进行治疗。脉象衰败与病情违背的不可以医治，脉象和病情相顺应的才可以医治。如果不能精心切脉，本来能决断出生死时间的病有时会被以为是可医治的病，往往出现失误，我也不能完全没有失误。"

相关链接
〔1〕太仓公：生卒年代不可考，姓淳，名于意，西汉临淄（今山东淄博东北）人，因曾任齐国太仓（古代京城中粮仓）公，故有此称，为西汉名医，与张仲景、华佗并称汉代三大医学家。
〔2〕传车：古代供驿站使用的车辆。
〔3〕缇萦：太仓公淳于意幼女，太仓公坐法当刑，她随父到达长安，上书文帝，请求入宫为奴替父赎罪，文帝感动，赦免其父并废除肉刑，后世遂以其为孝女典范，有"缇萦救父"典故传世。

　　高帝封刘濞在沛地做吴王，刘濞接受印信后，高帝召刘濞来，给他相面，告诫他说："有传闻说汉朝建立后五十年间东南方有叛乱的人，难道是你吗？可是天下同姓是一家人，千万不要反叛啊！"刘濞叩头说："不敢。"

　　吴王刘濞，是汉高祖的哥哥刘仲的儿子。高祖平定天下七年后，立刘仲为代王。后来匈奴攻打代国，刘仲没能坚守住，抛弃封国逃跑了。他抄小路跑到洛阳，向高祖自首。高祖因为他是骨肉至亲的缘故，不忍心用法律制裁他，就把他废黜为郃阳侯。

　　高祖十一年（公元前196年）的秋天，淮南王英布反叛，向东吞并了荆地，夺取了那里侯国的军队，向西渡过了淮河，攻打楚国，高祖亲自率领军队去讨伐他。刘仲的儿子沛侯刘濞当时二十岁，健壮有力，以骑将的身份跟随高祖在蕲县西边的会甄打败了英布的军队，英布逃跑。荆王刘贾被英布杀害，没有后嗣。

　　高祖担心吴地、会稽地方的人轻浮好斗，没有年富力强的王来镇抚他们，自己的儿子都还小，于是就封刘濞在沛地做吴王，统治三个郡五十三个县。刘濞接受印信后，高祖召刘濞来，给他相面，对他说："你的状貌有反叛之相。"高祖心里后悔起来，但已经任命了，不能更改，于是拍着他的背，告诫他说："有传闻说汉朝建立后五十年间东南方将有叛乱的人，难道是你吗？可是天下同姓是一家人，千万不要反叛啊！"刘濞叩头说："不敢。"

　　后来孝惠帝、高后时期，天下刚刚安定，郡国的诸侯各自一心安抚他们的百姓。吴国有豫章郡的铜矿山，刘濞就招募天下亡命之徒私下铸钱，煮海水制盐，因为这个使得国家的开支很富足。

　　孝文帝时期，吴王太子进京朝见，他陪伴皇太子饮酒、玩博戏[1]。吴太子的老师都是楚地人，轻浮强悍，平素又骄横，博戏的时候，吴太子和皇太子争夺博局上的通道，态度一点也不恭敬，皇太子被惹恼了，他拿起博戏的台盘掷击吴太子，杀死了他。后来又把他的尸体运回吴国埋葬。

　　到了吴国，吴王怨怒地说："天下同姓是一家，死在长安就葬在长安，何必回来埋葬呢！"于是吴王又把尸体运回长安埋葬。吴王从此逐渐抛弃了作为封国王侯的礼仪，经常托称有病不进京朝拜。

　　朝廷知道他是因为儿子的缘故，托称有病不来朝见。待查问清楚吴王确实没有病，等那些吴国使者来到时，朝廷便拘禁、责问并要治他们的罪。吴王心中害怕，策划谋反越发积极了。

后来吴王派人代行秋季朝见礼仪，文帝又责问吴王的使者，使者回答说："吴王确实没有病，朝廷拘禁惩办了几批使者，因为这样就托称有病。如今吴王刚假装有病，就被朝廷发觉，追究得紧，就越想隐藏着自己，害怕皇上诛杀他，称病的计谋出于无可奈何。希望皇上不要再追究他，给他一个重新开始的机会。"

于是文帝就赦免了吴王的使者，让他们回去，并且赏赐给吴王几案和拐杖，嘱他年纪大，不用来朝见。吴王得以解除了他的罪过，阴谋也逐渐放弃了。他所在的封国因为产铜产盐的缘故，老百姓不用缴纳赋税。士兵去服役，总是发给代役金[2]。每逢年节，吴王就慰问有才能的人士，赏赐平民。别的郡国官吏想来捉拿逃亡的罪犯，吴王就收容罪犯不交给他们。就这样过了四十多年。

晁错是太子的家令，一直很受太子的宠幸，他多次怂恿太子说吴王有罪，应该削减他的封地。他还多次上书劝说孝文帝，文帝禀性宽厚，不忍心处罚吴王，因此吴王日益骄横起来。

孝景帝登位后，晁错任御史大夫，他劝说景帝道："以前高帝刚平定天下，兄弟不多，儿子们年幼，就广泛地分封同姓的人，所以赐封庶子悼惠王为齐王，统治齐国七十多县，异母弟楚元王统治楚国四十多县，哥哥的儿子刘濞统治吴国五十多县：分封三个旁支亲属，就分去了天下的一半。如今吴王有吴太子被打死的嫌隙，假托有病不朝见，按照古代法律应当诛杀，文帝不忍心，还赐给他几案和拐杖，恩德十分深厚，他应该改过自新。可是他愈发骄横放肆，依据铜山铸造钱币，煮海水来造盐，引诱天下逃亡的人，阴谋要造反。现在是削减他封地他会造反，不削减他封地他也会造反。削减他的封地，他会很快就造反，祸害小一些；不削减他的封地，他会造反得晚，祸害就大了。"景帝还是举棋不定，觉得很难下定决心。

景帝三年冬天，楚王来朝见，晁错趁机进言说楚王刘戊去年为薄太后服丧时，在服丧的房子里偷偷淫乱，应该诛杀他。景帝下诏赦免其死罪，罚他削去东海郡，趁机削减了吴的豫章郡、会稽郡。还有前两年赵王因为行罪，景帝削去了他的河间郡。胶西王因为卖爵位时舞弊，也被削去了他的六个县。

汉朝廷的大臣正在讨论削减吴王的封地。吴王刘濞害怕无休止地削减封地，便想趁机公开自己的图谋，想要发兵起事。他考虑到诸侯中没有值得和他筹划的人，只听说胶西王很勇猛，好斗气，喜欢用兵，齐地的诸侯都害怕他，于是就派中大夫应高去引诱胶西王。

为了保密，吴王没有用书信，而是由应高口头报告说："吴王不才，有早晚就要来临的忧患，不敢把自己当作外人，所以派我来表明他的好意。"

胶西王说："请问您有什么赐教？"

应高说："如今皇上被奸邪之臣蒙蔽，不断提拔奸臣。喜欢眼前小利，听信搬弄是非的坏蛋，擅自改变法令，侵夺诸侯的封地，征求越来越多，诛杀惩罚善良的人们，一天比一天厉害。俗话说：'吃完米糠就到吃米了。'吴国和胶西国，都是有名的诸侯，一旦被察觉，恐怕就不能安宁自由。吴王身体有暗疾，不能按春秋两季去朝见已有二十多年了，他一直担心被怀疑，无法表白自己，如今缩着肩膀小心走路，还害怕不被宽恕。吴王私下听说大王因为出卖爵位的事情有罪责，但罪过不应该到这样严重，这恐怕不只是削减封地而已吧。"

胶西王说："对，有这样的事。您打算怎么办？"应高说："憎恶相同的人会互相帮助，爱好相同的人会互相体贴，情感相同的人会互相成全，欲望相同的人会互相追求，利益相同的人会互相去赴死。如今吴王自认为和大王有着共同的忧患，愿意顺应时势、遵循事理，牺牲自身来为天下除掉祸害，料想也可以吧？"

胶西王吃惊地说："我怎么敢这样？如今皇上虽然严厉，我本来就有死罪啊，怎么能不拥护他？"

应高说："御史大夫晁错迷惑天子，侵夺诸侯封地，蒙蔽忠良，堵塞贤能，大臣们都怨恨，诸侯都起了背叛之心，他的所作所为已到了极点。现在彗星出现，蝗灾 [3] 不断发生，这是一个万代难逢的机会，而且忧愁劳苦的时代，正是圣人产生的时候。所以吴王想对内以讨伐晁错为借口，在外跟随大王车后，纵横驰骋天下，一定会使所指向的军队都投降，所指向的城邑都攻克，天下没有谁敢不服从的。大王如果能有幸答应我一句话，那么吴王就率领楚王攻取函谷关，守住荥阳敖仓的粮食，来抗拒朝廷的军队。我们会整顿军队行营，等候大王到来。大王真的能幸临那里，那么天下可以并吞，两个君主分割天下，不也很好吗？"

胶西王说："好，我答应。"

应高回去报告吴王，吴王还恐怕他不参与谋反，又派出使者出使胶西，当面和他结盟。

胶西国群臣中有人听说了胶西王的阴谋，规劝说："拥戴一个皇帝，是最大的快乐。如今大王和吴王向西发兵，假使事情成功，两个君主又互相争权夺利，祸患就开始了。诸侯的土地不够朝廷各郡的十分之二，背叛朝廷还会让太后忧虑，这不是好的计谋。"胶西王不听从，于是派使者约邀齐王、胶东王、济南王、济北王等，他们都答应了。

诸侯都刚刚受到削减封地的处罚，都很震惊恐慌，大多怨恨晁错。等到削减吴会稽郡、豫章郡的文书传到，吴王便首先起兵，在正月丙午这天，杀死朝廷任命的二千石以下的官吏，胶东王、菑川王、济南王、楚王、赵王也这样，他们一起向西进军。

齐王后来后悔了，服毒自杀，违背了盟约。济北王的城墙毁坏没有修好，他的郎中令劫持看守他，不能发兵。于是胶西王作为首领，和胶东王、菑川王、济南王一同进攻。赵王刘遂也参与了反叛，并暗中派使者到匈奴和他们联合军队。

七国发动叛乱的时候，吴王征召他的士兵，下令全国说："我已经六十二岁了，此次还亲自担任统帅。我的小儿子才十四岁，也在士卒前列。那些年纪上和我一样，下和我小儿子一样的人，都要出征。"这样他征召了二十多万人，来征讨朝廷。

孝景帝三年正月甲子日，吴王在广陵起兵。向西渡过淮水，合并楚国军队。他派使者给诸侯送信说：

"吴王刘濞恭敬地问候胶西王、胶东王、济南王、赵王、楚王、淮南王、衡山王、庐江王、原长沙王的儿子：

"请多指教，因为朝廷有奸臣，他侵夺诸侯封地，派官吏弹劾拘捕诸侯，以侮辱诸侯为能事，不用诸侯王君主的礼仪对待刘姓骨肉至亲，而是断绝先帝的功臣，提拔任用奸人，惑乱天下，危害国家。而陛下多病，神志失常，不能察明情况。我想发兵诛杀奸臣，在此恭敬地听从列位指教，我国虽然狭小，土地纵横三千里；人口虽然少，精锐的士兵很多，已经准备了五十万大军。另外我侍奉南越有三十多年，他们的君主答应分派他的军队来跟随我，又可以得到三十多万人。

"我虽然没有才能，但希望能够跟随各位侯王一起，直取长安，纠正天子的错误，来安定高祖庙。希望各位侯王努力。如果各位侯王想保存将要灭亡的国家，扶弱锄强，来安定刘氏宗室，这才是国家的希望。我国虽然贫穷，但我努力节省衣食的费用，积蓄金钱，修理兵器、甲胄，囤积粮食，夜以继日地工作，至今已经三十多年。所有这些都是为了这个目的，希望各位侯王努力利用这些条件。

"能够杀死、俘获大将军的人，赐给黄金五千斤，封邑一万户；杀死、俘获将军的人，赐给黄金三千斤，封邑五千户；杀死、俘获副将的人，赐给黄金二千斤，封邑二千户；杀死、俘获二千石官员的人，赐给黄金一千斤，封邑一千户；杀死、俘获一千石官员的人，赐给黄金五百斤，封邑五百户：都可以被封为列侯。那些带着军队或城邑来投降的人，士兵有一万人，城邑有一万户人口，就可获得大将的位置；士兵、城邑人数达到五千，就可获得将军的职位；士兵、城邑人数达到三千，就能当上副将；士兵、城邑人数达到一千，就可当上二千石的官员；而那些投降的小官吏可依据职位不同封爵赏金。其他的封赏都比汉朝的军法规定多一倍。

"这样一来，那些原来有封爵城邑的人，只会增加，不会依旧。希望各位侯王明白地向士大夫宣布，我不敢欺骗他们。我的金钱在天下到处都有，不一定到吴国来取，各位侯王日夜使用也不会用光。有应该赏赐的，就告诉我，我将前去送给他。恭敬地把这些话奉告各位侯王。"

相关链接
〔1〕博戏：古代一种用来博赌输赢的棋艺游戏。
〔2〕代役金：古代人民为取代自己服役（如兵役、劳役等）而缴纳的金钱。
〔3〕蝗灾：大量蝗虫聚集在一起给农业带来的灾害。旧时由于科学技术落后及气候异常等因素，常常造成蝗虫的大量繁殖，它们群聚一起，集体迁飞，每过一处就吃掉大量的农作物，从而造成农业歉收甚至绝收。

七王兵败

为平息七王之乱，袁盎向皇上献计说："如今只有斩杀晁错，派使者赦免吴、楚七国的罪过，恢复他们以前被削的封地，那么军队就不用交战了。"皇上沉默了很长时间，说："想来这该怎么办呢？我不会爱惜一个人而拒绝天下的。"

七国反叛的文书被景帝获知后，景帝就派太尉周亚夫率领三十六位将军，前去攻打吴、楚；派曲周侯攻打赵；将军栾布攻打齐；大将军窦婴[1] 则驻扎在荥阳，监视齐、赵的军队。

窦婴出发前，向景帝称颂原吴国的丞相袁盎。袁盎当时正在家闲居，当他应诏入宫进见时，景帝正和晁错筹划军队和军粮的事情。

景帝问袁盎说："您曾经任吴国丞相，了解吴国大臣田禄伯的为人吗？如今吴、楚反叛，您有什么看法吗？"

袁盎回答说："不值得担忧，我们能打败他们。"

景帝说："吴王依靠铜矿来铸造钱币，煮海水来制盐，能引诱天下的豪杰之士，在头发白了的时候起来反叛。他的计谋如果不是万无一失，难道会发动么？怎么说他没有什么作为呢？"

袁盎回答说："吴国有铜、盐的便利确是事实，但哪里能有豪杰而且被他们引诱呢！假如吴王真的得到豪杰，也将会辅佐吴王行正义，不会造反了。吴王所吸引的都是无赖子弟，以及逃亡、铸钱的坏人，所以互相勾结着造反。"

晁错说："袁盎分析得很对。"

景帝问道："怎么作出对策呢？"

袁盎回答说："希望陛下能屏退旁边的人。"景帝屏退了别人，只有晁错还在。

袁盎说："我所说的，作为人臣不能知道。"于是景帝就屏退了晁错。晁错急忙避到东厢，心里十分怨恨。

景帝这时问袁盎，袁盎回答说："吴、楚互相来往书信，说：'高帝封刘姓子弟为王并且各有分封的土地，如今奸臣晁错擅自惩罚诸侯，削夺诸侯的封地。'所以用造反为名义，向西一同进发来诛杀晁错，他们说恢复原来的封地就罢兵。为今之计只有斩杀晁错，派使者赦免吴、楚七国的罪过，恢复他们以前被削的封地，那么军队就不用交战了。"

596

景帝沉默了很长时间，说："想来这该怎么办呢？我不会爱惜一个人而拒绝天下的。"

袁盎说："我愚蠢的计谋没有再超过这个的，希望陛下好好考虑。"

最后景帝终于下定了决心，他任命袁盎为太常，任命吴王弟弟的儿子德侯为宗正[2]。袁盎秘密准备行装。十多天后，景帝派中尉去召晁错，骗他乘车巡行东市。晁错身穿上朝的衣服被斩杀在东市。然后景帝又派袁盎以侍奉宗庙的身份，宗正以辅助亲戚的名义，依照袁盎的计策出使告知吴王。到了吴国，吴、楚的军队已进攻梁国营垒了。宗正因为亲戚的关系，先进去见吴王，告诉吴王让他下拜接受诏书。吴王听说袁盎到来，也知道他要劝说自己，笑着回答说："我已经做了东帝，还向谁下拜呢？"吴王不肯接见袁盎，反而把他扣留在军中，想强迫他做将军。袁盎不答应，吴王就派人包围他，想要杀了他，袁盎趁夜赶紧逃出，一直跑到梁国的部队里，才得以回朝廷报告。

这时条侯周亚夫已经到了洛阳，见到剧孟，他高兴地说："七国反叛，我乘坐专车到这里，自己没想到能安全到达。还以为诸侯们已经得到了剧孟，如今剧孟很安全。那么我据守荥阳，荥阳以东就可以不用担忧了。"

到了淮阳，周亚夫又询问他父亲原来的门客邓都尉说："您有什么好的计策吗？"

门客说："吴国军队十分凶猛，难以和他们争胜。但楚国军队轻浮，不能持久。如今为将军考虑，不如带领军队向东北在昌邑筑下营垒，把梁国放弃给吴国，吴国一定用全部精锐力量攻打它。将军深挖沟、高筑垒，派轻装的军队断绝淮水泗水交汇处，堵塞吴军的粮道。让吴、梁互相削弱、粮食耗光，然后用我们的强大军队去制服疲惫已极的军队，打败吴国是必然的了。"

条侯说："好。"听从了他的计策，就坚守在昌邑南面，并派轻装的军队断绝吴军粮道。

吴王刚发兵的时候，吴国臣子田禄伯任大将军。

田禄伯说："军队聚集而向西进发，不是什么奇妙计策，难以取得成功。我愿意带领五万人，另外沿着长江、淮水而上溯，汇集淮南、长沙两国的军队进入武关，和大王会合，这是一条奇妙的路线。"

吴王太子规劝说："父王以造反为名义起兵，这种军队难以委托给别人，委托给别人，别人也要反叛父王，怎么办？况且拥有军队而另外

行动，会有很多其他的利害，无法知道，只是白白地损失自己罢了。"吴王因此没有答应田禄伯。

吴国另一位青年将军桓将军劝说吴王说："吴国有很多步兵，步兵适宜于险恶地形作战；汉军有很多战车骑兵，战车骑兵适宜于平地作战。希望大王在所经过的城邑攻不下时，就径直放弃而离开，迅速向西占据洛阳的兵器库，吃敖仓的粮食，依靠山河的险要来号令诸侯，即使不进入关内，天下其实已经平定了。假如大王行进迟缓，一心只想攻克城邑，汉军的战车骑兵到来之后，冲进梁国、楚国的郊野，那么前景可能堪忧了。"

吴王询问老将军们，老将军说："这年轻人推进冲锋的计策还可以，哪里知道远大的考虑呢！"于是吴王没有采用桓将军的计策。

吴王专断地集中统率他的军队，还没渡过淮水，那些宾客都得以任将军、校尉、侯、司马等职务，只有周丘没有被任用。周丘是下邳人，逃亡到吴国，曾经卖酒为生，品行不好，吴王刘濞看不起他，不任用他。

周丘拜见吴王，劝吴王说："我因为没有才能，没能在部队中任职。我不敢要求率领军队，希望得到大王一个汉朝的符节，一定会有所报效大王。"

吴王就给了他符节。周丘得到符节，连夜驱车进入下邳。下邳当时听说吴王造反，都坚守城池。周丘到了客舍，召来县令。县令走进门口，周丘就让随从依借罪名斩杀了县令，又召集他交好的富豪官吏说："吴国反叛的军队快要来到，那时屠杀尽下邳人不过吃一顿饭的工夫。要是先投降，家室一定能保全，有才能的人还可以封为侯。"

这些人出去就互相转告，下邳人都投降了。周丘一个晚上得到三万人，派人报告吴王，之后率领他的军队向北攻取城邑。等到了城阳，周丘这支军队已有十多万人，打败城阳中尉的军队。但他听说吴王已经战败逃跑，估计自己没有人一起成就功业，就带领军队返回下邳。还没到达，他就因后背生毒疮而死了。

二月中旬，吴王的军队已经被打败，吴王失败逃走，于是景帝颁下诏书给将军们说：

"听说做好事的人，上天会用福事来酬报他；做坏事的人，上天会用灾祸来报应他。高皇帝亲自表彰功德，封立诸侯，幽王、悼惠王的封爵因为没有后嗣而断绝，孝文皇帝怜惜他们，给予恩惠，封立幽王的儿子刘遂、悼惠王的儿子刘印等人为王，让他们奉祀他们先王的宗庙，作为朝廷的藩国，恩德和天地相配，光明和日月并列。

"吴王刘濞背叛恩德违悖道义，引诱接纳天下逃亡的罪人，扰乱天下的钱币，托称有病不来朝见有二十多年了，主管官员多次请求对刘濞治罪，孝文皇帝宽释了他，希望他能改过自新。如今吴王却和楚王刘戊、赵王刘遂、胶西王刘印、济南王刘辟光、菑川王刘贤、胶东王刘雄渠结盟一起造反，做下罪大恶极的事，发兵来危害朝廷，残杀大臣和朝廷使者，逼迫、挟持广大百姓，摧残、杀害无辜的人，烧毁百姓房屋，挖掘他们的坟墓，十分暴虐。如今刘印等人又更加大逆无道，烧毁宗庙，掠夺祖庙的器物，我十分痛恨他们。

"将军们要勉励士大夫们攻打反叛的敌人。深入敌阵杀伤多人才有功劳，捉到俸禄在三百石以上的反贼都要杀掉，不要释放。胆敢有议论诏书和不依诏书的人，都要腰斩处死。"

起初，吴王渡过淮水，一路都打了胜仗，锋芒甚劲。梁孝王很害怕，就派了六位将军攻打吴军，吴军打败了梁国的两位将军，士兵都逃回梁国。梁王多次派使者向条侯报告，请求救援，条侯不答应。梁王就派使者到景帝面前攻击条侯，景帝派人告诉条侯让他救援梁国，条侯又坚持便宜行事的策略不去增援。梁王派韩安国和为国事牺牲的楚国丞相的弟弟张羽做将军，才得以稍微打败吴国的军队。吴军想要向西进发，梁国坚守城池，使吴军不敢西进，吴军就跑到条侯军队驻地，和条侯军队在下邑相遇。

吴军想要交战，条侯坚守营垒，不肯出战。后来吴军粮食断绝，士兵饥饿，屡次挑战，又趁夜晚奔袭条侯军营，骚扰东南阵角。条侯派人防备西北方，果然吴军从西北方侵入。吴军大败，士兵大多饿死，于是都叛逃或溃散了。吴王和他部下几千人连夜逃走，渡过长江跑到丹徒，得到东越的保护。东越军队大约有一万多人，他们派人收集吴国的逃兵。汉朝就用金钱来收买东越王，东越王就骗吴王，吴王出去慰劳军队时，东越王派人用矛戟刺杀吴王，装着他的头，乘快车向皇上报知。吴王的儿子刘子华、刘子驹逃到了闽越。吴王的部队都溃散了，纷纷投降了太尉、梁王的军队。楚王刘戊的军队也失败了，楚王也自杀了。

胶西王和其他两个国王一起围攻齐国的临菑，三个月都没能攻下。汉军来到之后，他们只能都率军回去。胶西王于是光着膀子光着脚，坐在草席上，喝着白水，向太后请罪。王太子刘德却说："汉军远道而来，我看他们已经十分疲惫，可以派兵袭击他们，希望收集大王的剩余军队攻打他们，攻击不获胜利，就逃到海上去，也不算晚呀。"

胶西王说："我的士兵都已经败散，不可能发起使用了。"汉朝的将军弓高侯给胶西王送信说："奉诏书来诛杀不义的人，投降的人就赦免他的罪过，恢复原有的官爵；不投降的人就灭掉他们。大王要如何处置，我等待答复以采取行动。"

胶西王到汉军营垒光着膀子叩头，请求说："我刘卬奉行法律不谨慎，惊扰了百姓，才使将军辛苦地远道而来到这穷国，请求惩办我碎尸万段的罪。"弓高侯手持金鼓来接见他，说："大王被战事所苦，希望听到大王发兵的原因。"胶西王叩头跪着前行回答说："当时，晁错是天子当权的大臣，改变高皇帝的法令，侵夺诸侯的封地。刘卬等人认为此举不合正义，害怕他败坏、扰乱天下，因此七国联合发兵，将要诛杀晁错。如今听说晁错已被诛杀，刘卬等人愿意罢兵回去。"

将军说："大王如果认为晁错不好，为什么不报告皇上？而今却没有诏书、虎符，擅自派兵攻打合乎道义的王国。由此看来，意图不是想诛杀晁错吧。"于是拿出诏书给胶西王宣读。将军读完之后，说："大王自己考虑吧。"

胶西王说："像我这样的人实在死有余辜。"于是自杀。太后、王太子也都死了。胶东王、济南王等都死了，封国都被削除，收归朝廷。郦将军围攻赵国都城，经过十个月才攻克，赵王也自杀了。济北王因为被劫持的缘故，得以不被诛杀。

当初，吴王带头反叛，纠集率领楚军，联合齐、赵。正月间起兵，到三月份都被打败，只有赵最后被攻下。景帝又立楚元王的小儿子平陆侯刘礼为楚王，延续楚元王的后代。调汝南王刘非统辖吴国的旧地，为江都王。

相关链接

〔1〕窦婴：？－公元前131年，字王孙，观津（今河北武邑一带）人，西汉文帝窦皇后之侄，七国之乱时，任大将军，平叛有功，封魏其侯，官至丞相，推崇儒术。

〔2〕宗正：官职名，负责掌管王室宗族及外戚等方面的事务。

魏其侯窦婴

孝景帝三年，吴、楚等七国反叛，皇上考察了所有的宗室和外家窦氏子弟，发现这么多人，没有一个比窦婴更贤能的，于是就任命窦婴为大将军，赐给他黄金一千斤。窦婴于是把袁盎、栾布等闲居在家的名将贤士推荐给景帝。把赏赐的黄金摆放在廊檐下，小军官经过，就让他们酌量拿去用，他自己没有拿一点黄金回家。窦婴驻守在荥阳，监督讨伐齐、赵的军队。后来，七国军队全部被打败，景帝按其功劳封窦婴为魏其侯。

魏其侯窦婴，是孝文帝窦皇后堂兄的儿子。在他父亲以前，他家世世代代是观津人。窦婴从小就豪爽有器量，喜欢结交宾客。孝文帝时，窦婴做吴王的国相，因为有病被免职；孝景帝刚登位时，窦婴任詹事[1]。

梁孝王是孝景帝的弟弟，母亲窦太后很喜欢他。梁孝王入京朝见，有一次以亲兄弟的身份和景帝一起宴饮。这时景帝还没有立太子，喝酒喝得正高兴，就随便说："我去世后把皇位传给梁王。"太后听了非常高兴。窦婴却举起一杯酒献给景帝，说道："天下是高祖的天下，父子相传，这是汉朝的规定，皇上怎么能擅自传位给梁王呢！"太后从此憎恨窦婴。窦婴也嫌官位低，于是托病辞职。太后趁机开除了窦婴出入宫殿门的名籍，不准他参加春秋两季的朝会。

孝景帝三年，吴、楚等七国反叛，景帝考察了所有的宗室和外家窦氏子弟，发现这么多人之中，没有一个比窦婴更贤能，于是就召见窦婴，要对他委以重任。窦婴进宫拜见，坚决推辞官位，托词说自己有病，无法胜任。太后见窦婴这样，也感到十分惭愧。于是景帝说："天下正有急难，你难道可以推托么？"就任命窦婴为大将军，赐给他黄金一千斤。窦婴于是把袁盎、栾布等闲居在家的名将贤士推荐给景帝。窦婴又把赏赐的黄金摆放在廊檐下，小军官经过，就让他们酌量拿去使用，他自己没有拿一点黄金回家。窦婴驻守在荥阳，监督讨伐齐、赵的军队。后来，七国军队全部被打败，景帝按其功劳封窦婴为魏其侯。那些游士、食客都争着投奔魏其侯。孝景帝时，每逢朝廷上议论大事，除了条侯，没有列侯敢和魏其侯平起平坐的。

孝景帝四年，立了栗太子，让魏其侯任太子太傅。孝景帝七年，栗太子被废，魏其侯多次力争也无济于事。魏其侯就借口有病，退隐居住在兰田县[2]南山下有好几个月，许多宾客辩士去劝说他，没有人能让他回来。梁地人高遂劝魏其侯说："能够使将军富贵的，是皇上，能够亲信将军的，是太后。如今将军作为太子的老师，太子被废掉却不能力争；力争了却没有效果，又不能以身殉职。将军自己称病引退，搂着赵地美女，隐居闲处而不肯入朝。这样看来，您是在表明自己而张扬皇上的过错啊。假如皇上和太后都要整治将军，那将军您的妻子、孩子一个也逃脱不了。"魏其侯认为他说得对，于是就出山回来，照旧参加朝见。

桃侯被免除了丞相的职位后，窦太后多次向文帝提到魏其侯。孝景帝说："太后难道认为我舍不得，而不让魏其侯任丞相么？但魏其侯这个人骄傲自满，办事轻率，难以胜任丞相一职，担当重任啊。"于是景帝就没有任用魏其侯，而是任用了建陵侯卫绾做丞相。

相关链接

〔1〕詹事：官职名，始置于秦，负责掌管皇后及太子家中之事。

〔2〕兰田县：即蓝田县，在今陕西蓝田，以出产蓝田玉而闻名。

○ 品画鉴宝

四牛骑士贮贝器（西汉）此器上大下小，腰部微束，平底，三矮足。有对称的虎形身，器盖正中铸一鎏金骑士，周绕高封牛四头。

灌夫骂座

灌夫为人刚强直爽，好逞酒兴，不喜欢当面奉承人家。对那些地位比自己高的有权势的皇亲国戚，如果不想恭敬有礼地对待他们，就一定要凌辱他们。这年夏天，丞相娶燕王刘嘉的女儿做夫人，王太后诏令，叫列侯宗室都去祝贺。席间，灌夫起身敬酒，依次轮到敬武安侯、临汝侯，都引得灌夫阵阵的怒骂和凌辱……

魏其侯失去窦太后的宠幸后，同武帝的关系更加疏远，从而不被任用。因为没有权势，那些宾客都渐渐离去了，对他也越来越轻慢，只有将军灌夫[1]一人不改变原来的态度。魏其侯每天闷闷不乐，只是对待灌将军特别好。

灌夫将军是颍阴人。他父亲叫张孟，曾经做过颍阴侯灌婴的家臣，受到宠信，灌婴便推荐他当上了二千石级官员，所以张孟就用了灌家的姓叫灌孟。吴、楚反叛时，颍阴侯灌何任将军，隶属于太尉周亚夫，他向太尉推荐灌孟做校尉。灌夫带着一千人和他父亲一同出征。灌孟年纪太大，颍阴侯勉强推荐他，他闷闷不乐，所以作战时常常故意冲击敌人的坚固阵地，终于战死在吴军中。按照军法，父子都参军的，有一人战死，另一人可以护送灵柩回去。灌夫不肯跟随灵柩回去，他激昂地说："我希望能亲手斩取吴王或吴国将军的头颅，为我父亲报仇。"

于是灌夫身披铠甲，手持战戟，召集了军中平素同他要好并愿意跟随他的勇士几十人。等到走出营门，面对前面浩浩荡荡的军队，许多人胆怯了，不敢前进。只有至交的两个好友和发配在他部下服军役的十几名囚徒骑兵冲入吴军中，他们冲到吴军的将旗下，杀死杀伤了几十人，不能再向前了，又飞马跑回，跑进汉军营中，跟随他的囚徒都死了，只有他和一名骑兵回来。灌夫身上受到十几处重伤，幸好有名贵的好药，这才没有死去。灌夫的伤势稍好些，又向将军灌何请求说："我现在比以前更了解吴军营地中的曲折路径了，让我再一次前去攻打他们吧。"灌何认为他勇敢有义气，恐怕灌夫战死，就向太尉报告，太尉于是坚决阻止他。吴军被打败后，灌夫也因此天下闻名。

颍阴侯向文帝称赞灌夫的行为，文帝就任命灌夫为中郎将。几个月后，他因为犯法被免职。后来他住在长安，长安城中的贵族们没有不称道他的。孝景帝时，他做到了代国国相。孝景帝逝世，当今皇上刚登位，认为淮阳是天下的交通枢纽，必须有强大的军队驻扎，于是就调灌夫任淮阳太守。

建元元年（公元前140年），武帝又调灌夫入京任太仆，灌夫又做了一年。一次，灌夫和长乐宫的卫尉[2]窦甫一起饮酒，饮酒太多，灌夫醉了，打了窦甫。窦甫是窦太后的兄弟。武帝害怕太后一生气就要杀灌夫，于是调他任燕国国相。几年后，灌夫因为犯法被免官，又在长安家中闲居了。

灌夫为人刚强直爽，好逞酒兴，不喜欢当面奉承人家。对那些地位比自己高的有权势的皇亲国戚，如果不想恭敬有礼地对待他们，就一定要凌辱他们；对那些地位比自己低的士人，越是贫困低贱的，却反而越尊敬他们，和他们平等相待。他常在大庭广众之中，推荐夸奖年轻人。士人也因此称颂他。

灌夫不喜好文学，喜欢仗义行侠，自己答应的事一定办到。他所结交往来的人，都是豪强恶霸。他的家里积聚了几千万金，每天招待的食客有几十上百人。对于山林、水池、田地、园苑，灌夫的宗族宾客都加以争夺，在颍川一带横行霸道。颍川的儿童就唱谣歌说："颍水清，灌氏宁；颍水浊，灌氏族。"

灌夫在家里虽然富有，可是失去了权势，像卿相侍中那样的宾客越来越少，到魏其侯失势的时候，想依靠灌夫去教训打击那些原先仰慕趋附自己后来又背弃的宾客。灌夫也要倚重魏其侯去交结列侯宗室来抬高自己的声望。两人互相倚仗，相处得像父子一样。彼此十分投机，没有一点隔阂，只恨相识得太晚了。

有一次，灌夫丧服在身，去访问丞相。丞相随口说："我想和你去访问魏其侯，碰巧你有丧服在身。"灌夫说："将军竟然肯赏脸光顾魏其侯，我怎么敢因为有丧服而推辞呢！请让我通知魏其侯备好筵席，将军明天早点光临。"武安侯答应了。灌夫把这一消息告诉了魏其侯。魏其侯和夫人很高兴，就买了很多酒肉，连夜打扫干净，很早就开始安排陈设筵席，一直忙到天亮。天刚亮，魏其侯就命令家人到大门口去等候接待。可是到了中午，丞相武安侯还是没来。

魏其侯对灌夫说："丞相难道忘记这事了吗？"

灌夫很不高兴，说："我身穿丧服来邀请，他应该来。"于是灌夫驾了车子，自己去迎接丞相。其实，丞相只是开玩笑答应了灌夫，一点都没有去的意思。等到灌夫到了丞相家门口时，丞相还在睡觉。灌夫进去拜见，说："将军昨天赏脸答应访问魏其侯，魏其侯夫妇准备迎接，从清早等到现在，还不敢吃东西呢。"

武安侯吃惊地道歉说："我昨天喝醉了，一下子忘了和你讲的话。"于是驾车前去，可在路上又慢慢地走，灌夫越发生气。到了魏其侯家，在宴席上饮酒正酣时，灌夫起身跳舞，邀请丞相也跳，丞相不肯起身，灌夫在座位上用话语讥刺他。魏其侯赶紧把灌夫扶出去，向丞相赔罪。丞相喝酒喝到夜晚，尽兴离去。

丞相曾经派籍福向魏其侯求要城南的一片田地。魏其侯十分怨恨地说："我老仆虽然被弃去不用，将军虽然尊贵，难道就可以这样仗势侵夺吗？"籍福很尴尬，说不出话来。灌夫听说此事，很生气，大骂籍福。

籍福怕窦婴和田蚡两人结下仇怨，于是用好话欺骗丞相说："魏其侯老得快要死了，应该容忍他些时候，姑且等待着吧。"

不久武安侯听说魏其侯、灌夫其实是因为愤怒而不给他田，也发怒说："魏其侯的儿子曾经杀了人，我救了他的命。我对待魏其侯什么事都肯干，他为什么吝惜这几顷田呢？况且灌夫为什么也参与进来呢？我不敢再求取田了。"武安侯因此十分怨恨灌夫、魏其侯。

元光四年（公元前134年）春天，丞相向武帝揭发灌夫家人在颍川横行不法，百姓受其侵扰，请求查办。武帝说："这是丞相的事，何必请示我。"灌夫也抓住了丞相的秘密如非法谋取私利、接受淮南王的贿赂以及和他谈话等。他们的宾客从中调停，才结束了相互攻击，双方和解了。

这年夏天，丞相娶燕王刘嘉的女儿做夫人，王太后诏令，叫列侯宗室都去祝贺。魏其侯去探访灌夫，想和他一起去。灌夫推辞说："我多次因为酒醉得罪过丞相，丞相如今又和我有仇怨，因此我不想去。"魏其侯说："事情已经和解了。"于是强迫他一起去。大家饮酒饮得正高兴，武安侯起身敬酒，客人都离开席位伏在地上。

过了一会儿，魏其侯敬酒，只有一些老朋友离开席位，其余一半客人只是稍微欠身，跪在席上。灌夫很不高兴。他起身敬酒，敬到武安侯时，武安侯欠身跪着说："不能喝满杯。"灌夫发怒，于是强笑着说："将军是贵人，请干了这一杯！"可武安侯就是不肯。

灌夫敬酒依次轮到临汝侯，临汝侯正和程不识说悄悄话，因而没有离开席位。灌夫一肚子火无处发泄，就骂临汝侯说："你平日把程不识诋毁得一钱不值，今天长者来向你敬酒，你竟然学女孩子咬着耳朵说悄悄话！"

武安侯对灌夫说："程、李两位都是东西宫的卫尉，你今天当众羞

辱程将军，难道您不想给李将军留点面子
么？"灌夫说："今天我准备杀头穿胸，哪里
知道什么程、李呢！"客人于是都借口起来上
厕所，陆续走掉了。魏其侯要离去，用手指示
灌夫也出去。

　　武安侯就发怒说："这都是因为我放任灌
夫才得罪了人啊。"武安侯说完就下令骑兵扣
留灌夫。灌夫想走却走不掉。籍福起来替灌夫
谢罪，并且按住灌夫脖子让他谢罪。灌夫更加
生气，不肯谢罪。武安侯于是指使骑兵把灌夫
捆起来放在驿馆里，召来长史说："今天召请
宗室，是奉王太后的诏令。灌夫在席上骂人，
犯大不敬罪，把他关押进居室。现在我要查究
他以前的罪行，派人分头追捕灌氏的各支宗
族，全都判处死罪。"魏其侯十分惭愧，出钱
派宾客去求情，没能得到宽释。灌家的人闻
讯，都逃亡躲藏起来，而灌夫被拘禁，终于没
能告发武安侯的秘密罪行。

　　魏其侯为了救灌夫挺身而出。他的夫人劝
他说："灌将军得罪了丞相，冒犯了太后家，难
道还有救么？"魏其侯说："侯爵是由我挣得
的，由我失掉它也没有什么遗恨。况且我终究
不能让灌夫一个人去死，而我独自生存。"于是
就瞒着他的家人，偷偷出去上书给武帝。武帝
立即召他进宫，他把灌夫喝醉了酒的事情全部
告诉武帝，认为不够死罪。武帝认为很对，留
他在宫中吃饭，说："你到东宫太后那里去辩白
清楚这事吧。"

　　魏其侯到了东宫，极力称赞灌夫的优点，
说他是由于酒醉犯了错误，可是丞相就用别
的事来诬陷他。武安侯极力攻击灌夫所作所
为骄横放肆，犯有大逆不道罪。魏其侯考虑

到这样做没有什么效果，就开始揭发丞相的过失。

可武安侯说："幸好天下安乐无事，我能够成为皇上的心腹，我所喜好的是音乐、狗马、田地房舍。我喜欢的是乐工、演员、能工巧匠之流，不像魏其侯、灌夫那样日夜招集天下豪杰壮士一起议论，对朝廷心怀不满，不是仰观天文，就是俯画地理，窥测于东、西两宫之间，希望天下发生变动，而想建立大功业。我真不明白魏其侯等人的所作所为。"

于是武帝问大臣们说："你们说这两个人谁说得对？"御史大夫韩安国说："魏其侯说灌夫的父亲为国而死，灌夫手持战戟冲进生死存亡难测的吴军中，身受几十处伤，名声在全军数第一，这是天下的壮士。如果没有大的罪过，只是因为喝醉了发生争执，是不值得援引别的过错来处死他的，魏其侯说得对。丞相说灌夫勾结豪强恶霸，欺压百姓，家里积敛有成千上万的财产，在颍川横行无忌，凌辱侵犯宗室亲族，这是所谓'树枝比树干还大，小腿比大腿还粗，不折断就一定会裂开'，丞相说得也对。希望英明的主上裁断这事。"

主爵都尉汲黯认为魏其侯对。内史郑当时认为魏其侯对，可是后来又不敢坚持意见回答武帝。其他的人都不敢回答。武帝怒骂内史说："你平时多次谈论魏其侯、武安侯的好坏，今天在朝廷上议论，却吞吞吐吐像驾在车辕下的马驹，我要把你们这些人一并杀掉。"武帝说完就罢朝起身，进入宫内，去侍候太后用膳。太后也已经派人在朝廷上打探消息，当时的情形全都知道了。

太后很生气，不吃饭，说："如今我还活着，而有人都敢作践我的弟弟，如果我死后，都会像宰割鱼肉那样宰割他了。况且皇帝难道能像石头人一样不作主张吗？现在皇帝还活着，大臣就唯唯诺诺，假令皇帝过世以后，这些人还有可以相信的？"武帝谢罪说："都是宗室和外戚，所以才让他俩在朝廷上辩论。不然的话，这只要一

个法官就裁决了。"这时，郎中令石建把魏其侯、武安侯两人的事分别向武帝奏说。

武安侯退朝后，走出来，召韩安国和他一同坐车，生气地说："我和你共同对付一个老秃翁，你为什么这样畏首畏尾呢？"韩安国过了好一会儿才对丞相说："我看您太不爱重自己的名声了！魏其侯攻击您，您应当脱下官帽，解下印绶，回家去，说：'我以皇帝的心腹，有幸得当丞相，本来是不胜任的，魏其侯说的都不错。'像这样做，皇上一定会赞赏您有谦让的美德，不会废免您。魏其侯一定会内心惭愧，关上门咬断舌头自杀。如今人家诋毁您，您也诋毁人家，就像商人、女人吵嘴一样，您怎么那样不识大体呢！"武安侯谢罪说："争辩的时候太性急了，没想到应该这样做。"

武帝派御史依据文簿记载查究魏其侯所说的灌夫的情状，发现有很多不相符的地方，就认定魏其侯在欺骗武帝。于是将他弹劾，拘禁在都司空的狱中。孝景帝时，魏其侯曾接受过景帝的遗命，说："有什么你觉得不方便的事情，你可以获得权利直接向皇上发表议论。"等到自己被拘禁，灌夫将要被灭族，事情一天比一天危急，大臣们没有人敢再向武帝说明这事。魏其侯就让自己的侄子上书说明自己曾受过先帝的遗诏，希望能够再被召见。奏书送上以后，武帝下令进行查对，可尚书保管的档案中并没有先帝的这份遗诏。诏书只藏在魏其侯家里，是由他的管家盖印封存的。于是有人又弹劾魏其侯伪造先帝的遗诏，应该判处斩首示众。

　　元光五年（公元前130年）十月，灌夫和他的家属全都被处决。魏其侯过了很久才知道，十分气愤，他患了中风病，不吃饭，只想死。后来有人听说武帝没有杀魏其侯的意思，魏其侯又开始吃饭、治病了，可后来又有许多流言蜚语诽谤魏其侯的话，让武帝听到了，所以在当年十二月的最后一天，最终还是把魏其侯在渭城[3]处死了。

　　这年春天，武安侯患病，嘴里总是呼叫服罪的话。手下让能看见鬼的巫师去看他的病，巫师看见魏其侯、灌夫一同守着武安侯，要杀死他。武安侯缠绵病榻多日，终于死了。他的儿子田恬继承了爵位。元朔三年（公元前126年），武安侯田恬因穿短衣进宫，犯了不敬的罪，被废去了爵位。

　　淮南王刘安谋反被发觉后，武帝要求追查这件事。查明淮南王前次来朝见时，武安侯任太尉，当时到霸上去迎接淮南王，他曾经对淮南王说："皇上还没有太子，大王最贤明，是高祖的嫡孙，如果皇上驾崩，不是大王您继位还会是谁呢！"淮南王十分高兴，送给武安侯许多金银财物。武帝从魏其侯的事件发生时起，就认为武安侯是不对的，只是碍着太后的缘故。等到听说淮南王送给武安侯财物的事，武帝说："假如武安侯还活着，一定要将他灭族。"

相关链接

〔1〕灌夫：？—公元前131年，字仲孺，颍阴（今河南许昌）人，本姓张，因其父得宠于灌婴而改姓，七国之乱时以军功为中郎将，后任太仆，又徙燕相，钱财丰厚，门客众多，横行颍阴之地。

〔2〕卫尉：官职名，负责统领禁军守卫王宫。

〔3〕渭城：即秦时咸阳城，汉时改称渭城，在今陕西西安西北。

御史大夫韩安国，原来是梁国成安县人，后来搬迁到睢阳。他曾经在邹县田先生那里学习过《韩非子》、杂家学说。侍奉梁孝王，担任中大夫，吴、楚七国反叛的时候，他和张羽在东部的边界上奋力抵御吴军，因此吴军没能通过梁国。再加上他深明大义，能言善辩，常能化险为夷而名声显扬。

御史大夫韩安国[1]，原来是梁国成安县人，后来搬迁到睢阳。他曾经在邹县田先生那里学习过《韩非子》、杂家学说。韩安国曾侍奉梁孝王，担任中大夫，吴、楚七国反叛的时候，梁孝王派韩安国和张羽任将军，在东部的边界上抵御吴军。张羽奋力作战，韩安国防守稳固，因此吴军没能通过梁国。吴、楚七国被打败后，韩安国、张羽的名声开始显扬。

梁孝王是景帝的同母弟弟，窦太后很喜欢他，允许他能自己设置国相和二千石的官员，梁孝王因此恃宠而骄，进出、游戏的排场，可以和天子相比。天子知道此事，心里很不高兴。窦太后知道景帝不高兴，就迁怒于梁国的使者，不接见他，查究并责备梁王的所作所为。

韩安国那时担任梁国使者，就去进见大长公主，哭着说：

"为什么梁王作为人子的孝心，作为人臣的忠心，太后竟然觉察不到呢？前些时候，吴、楚、齐、赵等七国反叛时，函谷关以东的诸侯都联合起来向西进军，只有梁国最忠于朝廷，成为叛军进攻的阻难。梁王想到太后、皇上在京师，底下诸侯扰乱，一谈起这些事情，就泪如泉涌。他长时间跪着送我们六人带领军队击退吴、楚军队，吴、楚军队因此才不敢向西进发，而终于失败灭亡，这也是梁王的力量啊。

"现在太后因为苛细的礼节而责怪梁王。梁王的父亲、哥哥都是帝王，所见的场面很大，所以出行时要开路清道，进来时要警戒，车子、旗帜都是帝王赏赐的，他不过是想在偏僻的小县炫耀一下，在国中让车马来回奔驰，来向诸侯显耀，让天下人都知道太后、皇上喜欢他。如今梁国使者来到，受到查问责备，让梁王很害怕，日夜流泪思念，不知做什么好。为什么梁王作为人子的孝心，作为大臣的忠心，太后不怜惜呢？"

大长公主把这些话都告诉了太后。太后高兴地说："我要替他向皇上解释。"于是向景帝说了这些话，景帝心里的疙瘩才解开了，而且脱下帽子向太后谢罪说："兄弟间不能相互教导，竟给太后带来忧虑。"并接见了梁国所有的使者，赐给他们丰厚的礼物。

从那以后，梁孝王更受宠爱。太后、长公主再赏赐韩安国大约价值一千余金的财物。韩安国的名声更加显扬了，还和朝廷有了联系。

那以后，韩安国因为犯法被判罪，蒙县^[2]的狱官田甲羞辱韩安国。韩安国说："死灰难道不会再燃烧吗？"田甲说："再燃烧就撒泡尿浇灭它。"没过多久，梁国内史的职位空缺，朝廷派使者任命韩安国做梁国的内史，从囚徒起任为二千石官员。听到这个消息，田甲吓得逃跑了。韩安国说："田甲如果不回来就任，我灭掉他的家族！"田甲于是光着上身来谢罪。韩安国笑着说："你可以撒尿了！你们这些人值得我处置吗？"他最终还是和这些人友好相待。

梁国内史职位空缺的时候，梁孝王刚结交了齐地人公孙诡，很喜欢他，想请求任命他做内史。窦太后得知此事后，就诏令梁孝王任命韩安国做内史。

公孙诡、羊胜劝说梁孝王向景帝请求做皇位继承人和增加封地的事情，恐怕朝廷大臣不服气，就暗中派人刺杀朝廷中掌权的谋臣。他们刺杀了原吴国国相袁盎，景帝得知公孙诡、羊胜等人的计谋，立刻派使者捉拿公孙诡、羊胜，命令他们一定要捉到。

汉朝使者十几批来到梁国，从国相以下进行全国大搜查，可一个多月都没有捉到。内史韩安国听说公孙诡、羊胜藏在梁王那里，韩安国就进宫拜见梁王，哭着说："主上受辱，臣下该死。大王没有贤良的臣下，所以事情纷乱到这个地步。如今捉不到公孙诡、羊胜，我请求辞别，赐我自杀。"

梁孝王说："怎么会到这种地步呢？"

韩安国泪落如雨，说："大王自己考虑一下，您和皇帝的关系，比起太上皇和高帝以及皇帝和临江王，哪一个更亲密呢？"

梁孝王说："我比不上他们。"韩安国说："太上皇和高帝、皇帝和临江王是父子的关系，可是高帝说：'手提三尺宝剑夺得天下的是我啊！'所以太上皇始终不能决定政事，住在栎阳。临江王本是嫡长太子，只为一句话的过错，被废黜降为临江王；又因为建宫室时侵占了祖庙墙内的空地，终于在中尉府中自杀了。为什么呢？这是因为治理天下终究不能凭借私情来扰乱公事。

"谚语说：'即使是亲生父亲，怎么知道有一天他会不会变为老虎？即使是亲哥哥，怎么知道他有一天会不会变为狼？'如今大王是诸侯，喜欢听奸臣的虚妄言论，触犯了皇上的禁令，阻挠了圣明的法律。而天子因为太后的缘故，不忍心惩办大王。太后日夜哭泣，希望大王自己改正，可是大王始终不觉悟。假如太后一旦逝世，大王还能攀附谁呢？"

话还没说完，梁孝王痛哭流涕，向韩安国道谢说："我现在就放了公孙诡、羊胜。"可是这个时候，公孙诡、羊胜都已经自杀了。汉朝使臣回去报告说，梁国的事情得以顺利解决，都仰仗韩安国的努力。于是景帝、太后越发看重韩安国。梁孝王去世后，梁共王登位，韩安国因为犯法被免官，在家闲居。

〇 品画鉴宝

彩绘骑马俑（西汉）此马为典型的汉代骏马形象，俑人端坐马背，神态静穆。

相关链接

〔1〕韩安国：？－公元前127年，字长孺，西汉梁国成安（今河南汝州）人，后迁睢阳（今河南商丘南），曾于邹县（今山东邹县）从人学习《韩非子》，文武兼备，能言善辩，初为梁孝王中大夫，七国之乱时因退敌有功而闻名，武帝时任御史大夫，后任卫尉。

〔2〕蒙县：古县名，治所在今河南商丘东北，相传为庄子故里。

　　韩安国任御史大夫四年多，丞相田蚡去世，韩安国便代理丞相的职务。有一次，他为天子作前导，跌下了车，跛了脚。天子商议任命丞相，想要任用韩安国，派使者去探望他，发现他脚跛得厉害，就改任平棘侯薛泽做丞相。韩安国几个月后脚伤好了，皇上又任命他做中尉。一年多后，调任做卫尉。韩安国贬官降职，逐渐被排斥疏远，加上领兵防匈奴无功，心里郁郁不乐，几个月后，吐血而死。

　　武帝建元年间，武安侯田蚡任朝廷太尉，十分尊贵而有权势。后来，韩安国拿价值五百斤黄金的东西送给了田蚡。田蚡在太后面前就开始常常称道韩安国如何贤能，天子也一直听说他贤能，就征召他任北地郡都尉，后来又提升他为大司农。闽越、东越互相攻打，韩安国和大行令[1]王恢领兵去讨伐。军队还没到越地，越人杀了他们的大王来投降，汉朝廷的军队就撤回来了。

　　建元六年（公元前135年），武安侯田蚡任丞相，韩安国任御史大夫。

　　正在这个时候，匈奴派人来请求和亲，天子召集大臣们来讨论。大行令王恢是燕地人，多次担任边疆官吏，熟悉了解匈奴的情况。他建议说："汉朝和匈奴和亲，一般不超过几年就又背弃盟约。不如不答应他们，发动军队攻打它。"

　　韩安国说："到千里以外去作战，对军队没有任何好处。如今匈奴依恃兵马的充足，怀有禽兽般的心思，像鸟一样迁徙移动，难以制服他们。得到他们的土地不能算是广大，拥有他们的民众不能算是强大，他们从上古以来就不内属中国。汉朝军队经过几千里远征去攻打，一定是人困马乏，而敌人就会以全盛之势攻击我们的弱点。俗话说强弩射出后到最末，连轻薄的鲁缟也穿不透；强风的末尾，力量连雁毛都冲飘不起。不是起初不够强劲，而是到最后力量都衰退了。我们攻打他们没有好处，不如同他们和亲。"大臣们的建议大多同意韩安国，于是武帝答应和匈奴和亲。

　　第二年，即元光元年，雁门郡马邑县[2]的豪绅聂翁壹，通过大行令王恢向武帝建议说："匈奴刚和亲，亲信边地的人民，可以用便宜来引诱他们。"武帝便暗中派聂翁壹作为间谍，逃到匈奴那边，对单于说：

　　"我能够斩杀马邑县县令、县丞和其他官吏拿城池来投降，得到你全部的财物。"单于听了很高兴，认为不错，就答应了聂翁壹。聂翁壹

回来，装模作样地斩了一个死囚的头，悬挂在马邑的城墙上，来向单于的使者表明可信。他说："马邑的长官已经死了，可以快速前来了。"于是单于率领十多万骑兵通过关塞，进入武州塞[3]。

当时，汉朝埋伏的军队有战车、骑兵、步兵三十多万，都藏在马邑城旁边的山谷中。卫尉李广任骁骑将军，太仆公孙贺任轻车将军，大行令王恢任将屯将军，太中大夫李息任材官将军，御史大夫韩安国任护军将军，各位将军都归护军将军指挥。诸将互相约定，只等单于一进入马邑城，汉朝军队就奔驰出击。王恢、李息、李广则另外从代主攻匈奴的军用物资。

这时，匈奴单于进入汉朝长城的武州塞，距离马邑城还有一百多里，要抢夺劫掠，他们看见牲畜放养在野外，却没有一个人。单于觉得奇怪，就攻下烽火台，捉到武州尉史，向他探问情况。尉史说："汉朝军队有几十万埋伏在马邑城下。"单于回头对左右的人说："我们几乎被汉朝欺骗了。"于是带兵回去。单于出了关塞，说："我得到这位尉史相助，真是天意啊。"马上任命尉史为"天王"。

塞下传说单于已经带兵离去。汉朝军队追赶到塞下，估计追不上，就作罢了。王恢等人的军队三万人，听说单于没有和汉军交锋，估计攻打匈奴的军用物资，一定会和单于的精兵交战，汉军以疲惫之势作战一定会失败，就便宜行事撤回了军队，汉军无功而返。

天子对王恢擅自带兵撤回，不出击袭取单于的军用物资非常生气。王恢说："起初，我们准备诱使匈奴进入马邑城，汉军和单于交锋，而我攻打他们的军用物资；这样可以获得利益。如今单于听说了消息，不来而回去，我率领三万人不能和他相匹敌，只是自取耻辱罢了。我本来就知道回来会被斩，但是能够保全陛下的士兵三万人，我觉得心安。"

于是武帝就把王恢交给廷尉处理。廷尉判他曲行避敌、观望不前罪，应当处死。王恢暗中送给丞相田蚡一千斤黄金。田蚡不敢对武帝说，而对太后说："王恢最先倡议马邑诱敌之计，如今却因为没成功而诛杀王恢，这是替匈奴报仇啊。"武帝朝见太后，太后把丞相的话告诉了武帝。

武帝说："最先倡议马邑诱敌之计的人，是王恢，所以发动天下几十万军队，听从他的话这样做了。而且纵使抓不到单于，如果王恢的军队攻打匈奴的军用物资，也很可能有收获，来安慰将士们的心。如今不诛杀王恢，无法向天下人谢罪。"后来王恢听说这事，就自杀了。

韩安国为人有大谋略，他的智谋足够用来迎合世俗，可是他这样做都出于忠厚之心。

韩安国任御史大夫四年多，丞相田蚡去世，韩安国便代理丞相的职务。一年多后，调任卫尉。

车骑将军卫青奉命攻打匈奴，卫尉韩安国任材官将军，驻扎在渔阳。韩安国活捉到匈奴人，俘虏说匈奴已经远远离去。韩安国就上书说现在正是耕作的时候，请求他暂且停止军屯。可停止军屯一个多月后，匈奴突然大举入侵上谷、渔阳。

韩安国的军营中才有七百多人，出去和匈奴交战，根本抵挡不住，让匈奴掳走了一千多人以及不少牲畜财产。天子得知此事很气愤，派使者斥责韩安国，调韩安国向东移动，驻扎在右北平。因为这时匈奴的俘虏供说要入侵东边。

韩安国最初任御史大夫和护军将军，后来逐渐被排斥疏远，贬官降职；而新得宠的青年将军卫青等人有功劳，越发尊贵。韩安国被疏远后，很不得志；领兵驻守又被匈奴人侵袭，损失很大，十分自愧。他希望能够罢兵回去，却越发被派向东边迁移屯守，心里郁郁不乐。

几个月后，韩安国生病吐血而死。

相关链接

〔1〕大行令：官职名，负责掌管朝廷礼宾方面事务，初称典客，后改为大行令，汉武帝时又改为大鸿胪。

〔2〕马邑县：古地名，在今山西朔县。

〔3〕武州塞：古地名，在今山西左云一带。

李广曾跟随孝文帝出行，文帝见他冲锋陷阵、抵御敌人十分英勇，便说："可惜啊，将军生不逢时！如果你生在高帝的时候，被封个万户侯还在话下吗？"

李将军名叫李广，是陇西郡成纪县人。李广的先祖李信，是秦朝的一位将军，曾经追击并捉到燕国太子丹。李广的老家在槐里，后来迁到成纪县。李广是将门之后，他家世代传习箭术。

孝文帝十四年（公元前166年），匈奴大举入侵萧关[1]，李广以良家子弟的身份随军出击匈奴。他善于骑马射箭，能以一当十，斩杀敌人很多，很快升迁到了中郎的职位。李广的堂弟李蔡，也任郎官。李广曾跟随孝文帝出行，文帝见他冲锋陷阵、抵御敌人，以及搏杀猛兽时十分英勇，文帝说："可惜啊，将军生不逢时！如果你生在高帝的时候，被封个万户侯还在话下吗？"

等孝景帝即位时，李广任陇西都尉，后来调任骑郎将。吴、楚起兵叛乱的时候，李广任骁骑都尉，跟随太尉周亚夫攻打吴、楚军队，他在昌邑城下夺取了敌旗，声名大大显扬了起来。但是，由于梁王私自授予李广将军的印绶，回朝后，景帝就没有再对他封赏。

后来，李广被调任做上谷太守，每天都和匈奴交战。典属国公孙昆邪哭着对景帝说："李广的才能气势，天下无双，他仰仗自己的才能，屡屡和匈奴硬拼，臣恐怕他有什么闪失。"于是，景帝便调他任上郡太守。后来李广又担任过陇西、北地、雁门、代郡、云中太守，都因为奋力作战而出名。

匈奴大举入侵上郡，景帝派一名宦官跟随李广学习军事，抗击匈奴。那位宦官率领几十名骑兵纵马奔跑，发现了三个匈奴人，就和他们交战。三个匈奴人回身射箭，射伤了宦官，几乎杀光了他的骑兵。宦官逃到李广那里，李广对他说："这一定是匈奴中射雕的人。"李广随即便带领了一百名骑兵去追赶那三个匈奴人。

那三个人没有马，徒步行走了几十里。李广命令他的骑兵左右分开包抄，自己亲自射杀那三个人，射死了两个，俘虏了一个。一审问，他们果然是匈奴中射雕的人。李广把俘虏捆好上马后，忽然望见远远驰来几千名匈奴骑兵，他们也发现了李广，以为是诱敌的骑兵，都吃了一惊，跑上山去摆开阵势。李广的一百名骑兵十分惊恐，想纵马往回跑。

李广说："我们距离大部队几十里远，如果就这样一跑，匈奴一定会追击射杀我们，一百名骑兵一个也别想生还。如果我们不走，匈奴一定认为我们是被派来诱敌的，就不敢攻打我们了。"

于是李广命令骑兵们说："前进！"待大家冲到离匈奴的阵地还有二里远的地方，停了下来，又下令说："都下马解下马鞍！"

骑兵们说："敌人那么多，又离得近，假如有危急，怎么办？"

李广说："敌人一定认为我们会逃跑，但我们解下马鞍来表明不逃跑，这样他们就会认定我们是在诱敌了。"

匈奴骑兵见状，果然犹疑不决，不敢来进攻。一位骑白马的匈奴将领出阵来监护他的士兵，李广上马和十多名骑兵纵马上去射杀了那位将领，而后又回到他的骑兵中，解下马鞍，命令士兵们都放开马，躺下。这时正好是黄昏，匈奴军队更加疑惑，一直不敢发动进攻。半夜里，匈奴军队认为汉朝很可能在附近安排了伏兵，要趁夜偷袭他们，就带领军队离去了。

第二天早晨，李广才率领大家回到大军营中。大军不知道李广到哪里去了，根本无法去接应他。

过了很长时间，孝景帝逝世，武帝即位，左右近臣都认为李广是有名的将领，于是把李广由上郡太守调任做未央宫的卫尉，让程不识做长乐宫的卫尉。程不识以前和李广都以边郡太守的身份率领军队屯守驻防。等到出兵攻打匈奴时，李广行军没有队列和阵势，喜欢靠近水草丰富的地方驻扎，筑营停宿，非常便利，晚上也不用打更 [2] 来自卫，军中幕府简化了各种文书簿册。由于李广一直防范得很严密，远远地布置哨兵，所以从来没有遭到过危险。

程不识对队伍的编制、行军队列、驻营阵势等要求都很严格。夜晚打更，军吏整理文书簿册直忙到天亮，军队得不到休息，可是他也从未遇到过危险。程不识说："李广治军最简单，可是假如敌人突然来侵犯他们，他也就无法阻挡了；而他的士兵也安逸快乐，都乐于为他去死。我的军队虽然军务烦乱杂扰，不过敌人也无法侵犯我。"

当时汉朝边郡的李广、程不识都是名将，可是匈奴害怕李广的谋略，士兵也大多喜欢跟随李广而以跟随程不识为苦。程不识在孝景帝时因为多次直言进谏而做了太中大夫，他为人廉洁，谨守法律条文。

后来，汉朝用马邑城引诱单于，派大军埋伏在马邑附近的山谷中，

由李广任骁骑将军，由护军将军统领。当时单于发觉了这个计谋，迅速离去了，汉军都没有功劳。那以后四年，李广由卫尉任为将军，从雁门出发攻打匈奴。匈奴军队人多，打败了李广的军队，活捉了李广。单于一直听说李广有才能，曾经下令说："如果捉到李广，一定要把他活着送来。"

匈奴骑兵捉到李广时，李广正有伤病，匈奴就把李广放在两匹马中间，编好网兜，把他装在里边躺着。这样走了十多里，李广假装已经死去了，他斜眼看到他旁边有一名匈奴少年骑着一匹好马，便找到一个好时机，突然一跃而起，跳上那少年的马，把少年一把推下去，夺了他的弓，策马向南奔跑了几十里，终于遇到了他的剩余部队，于是带领他们进入关塞。匈奴出动几百名追捕的骑兵来追赶他，李广边走边拿那匈奴少年的弓，射杀追来的骑兵，因此得以逃脱。

李广经历千辛万苦，终于回到了汉朝京城，朝廷把他交给法官处理。法官判决李广这次出击，损失太大，又被敌人活捉，应被处死。那时可以用钱来赎罪，李广后来就出了很多钱，赎了死罪，成为平民。

相关链接

〔1〕萧关：关名，古时关中通往塞北的重要关隘，故址在今宁夏固原东南。
〔2〕打更：古代负责守夜巡逻的人员每到一更敲锣或打梆报时。

英雄易老李广难封

李广曾经和星象家王朔私下里闲谈，说："自从汉朝攻打匈奴以来，我没有一次不参战，因为攻打匈奴有军功而被封侯的有几十人，我李广不比别人差，但是没有一点功劳来获取封地，为什么呢？难道是我命中不该封侯吗？还是本来就命该如此呢？"

时间一晃而过，李广在家已经闲居几年了。他家和已故颍阴侯灌婴的孙子灌强一家都隐居在蓝田南山中，常常一起在山中打猎。

一天晚上，李广带着一名随从外出，到田间去和人饮酒。回来时到了霸陵亭，霸陵尉喝醉了，呵斥李广，不让他通过。随从在一边说："这是前任李将军。"亭尉说："现任将军尚且不能夜晚通行，何况是前任呢！"亭尉阻拦李广，让他停宿在霸陵亭下。

不久，匈奴入侵杀了辽西太守，打败了韩安国将军，后来韩将军调到右北平。武帝又想起了李广，就征召任命李广为右北平太守。李广请求武帝派霸陵尉和他一起去赴任，一到军中，就把他杀了。

李广驻守右北平，匈奴听说了，都称他为"汉朝飞将军"，躲避他好几年，不敢入侵右北平。一次李广出去打猎，看见草丛中有块石头，以为是老虎，就向它射箭，箭头都射了进去，才发现原来是石头。不过李广也射杀过真正的老虎。他在驻守右北平时，曾经去射虎，老虎很威猛，跳起来伤了李广，但最终还是死在李广箭下。

李广为人廉洁，得到赏赐就分给他的部下，饮食也和士兵们在一起。李广一生做二千石俸禄的官做了四十多年，家里没有多余的财产，他始终也不谈论家产方面的事情。李广身材很高，两臂如猿，善于射箭其实是天赋。即使是他的子孙或别人向他学习，也没有人能比得上他。李广口齿迟钝，很少说话，和别人聚在一起，就在地上指画排兵布阵，然后来射箭，根据射中密集或宽疏的行列来定罚谁饮酒。李广专门以射箭作为消遣，一直到死。

李广带兵，遇到缺粮断水时，如果发现有水，士兵没有一一饮遍了，他是决不会靠近水边的；士兵还没有都吃上饭，李广就一点都不吃。李广对士兵宽厚和缓而不苛刻，士兵因此乐于为他效劳。李广射箭，看见敌人逼近，不到几十步以内，估计射不中就不射，只要发射，敌人立即随弓弦的响声而倒下。因此，他带领军队多次被困受辱，射杀猛兽也常常为它们所伤。

李广（？—前119年）

陇西成纪（今甘肃秦安北）人，西汉著名军事家。做过骑郎将、骁骑都尉、未央卫尉、郡太守，镇守边郡使匈奴不敢犯多年，被称为"飞将军"。其一生未得封侯，或许时运不济，有历史典故"冯唐易老，李广难封"。公元前119年，随卫青出征匈奴，兵败，引颈自刎。

不久，石建去世，武帝于是召见李广，让他代替石建任郎中令。元朔六年（公元前123年），李广又任后将军，跟随大将军卫青的军队从定襄出发，攻打匈奴。将领们大多都因斩杀敌人符合规定的数目，凭战功被封为侯，而李广的军队却一直没有功劳。

过了两年，李广以郎中令的身份带领四千名骑兵从右北平出塞，博望侯张骞[1]带领一万名骑兵和李广一同出征，兵分两路。走了几百里左右，匈奴左贤王率领四万名骑兵包围李广，敌众我寡，李广的士兵都很恐慌，李广就派儿子李敢向匈奴军队冲击。李敢独自和几十名骑兵飞奔而去，直插入匈奴骑兵中，又从他们的左右两翼突击而回，报告李广说："匈奴很容易对付了。"士兵们这才安心。李广布下圆形阵势，面向外。匈奴猛攻，箭如雨下。汉朝士兵死了一半多，弓箭也快要用光了。李广就命令士兵拉满弓，不要发射，李广亲自用大黄弩弓射匈奴的副将，射杀了好几个，匈奴军队才渐渐散开。适逢黄昏，军吏士兵都面无人色，可是李广却神态自若，从容地整顿好军队。从此，军中上上下下都佩服他的镇定和勇敢。

第二天，李广又奋力作战，而博望侯张骞的军队也赶到了，匈奴军队终于解围离去了。汉军非常疲劳，不能追击。当时李广的军队几乎全军覆没，就收兵回来。根据汉朝法律，博望侯张骞行军迟缓，延误期限，应当处死，后来出钱赎了死罪成为平民。李广功过相抵，没有奖赏。

起初，李广的堂弟李蔡和他一同侍奉孝文帝。景帝时，李蔡积累功劳达到了二千石级的官位。孝武帝时期，又做到代国的国相。李蔡在元朔五年（公元前124年）任轻车将军，跟随大将军卫青攻打匈奴右贤王，按斩杀敌人首级的规定数目取得功劳，被封为乐安侯。

元狩二年（公元前121年）间，李蔡取代公孙弘任丞相。李蔡的才华在下等、中等之间，而且名声和李广相差很远，可是李广得不到封爵和封地，做官也从未超过九卿，而李蔡则被封为列侯，官位达到三公。李广的军官和士兵中有人也获得了封侯。

李广曾经和星象家[2]王朔私下里闲谈，说："自从汉朝攻打匈奴以来，我没有一次不参战，可是各部队校尉以下的军官，才能比不上中等人，因为攻打匈奴有军功而被封侯的却有几十人，我李广不比别人差，但是没有一点功劳来获取封地，为什么呢？难道是我命中不该封侯吗？还是本来就该如此呢？"王朔说："将军自己回想一下，曾经有过遗恨的事没有？"李广说："我做陇西太守时，有一次羌人[3]造反，我引诱他们来投降，来降的有八百多人，我在一天内把他们都杀了，欺骗了他们。直到今天，我觉得我平生最大的遗恨就是这件事了。"王朔说："没有比杀害已经投降的人更大的罪过了，这就是将军不能被封侯的原因。"

　　两年后，大将军卫青、骠骑将军霍去病大规模出兵攻打匈奴，李广多次请求随行。武帝认为他年纪太大，没有答应他，过了很久才同意，让他任前将军。

　　元狩四年（公元前119年），李广跟随大将军卫青攻打匈奴。出了边塞后，卫青俘虏了一个敌人，从他口中获知了单于居住的地方，于是自己率领精兵追击单于，而命令李广和右将军的部队合并，从东路出发。东路稍微有些迂回绕远，而且大军在水草缺少的地方行进，这种形势无法驻扎部队。李广请求说："我的职务是前将军，如今大将军却改

令我从东路出征，况且我从成年后一直和匈奴交战，到今天才有一次机会能够遇上单于，我希望做前锋，先和单于决一死战。"

大将军卫青私下里曾接受过武帝的告诫，认为李广年纪太大，命运不好，不要让他和单于对敌。这时公孙敖刚失去侯爵，担任中将军，跟随大将军，大将军想派公孙敖和自己一起与单于对敌，所以还是调开了前将军李广。

李广知道了这件事，向大将军辞免，坚决请求不要把他调开。大将军没有听从他，命令长史写文书送到李广的幕府，说："赶快到右将军部队里，照文书办。"李广不向大将军告辞就出发了，心怀恼怒地前往军部。他带领士兵和右将军赵食从东路出征。军队没有向导，不时地迷路，落在了大将军后面。大将军和单于交战，单于兵败而逃，他们没有活捉到单于就回来了。

大将军向南横渡沙漠，遇上了前将军、右将军。李广谒见大将军后，回到部队中。大将军派长史拿着干粮和酒送给李广，顺便询问李广、赵食迷路的情况，好上书向皇上报告部队的详情，李广没有回答。

大将军卫青派长史迅速责令李广幕府的人员去受审对质。李广说："校尉们没有罪，是我自己迷了路。我现在亲自去受审对质。"到了大将军的幕府，李广对他的部下说："我李广平生和匈奴作战大小有七十多次，如今有幸跟随大将军出发和单于交战，可是大将军又调我的部队去走迂回绕远的路，并且又迷了路，难道这不是天意吗？况且我六十多岁了，终究不能再受那些刀笔吏的侮辱了。"于是拔刀自杀。

李广部队的将士都痛哭失声。百姓们听说了，无论是否认识，不论老少都为李广落泪。右将军赵食单独被交给法官处办，应当处死，不过后来还是出钱赎了罪，成为一介平民。

相关链接

〔1〕张骞：约公元前164—前114年，成固（今陕西城固）人，我国西汉时期出色的外交家。公元前139年，他受命于汉武帝，率人前往西域，负责寻找曾被匈奴赶跑的大月氏，以期合力进击匈奴，后再次出使西域，为丝绸之路的开辟做出了卓越贡献。

〔2〕星象家：古代专门通过观察星象的运动变化来推测和预言吉凶祸福的人。

〔3〕羌人：古代中国西部游牧民族泛称，属于古代戎人的一部分；西汉时，匈奴强大，羌人附属于匈奴。

名将陨落后世衰微

李广有三个儿子，李当户、李椒、李敢，成人后都做了郎官。天子尤其赞赏李当户。可惜李当户死得太早，只留下个遗腹子叫李陵。李陵到了壮年以后，天子认为李家世代为将，就任命他做骑都尉。在抗击匈奴的战争中，李陵的军队紧缺粮食，救兵又迟迟不来，敌人加紧攻打，并劝诱李陵投降。李陵说："我没有脸面回去报告陛下了。"于是投降了匈奴。单于得到李陵后，因他家的名声，就把自己的女儿嫁给李陵，让他显贵。消息传到汉朝，武帝就下令杀了李陵母亲、妻子全家。从那以后，李家名声败落，陇西人士曾做过李家宾客的，都以此为耻辱。

李广有三个儿子，李当户、李椒、李敢，成人后都做了郎官。有一次，天子和韩嫣戏耍，韩嫣的行为有点放肆不敬，李当户见了很愤怒，就上前去打韩嫣，韩嫣赶紧跑开了。天子认为李当户很勇敢，非常赞许他。

可惜李当户死得太早，天子又任命李椒做代郡太守，这两人都比李广死得早。李当户有个遗腹子叫李陵[1]。李广在部队中去世时，李敢正跟随着骠骑将军霍去病。李广死后的第二年，李蔡（李广堂弟）以丞相身份侵占孝景帝陵园前大道两旁的空地而获罪，应当交给法官判处，李蔡不愿受审对质，也自杀了，封国被废除。李敢以校尉的身份跟随骠骑将军霍去病攻打匈奴左贤王，奋力作战，夺得左贤王的战鼓和军旗，斩杀敌人很多首级，被赐给关内侯的封爵，封给食邑二百户，接替李广担任郎中令。

后来，李敢怨恨大将军卫青使他父亲含恨而死，就打伤了大将军，大将军把这事隐瞒了起来。不久，李敢跟随武帝去雍县，到甘泉宫打猎。骠骑将军霍去病和卫青有亲戚关系，就射死了李敢。霍去病当时正显贵受宠，皇上就隐瞒真相，说李敢不小心被鹿触撞而死。一年多后，霍去病去世。李敢有个女儿是太子的侍妾，受到宠爱，李敢的儿子李禹也受到太子的宠爱，但他贪图财物，李家逐渐衰败了。

李陵到了壮年以后，被选任为建章营的监督官，监管那些骑兵。他善于射箭，爱护士兵，武帝认为李家世代为将，就派他率领八百名骑兵。李陵曾经深入匈奴境内二千多里，穿过居延海[2]，观察地形，因为没有看到匈奴敌军的影踪而回来。武帝任命他做骑都尉，率领丹阳的楚兵五千人。

几年后，也即天汉二年（公元前99年）秋天，贰师将军李广利率领了三万名骑兵，在祁连天山攻打匈奴右贤王，同时派李陵率领他的射

李廣

手、步兵五千人，从居延海出塞向北到了大约一千多里的地方，想因此分散匈奴的兵力，让他们难以全力追击贰师将军。

到了预定期限后要回兵，可是单于用八万大军围攻李陵的部队。李陵的部队只有五千人，箭射光了，士兵死了一半多，可他们杀伤的匈奴人也有一万多。他们边退边战，连战了八天，往回走到距离居延海还有一百多里时，匈奴兵拦堵住狭窄的山谷，截断了他们的通路。

李陵的军队里紧缺粮食，救兵又迟迟不来，敌人加紧攻打，并劝诱李陵投降。李陵说："我没有脸面回去报告陛下了。"于是投降了匈奴。他的军队全军覆没，其余逃散回到汉朝的只有四百多人。

单于得到李陵后，因为向来知道他们家的名声，而且李陵打仗时又很勇猛，于是就把自己的女儿嫁给李陵，让他成为匈奴国的显贵。消息传到汉朝，武帝就下令杀了李陵母亲、妻子全家。从那以后，李家名声败落，陇西人士曾做过李家宾客的，都以此为耻辱。

相关链接

[1] 李陵：? — 公元前74年，字少卿，陇西成纪（今甘肃静宁）人，西汉著名将领李广之孙，擅长骑射，武帝时出塞抗击匈奴，因孤军深入被困，率数千人与匈奴大军奋战，多日而援军不到，终因寡不敌众投降。

[2] 居延海：湖泊名，在今内蒙古自治区阿拉善盟额济纳旗北部。

马背上的沧桑

匈奴人是夏后氏的后代。早在唐尧、虞舜以前，匈奴就有山戎、猃狁、荤粥等部落，居住在北边蛮荒之地，以畜牧为主，牲畜多是马、牛、羊等等。匈奴人从君王以下，都吃牲畜的肉，穿牲畜的皮革，披着带毛的皮袄。他们被称为"马背上的民族"……

匈奴人是夏后氏[1]的后代。早在唐尧、虞舜以前，匈奴就有山戎、猃狁、荤粥等部落，居住在北边蛮荒之地，以畜牧为主，牲畜多是马、牛、羊等等。此外，他们还饲养了很多当时看来很奇特的牲畜，比如骆驼、驴、骡。他们不事农耕生产，而是随着水草四处迁移，没有城镇等常居之地，但是也各有各的牧地。他们没有文字和书籍，只通过说话来交流。

匈奴人很小就能够骑羊，拉弓射鸟、鼠；稍大一点就能射狐狸、兔子。男子都有力量拉开弓，全都是披甲的骑兵。

他们的风俗有别于汉人，平时随意游牧，以射猎禽兽为生；形势紧急时，就人人演习作战来进行侵袭征伐，这是他们的天性。他们使用的长兵器是弓和箭，短兵器是刀和铁柄小矛。作战时，情况有利就进攻，没有利就退却，不以逃跑为羞耻。如果有利可得，就不在乎什么礼义。从君王以下，都吃牲畜的肉，穿牲畜的皮革，披着带毛的皮袄。他们尊重健壮的人，看轻年老体弱的人，健壮的人吃肥美的食物，老年人只能吃剩下的。父亲去世，儿子就把后母作为妻子；兄弟去世，活着的兄弟就娶已故兄弟的妻子为妻。

等到夏朝国运衰落，公刘失去了他的稷官职位，就在西戎实行变革，他在豳地建立都邑居住下来。而原来的豳地人都跟随首领，跑到岐山下营造城邑，建立了周国。

后来到周武王时，讨伐商纣王，营建洛邑，又回到酆京、镐京居住，他把戎夷驱逐到泾水、洛水以北，让他们按时向周进贡，叫作"荒服"。

随着周朝政治衰落，一次，周穆王讨伐犬戎，只得到四条白狼、四只白鹿，回来后，荒服的戎夷之人不再来进贡了。到了周幽王统治时期，周幽王因为宠姬褒姒的缘故，和大臣申侯有了仇怨。申侯一气之下，就联合犬戎一同攻打周幽王，把他杀死在骊山脚下，于是犬戎就取得了周朝的焦获等地方。

秦襄公闻讯赶来援救周王，攻打犬戎，一直打到岐山。后来犬戎不断骚扰诸侯国，齐桓公时，向北攻打山戎，山戎逃跑。

那以后二十多年，戎狄来到洛邑，攻打周襄王，周襄王逃奔到郑国的汜邑。后来，周襄王要攻打郑国，就娶了戎狄的女子作为王后，和戎狄军队一同讨伐郑国。可不久，周襄王就废黜了狄王后，狄王后很怨恨，正巧周襄王的后母叫惠后，有个儿子叫子带，想立他为王，于是惠后和狄后、子带作为内应，为戎狄打开城门，戎狄因此能够入城，赶走了周襄王，立子带为天子。于是，有些戎狄人就居住在陆浑，东部到达了卫国，不断侵犯残害中原，中原人很痛恨他们。

周襄王在外居住了四年，派使者向晋国告急。晋文公刚即位，想要建立霸业，就发动军队讨伐并赶走戎狄，杀死了王子带，迎回周襄王，继续居住在洛邑。

在那个时候，秦国、晋国都是强国。晋文公赶跑了戎狄，戎狄居住在河西[2]的圉水、洛水一带，称为赤狄、白狄。秦穆公得到由余的帮助，使得西戎八个国家都向秦国臣服，而晋国北边有林胡、楼烦等戎族，燕国北边有东胡、山戎。他们各自分散居住在溪谷里，各自都有君长，常常相聚在一起的有一百多个戎族部落，可是没能统一。

这以后一百多年，匈奴部落和各诸侯国之间，因为利益，时和时打，纷争不断。秦国受到匈奴部落的侵扰最多，他们就修筑长城来抵御匈奴。

而赵武灵王钦佩匈奴的骁勇善战，就改变风俗，穿匈奴人的衣服，练习骑马、射箭，大大增强了力量。他向北打败了林胡、楼烦，又修筑长城，从代地沿着阴山[3]修下去，直到高阙，建起关塞，设置了云中郡、雁门郡、代郡。

后来，燕国有位贤能的将领叫秦开，在匈奴那里做人质，匈奴人十分信赖他。秦开回来后，袭击并打败、赶走了东胡，东胡后退了一千多里。后来和荆轲一起刺杀秦王的秦舞阳，就是秦开的孙子。燕国也修筑长城，从造阳一直到襄平。设置上谷、渔阳、右北平、辽西、辽东郡来抵御匈奴。

在这个时候，有七个诸侯的强国，而其中三个都接邻匈奴。后来李牧任赵国将军时，特别英勇，匈奴人不敢进入赵国的边界。后来秦国灭亡了六国，秦始皇派蒙恬率领十万人向北攻打匈奴，全部收复了河南(今

内蒙古河套一带)的土地。秦始皇又凭借黄河作为边塞，修筑四十四座县城靠近黄河，迁徙囚犯到那里。后来，又修造直通的大路，从九原一直到云阳。凭借山岭、险要的沟堑、溪谷等可以修缮的地方建造长城，从临洮起直到辽东，有一万多里。

相关链接

〔1〕夏后氏：即大禹，禹为夏后部落的首领，后受禅而成为部落联盟首领，其子启建立了夏朝，故人称其为"夏后氏"。

〔2〕河西：地区名，古人称今山西、陕西两省之间黄河南段以西地区为"河西"。

〔3〕阴山：山（脉）名，蒙语称"达兰喀喇"，在今内蒙古自治区中部，西起狼山，东抵内兴安岭，绵延一千二百多公里。

东胡派使者对冒顿说："贵国和我们交界的空地，好多都空着，我想占有它们。"冒顿征求大臣们的意见，有的说："这是空地，给也可以，不给也可以。"冒顿大怒说："土地，是国家的根本，怎么可以给他们呢！"那些说给土地的人，都被处死。

这个时候，东胡[1]和月氏[2]都很强盛。匈奴的单于叫头曼，头曼打不过秦朝，就向北迁移。十多年后蒙恬去世，诸侯于是背叛秦朝，中原形势非常纷乱，那些秦朝调派去谪守边境的人都离去，匈奴这才摆脱了困境，又逐渐渡过黄河向南，占据和中原接壤的边塞。

单于原来有个太子名叫冒顿。但单于所喜欢的阏氏，生了个小儿子，单于就想废弃冒顿，立小儿子为太子，于是就派冒顿到月氏做人质。冒顿到月氏做人质后，头曼反而加紧进攻月氏。他想这样激怒月氏人好杀死冒顿，冒顿偷取了好马，逃了回来。头曼有感于他的勇猛，就不再追究，还拨给他一万名骑兵。

冒顿很聪明，他制造了一种响箭[3]，训练部下骑马、射箭，他发布命令说："响箭射到的地方，大家都要跟着一齐射，谁不全力去射，就处死他。"冒顿经常带领士兵出去打猎鸟兽，他放出响箭，只要有人不向响箭所射的地方去射，马上斩杀他。后来，冒顿用响箭亲自射向他的好马，手下亲信有的不敢射，冒顿立即处死了不向好马射箭的人。

不久，冒顿又用响箭射向他喜欢的妻子，手下有人十分害怕，不敢施射，冒顿又处死了他们。后来冒顿出去打猎，用响箭射向单于的好马，手下的人都跟着射。冒顿知道他的部下都可以使用了。

一次，他跟随父亲头曼去打猎，趁头曼不备，一个响箭射向头曼，他手下的人也都跟着响箭射杀了头曼。随后，冒顿又杀死了他的后妈和弟弟，以及那些不服从的大臣。冒顿自己立为单于。

冒顿做了单于后，当时东胡实力强大，听说冒顿杀死父亲自己做了单于，就派使者对冒顿说，想得到头曼的千里马。冒顿征求大臣们的意见，大臣们都说："千里马是匈奴的宝马，不能给。"

冒顿说："怎么可以和别人做邻国而吝惜一匹马呢？"于是冒顿就把千里马送给了东胡。不久，东胡认为冒顿畏惧自己，就又派使者对冒顿说，想得到单于的一个妃子。

冒顿又征求身边人的意见，身边的人都生气地说："东胡没有道义，竟然求取妃子！应该进攻他们。"

冒顿说："怎么可以和别人做邻国而吝惜一个女人呢？"于是冒顿就把自己喜欢的妃子送给了东胡。东胡王越发骄横，向西侵犯。东胡和匈奴中间有一千多里荒弃的土地，没有人居住，双方都在这空地的两边修起哨所。东胡派使者对冒顿说："贵国和我们交界的空地，好多都空着，我想占有它们。"

冒顿征求大臣们的意见，大臣们有的说："这是空地，给他们也可以，不给他们也可以。"冒顿大怒说："土地是国家的根本，怎么可以给他们呢！"那些说给土地的人，都被冒顿处死。

于是，冒顿跨上马，命令国中所有的兵马跟随他进发，前去袭击东胡，有退后的人就处死他。东胡起初轻视冒顿，不加防备，等到冒顿率领军队来到时，根本抵挡不住。

冒顿消灭了东胡王，抢走了他的百姓和牲畜、财产。回来以后，匈奴又向西攻打并赶走了月氏，向南兼并了楼烦、白羊河南王，又全部收复了秦将蒙恬所夺走的土地。这样匈奴就和汉朝以原来的河南塞作为边界，直到朝邢、肤施两地。这时汉军正和项羽对垒，中原地区疲于交战，因此冒顿能够强大起来，他麾下能拉弓射箭的士兵有三十多万。

从淳维一直到头曼有一千多年，匈奴势力时大时小，离散分化，所以他们流传的世系无法按次序排列出来。可是到冒顿时，匈奴最强大，他征服了整个北方的外族，向南和中国相对敌。这样，他们的世系、国家的官位名号才能够被记录下来。

匈奴设置有左、右贤王，左、右谷蠡王，左、右大将，左、右大都尉，左、右大当户，左、右骨都侯。匈奴人把贤能称作为"屠耆"。匈奴人一般常任命太子为左屠耆王。从左、右贤王以下到当户，官职大的拥有一万名骑兵，小的拥有几千名骑兵，大臣们都是世袭的官员。呼衍氏、兰氏，后来还有须卜氏，这三姓是最尊贵的家族。那些左方的王和将居住在东边，直到上谷郡以东，东边和秽貊、朝鲜接壤；右方的王和将居住在西边，直到上郡往西，和月氏、氐、羌接壤；而单于的王庭则向南直到代郡、云中郡；他们各自都有分占的领地，追随着水草而迁移。左、右贤王和左、右谷蠡王是最大的官员，左、右骨都侯辅助单于处理政事。

每年正月，各位官长在单于王庭进行小聚会。五月，在茏城进行大

聚会，祭祀祖先、天地、鬼神。秋天，马匹肥壮，在蹄林有更大的集会，用来考核和计算人口、牲畜的数目。

匈奴的法律，有意伤人并将刀剑拔离鞘一尺的人要被处死，犯偷盗罪的人没收其财产；犯罪轻的判压碎关节的刑罚，大的判处死刑。坐牢时间最长的不超过十天，全国的囚犯不超过几个人。

单于早上走出营地，祭拜初升的太阳，傍晚祭拜月亮。他们坐的规矩，年长的坐左边，还要面朝北方。

他们重视戊日，已日。他们安葬死者，有棺椁、金银、衣裘，没有坟墓和丧服制度；单于死后，他所亲近的大臣、侍妾跟随殉葬的，多达几百乃至几千人。他们打仗的时候要观测星月，月亮满圆就发动攻战，月亮亏缺就退兵。

他们攻战，如果斩杀敌人或俘虏敌人，都要赏赐一壶酒；谁得到的战利品，就把这些东西送给他，如果是人就用作奴婢。所以他们作战，为了利益，人人都非常勇敢，善于埋伏军队来袭击敌人。他们看见敌人就去追逐利益，像鸟飞集在一起；他们遭到危难失败，就土崩瓦解了。战斗的时候，把死者运载回来的人，就能得到死者的全部家产。

后来，匈奴向北征服了浑庚、屈射、丁零、鬲昆、薪犁等国家。匈奴的贵族、大臣都敬服冒顿，认为冒顿单于有才能。

相关链接

〔1〕东胡：古代我国北方游牧民族名称，因在匈奴以东而得名，属阿尔泰语系，存在于商初至西汉之间，主要活动区域在今内蒙古自治区东南部。

〔2〕月氏：又称月支、大月氏或氏，古代我国西北方游牧民族名称，秦汉之际主要活动于今兰州以西至敦煌的河西走廊一带，汉文帝时遭匈奴攻击，部分西迁者称"大月氏"，没有迁徙者与羌人杂居，称"小月氏"。

〔3〕响箭：又称"鸣镝"，一种带哨的箭，射出去时有响声，故名。

孝文帝驾崩，孝景帝继位，又和匈奴和亲，开通边境的互市市场，送给匈奴礼物，把公主嫁给单于，如同以前的盟约。直到孝景帝去世，匈奴时常有小的骚扰边界举动，但没有大的入侵。

在冒顿统一漠北[1]的时候，刘邦也扫平了各路起义军，建立了汉朝。面对匈奴的威胁，刘邦调派韩王信到代地，建都在马邑。匈奴大举围攻马邑，韩王信投降了匈奴。匈奴得到韩王信后，继续带兵向南越过句注山，进攻太原，来到了晋阳城下。

高祖亲自率领军队前去攻打匈奴。适逢冬天十分寒冷，又降雨雪，十分之二三的士兵都冻掉了手指。冒顿假装失败逃跑，引诱汉军去追。汉军不知有诈，率军追击冒顿，冒顿把他的精兵隐藏起来，只显示出自己的老弱残兵，于是汉军全部出动，大多是步兵，共有三十二万人，向北追击。

高祖到了平城时，步兵还没有全部赶到，冒顿指挥他的精兵四十万，把高祖包围在白登山。高祖被困长达七天七夜，被困的汉军得不到军粮救济。匈奴的骑兵，铺天盖地。高祖于是派使者暗地送给匈奴宠爱的妃子很丰厚的礼物，她就对冒顿说："我听说，两个君主不应互相围困，我想，大王即使得到了汉朝的土地，您最终也不能居住在这里。而且汉王也有神灵的保佑，您考虑一下再决定吧。"

正好这时，冒顿和韩王信的部将王黄、赵利约定时间会师，可是王黄、赵利的军队没有来，冒顿怀疑他们和汉朝有阴谋，同时也觉得妃子说得有道理，就解除了包围圈的一角。于是高祖命令士兵拉满弓，箭头朝向外边，从解开的一角直冲出去，终于和大军会合，而冒顿就带兵离去了。汉朝也带兵回来，派刘敬去和匈奴缔结和亲的盟约。

这以后，韩王信做了匈奴的将军，和赵利、王黄等人多次违背盟约，侵袭掠夺代郡、云中郡。过了不久，陈豨反叛，又和韩信一同谋划进攻代郡。汉朝派樊哙前去攻打他们，重新攻取了代、雁门、云中等郡县。

这时，匈奴因为汉朝很多将领去投降，冒顿经常来侵犯掠夺代地。于是，高祖就派刘敬进献皇族女儿给匈奴的单于做妃子，每年还奉送给匈奴一定数量的粗丝棉、丝织品、酒、米、食物等，约定为兄弟，冒顿才暂时停止侵扰。后来燕王卢绾反叛，带领他的同党几千人投降了匈奴，往来侵扰上谷以东一带。

等到高祖逝世，孝惠帝、吕太后时期，汉朝刚刚安定，国力还很空虚，匈奴显得越加骄横。冒顿竟然写信给高后，胡说八道。气得高后要

攻打匈奴，将领们说："凭着高祖的贤能、勇武，还被围困在白登山，您出兵要谨慎啊！"高后这才作罢，又和匈奴实行和亲。

孝文帝刚即位时，继续推行和亲的事。孝文帝三年（公元前177年）五月，匈奴右贤王进入河南居住，他不断侵袭上郡，杀害掠夺人民。于是，孝文帝下诏命令丞相灌婴带领八万五千骑兵和战车，去攻打右贤王。右贤王逃出了边塞。

第二年，单于送信给汉朝说：

"上天所立的匈奴大单于恭敬地问候皇帝平安无事。以前皇帝说到和亲的事，双方都欢喜。最近，汉朝边境的官吏侵袭、侮辱右贤王，右贤王没有向单于请示，听信奸人的计谋，和汉朝官吏相对抗，断绝双方君主的盟约，离间兄弟们的亲近。皇帝责备的信两次送来，我们派出使者送信回复，使者没能回来，汉朝使者又不到，汉朝因为这个缘故不与我们和解。

"我们现在已经责罚了右贤王，派他向西征讨月氏。凭着上天的福佑，消灭了月氏，斩杀了反抗的人，降服了他们。而且我们还平定了楼兰、乌孙、呼揭和附近的二十六个国家，他们都成为匈奴的属国。所有弯弓射箭的人，都合并为一家，北方已经平定。我希望可以停止战争，休养生息，恢复过去的盟约，顺应自古以来的友好关系，世世代代和平快乐。不知道皇帝意下如何，所以派郎中系雩浅呈送书信向您请示，并送上骆驼一匹，可骑乘的马两匹，可驾车的马八匹。皇帝如果不希望匈奴靠近边塞，那我就将诏令官吏百姓远离那里来居住。使者到达后，请马上送他回来。"

匈奴使者在六月中旬来到薪望这个地方。书信送到，汉朝商议攻打与和亲哪种有利。公卿大臣都说："单于刚打败了月氏，正处于胜利的形势，不能够进攻他们。况且匈奴的土地，都是盐碱地，不能居住。和亲是最有利的。"汉朝就答应了匈奴的请求。

孝文帝前元六年（公元前174年），汉朝送信给匈奴说："皇帝恭敬地问候匈奴大单于平安无事。您在信中所建议的，我十分赞同，这是古代圣明君主的意见。汉朝和匈奴结为兄弟，所以才送给单于十分丰厚的礼物。但违背盟约、离间兄弟亲情的人，常常是匈奴一方。右贤王的事情是在大赦以前，请单于不要深责他。如果单于能够明确地告知各位官吏，让他们不要违背盟约，遵守信用，那么我们将恭敬地按照单于信中的意思来做。我们现在送给您的有皇帝穿戴的绣袷绮衣、绣袷长襦、锦袷袍各一件，比余一个，黄金装饰的宽衣带一件，黄金带钩一件，绣花绸十匹，锦缎三十匹，赤绨和绿缯各四十匹。"

后来不久，冒顿去世了，他的儿子稽粥当了单于，号称老上单于。老上单于刚刚继位，孝文皇帝就送来皇族的女儿给单于做妻子，还派宦官燕国人中行说去辅佐公主。中行说不想前去，汉朝强迫他。中行说说："天子如果一定要我去，那么我就会成为汉朝的祸患。"中行说到了匈奴后，果然投降了单于，单于十分宠信他。

最初，匈奴喜欢汉朝的缯絮和食物，中行说对单于说："匈奴人数比不上汉朝的一个郡，可是能强大的原因，是衣食和汉人不同，不用依靠汉朝。如果用汉朝的缯絮做成衣服，穿上在草棘丛中骑马奔跑，衣裤都会破裂损坏，这说明汉朝衣裤比不上游衣皮袄坚固完善。而汉朝食物也比不上乳汁和乳制品的方便美味。"后来，中行说还教单于身边的人分条记录的方法，来计算、核查他们人口和牲畜的数量。

汉朝送信给单于，写在一尺一寸的木片上，中行说让单于送给汉朝的信用一尺二寸的木片，并且印章和封泥的尺寸都加宽加大加长，把信的开头话写得傲慢些说："天地所生、日月所置的匈奴大单于恭敬地问候汉朝皇帝平安无事"。

汉朝使者中有的说："匈奴的风俗轻视老年人。"中行说诘难汉朝使者说："你们汉朝风俗，凡是派去屯守边疆的人要出发，他们年老的父母难道有不让出自己暖和的衣服和丰美的食物，来送给出行的人吃穿吗？"汉朝使者说："确是如此。"中行说说："匈奴人都以战争为大事，那些年老体弱的人不能战斗，所以把丰美的食物供给健壮的人，这也是用来保卫自己啊，像这样，父亲儿子才能长久地互相保护，怎么能说匈奴轻视老年人呢？"

汉朝使者说："匈奴的父亲儿子竟然同睡在一个毡帐中，父亲死了，儿子可以娶他后妈为妻；兄弟死了，活着的兄弟可以娶已故兄弟的妻子为妻。而且匈奴人还没有帽子、衣带的装饰，以及朝廷的礼仪。"

中行说说："匈奴的风俗是人们吃牲畜的肉，饮它们的乳汁，穿它们的皮；牲畜吃草饮水，随季节而迁移地方。所以在危急的时候，人们就练习骑马、射箭，在和平的时候，人们就相安无事，他们受到的约束很少，君臣的关系也很简单，一个国家的政治，就像一个人的身体一样。父亲、兄弟死了，活着的娶死者的妻子为妻，是不愿意看到宗族灭绝。所以匈奴虽然伦常混乱，但一定要立宗嗣。如今中国的伦常虽然详备，不娶他们父亲、兄弟的妻子为妻，但亲属关系越发疏远，而且相互杀害，甚至于改朝换姓都是这一类缘故造成的。而且过多的礼仪也有弊病，君臣之间会相互怨恨，而追求宫室的高大华美，必然耗尽民力。总之，匈奴人努力耕田种桑，来求取衣服食物，修筑城池来保卫自己，所以百姓在紧急时练习战斗，宽松时又劳累地耕作劳动。唉！住在土石房子里的汉人，还是不要多说！"

从这以后，汉朝使者想要辩论的，中行说总是说："汉朝使者不要多讲了，只要你们送来布匹和粮食，而且数量足、质量好就行了，何必多说别的话呢？如果你们供应的物品不齐全，又粗劣，那么等到秋天庄稼成熟时，匈奴就会骑马来践踏你们的庄稼了！"

汉孝文帝十四年（公元前166年），匈奴单于带领十四万骑兵进入萧关，杀死了北地都尉，掠走了很多百姓和牲畜。匈奴还派突击队攻进并烧毁了回中宫，他们的侦察兵到达了雍地的甘泉宫。

于是文帝任命中尉周舍、郎中令张武为将军，出动一千辆战车，十万名骑兵，驻扎在长安城附近，来防备匈奴侵犯。又任命昌侯卢卿做上郡将军，宁侯魏遫做北地将军，隆虑侯周灶做陇西将军，东阳侯张相如做大将军，成侯董赤做前将军，大规模发动战车、骑兵去攻打匈奴。

单于留在关塞内一个多月才离去，汉朝军队追击匈奴大军，出了边塞就回来了，没有斩杀到什么敌军。匈奴一天比一天更加骄横，每年都侵入边境，杀害、掠夺百姓和牲畜，其中云中、辽东两郡受害最严重。汉朝对此很忧虑，于是派使者送信给匈奴，单于也派当户送回信答谢，双方又讨论和亲的事情。

孝文帝后元二年（公元前162年），派使者送信给匈奴说：

"皇帝恭敬地问候匈奴大单于平安无事。大单于派当户且居雕渠难、郎中韩辽送给我的两匹马，已经送到，我恭敬地接受了。先帝的规定如下：长城以北的地方，是拉弓射箭的国家，服从单于统治；长城以内，是戴帽子束衣带的人家，由我控制它。我要让百姓耕种、织布、射猎来获取衣食，父子不分离，大臣君主相安无事，没有暴虐和叛逆的事情。

"如今我听说邪恶的刁民贪图攻战掠夺的利益，背信弃义，违反盟约，忘却千万百姓的性命，离间两位君主的友谊，但这些都是以前的事情了。您的信说：'两国已经和亲，两位君主停止战争，安定的日子重新开始。'我十分赞同。圣人应该天天都使自己的道德言行进步，让老年人得到安养，年幼的人得到成长，人人都能安享天年。我和单于都遵循这个道理，顺应天意，体恤人民，天下无不得到利益。汉朝和匈奴是势均力敌的邻国，匈奴地处北方，寒冷，肃杀之气来临得早，所以我命令官吏每年都送给单于一定数量的金帛、丝絮和其他物品。

"如今天下十分安定，百姓们和乐，我和单于作为他们的父母也很高兴。回想以前的事情，都是微末小事，是谋臣考虑失当，都不值得离间兄弟间的情谊。我听说上天不会只覆盖一方，大地不会只承载一处。我和单于都抛弃以前的小误会，遵循大道理，消除以前的不快，图谋长远的利益，使两国的人民像一家人。让我们都抛开以前的恩怨吧！我释免逃往匈奴的汉人的罪责，单于也不要再追究逃往汉朝的章尼等人。我听说古代的帝王，誓约分明而决不食言。单于记住盟约，天下就会特别安宁，和亲以后，汉朝不会先失约。望单于明察这件事。"

单于已经同意和亲，于是汉文帝就下令御史说："匈奴大单于送信给我，说已经确定和亲，匈奴不入侵塞内，汉朝不出塞外，违犯现今条约的就处死，长久地保持亲近友好，今后不再有祸患，双方都有利。我已经答应了。请向天下发布告示，使人们都明白地知道这件事。"

汉文帝后元四年（公元前160年），老上稽粥单于去世，他儿子军臣继位做了单于。军臣单于继位后，孝文皇帝又和匈奴和亲。而中行说仍旧侍奉军臣单于。

军臣单于继位四年以后，匈奴又断绝了和亲关系，大举入侵上郡、云中郡，分别派出三万名骑兵，杀死、掠获了许多汉人和财物。于是汉朝派张武等三位将军带兵驻扎在北地，沿着边境，都派兵坚守，来防备匈奴敌人。朝廷还安排周亚夫等三位将军，带兵驻扎在长安西边的细柳、渭河北岸的棘门和霸上，来防备匈奴。

几个月后，汉朝军队到了边境，匈奴远远地离开边塞，汉军也撤兵了。一年多后，孝文帝驾崩，孝景帝继位，而赵王刘遂暗中派人到匈奴联系。吴、楚等七国反叛，匈奴想和赵国一起入侵。等到汉朝军队围攻打败了赵国，匈奴也作罢了。从这以后，孝景帝又和匈奴和亲，开通边境的互市[2]市场，送给匈奴礼物，把公主嫁给单于，如同以前的盟约。直到孝景帝去世，匈奴时常有小的骚扰边界举动，但没有大的入侵。

当今皇帝继位之后，延续有关和亲的规定，优待匈奴，开通边境互市市场，送给他们大量的财物。匈奴从单于以下都亲近汉朝，往来于长城脚下。但两国也时有征战。

一次，汉朝派马邑属下的聂翁壹故意违犯禁令，私运货物和匈奴交易，佯称出卖马邑城来引诱单于。单于相信了他，而且贪图马邑的财物，就率领十万名骑兵，进入武州塞。那时，汉朝埋伏了三十多万军队在马邑城附近，御史大夫韩安国任护军将军，监护着四位将军来伏击单于。

单于进入汉朝关塞后，离马邑城还有一百多里，看到牲畜遍野而没有人放牧，觉得奇怪，就攻打汉朝的哨亭。当时雁门尉史正在视察，单于捉到了他，要杀死他，尉史就供出了汉朝军队埋伏的地点。单于大吃一惊说："我本来就怀疑这事。"于是带兵回去。单于出了边塞说："我得到尉史，这是天意，是上天让你向我报告呀！"单于于是封尉史做"天王"。汉军约好单于进入马邑城，就放士兵攻杀，单于没有来，因此汉军一无所获。汉朝将军王恢的部队走出代郡去攻打匈奴的辎重，听说单于回兵了，匈奴士兵很多，就不敢出击。

汉朝认为王恢是最初策划这次行动的人，结果他却不敢进攻，就处死了王恢。从这以后，匈奴断绝了和亲关系，屡次攻击直通要道的关塞，常常入侵汉朝的边境，次数多得无法计算。可是匈奴人很贪婪，还是喜欢和汉朝互通关市，非常喜欢汉朝的财物，汉朝也依旧不断与匈奴通关市，来迎合他们的心意。

相关链接

〔1〕漠北：一作幕北，古人对蒙古大沙漠以北地区的泛称。

〔2〕互市：古代中国与外国或异族之间进行的贸易称为互市。

○ 品画鉴宝

文姬归汉扇面（明）李士达／绘　文姬归汉的故事是自汉末南北朝以来广为人们喜爱的画题。该图设色秀丽细致，用笔轻缓，线条委婉，人物形象有翩翩文雅之态。

武帝抗击匈奴

汉帝国经过几朝的休养生息，国力已经非常强大，而且汉武帝重视军事力量的培养，开始着力抗击侵扰多年的匈奴。

到了汉武帝时期，汉帝国经过几朝的休养生息，国力已经非常强大，而且汉武帝重视军事力量的培养，开始着力抗击侵扰多年的匈奴。马邑军事行动后的第五年秋天，汉朝派四位将军分别率领万名骑兵在关市附近攻打匈奴。卫青将军从上谷出塞，率军直扑茏城，获得敌人首级、俘虏七百人。公孙贺从云中出塞，却一无所获。公孙敖在公代郡出塞，被匈奴打败，损失了七千多人。李广从雁门出塞，却被匈奴打败，匈奴活捉了李广，后来李广逃了出来。汉朝拘禁了公孙敖、李广，公孙敖、李广二人则出钱赎罪，成为平民。

那年冬天，匈奴多次入侵边境，渔阳受害最为严重。汉朝于是派将军韩安国驻守渔阳来防御匈奴。第二年秋天，匈奴二万名骑兵入侵汉朝，杀死辽西太守，掳走了二千多人。匈奴又入侵打败了渔阳太守的军队一千多人，围困住汉朝将军韩安国，韩安国当时带领的一千多名骑兵也快要死光了，适逢燕国的救兵赶到，匈奴人才离去。

匈奴再次入侵雁门，杀死、掳走了一千多人。汉朝派卫青率领三万名骑兵从雁门出塞，李息从代郡出塞，攻打匈奴。他们杀死、俘虏了匈奴几千人。第二年，卫青又出塞到云中以西，直到陇西，在河南攻打匈奴属下的楼烦、白羊王，杀死、俘虏了几千人，获得牛、羊一百多万头。于是汉朝就占有了河南一带，他们修筑朔方城，又修复以前秦朝时蒙恬所建造的关塞，凭借黄河来固守。同时，汉朝也放弃了上谷郡的和匈奴地区犬牙交错的偏僻县份如造阳等。这一年，是汉朝的元朔二年。

那以后一年的冬天，匈奴军臣单于去世。军臣单于的弟弟左谷蠡王伊稚斜自己继位做了单于，打败了军臣单于的太子於单。於单逃跑并投降汉朝，汉朝封於单为涉安侯，几个月后他就去世了。

伊稚斜单于继位后，多次侵扰边境，直至入侵到河南，侵犯朔方。杀死、掳走许多官员和百姓。

汉朝就派出大将军卫青率领六位将军，十多万骑兵，从定襄出塞几百里去攻打匈奴，前后杀死并俘获了共一万九千多人，而汉朝也损失了两位将军、三千多名骑兵。右将军苏建得以逃脱，前将军翕侯赵信出师

不利，投降了匈奴。赵信原来是匈奴的小王，投降了汉朝，汉朝封他做翕侯，他因为与大部队分开出发，独自遇上了单于的军队，所以全军覆没。单于得到翕侯后，加封他做了王，地位仅次于单于，还把自己的姐姐嫁给他做妻子。

单于和他商量怎么对付汉朝。赵信教单于向北迁移，越过沙漠，以此来引诱汉军，等他们疲劳至极时就攻取他们，不要靠近汉朝的边塞。单于听从了他的计谋。第二年，匈奴骑兵入侵上谷，杀死了几百人。

第二年春天，汉朝派骠骑将军霍去病率领一万名骑兵从陇西出塞，越过焉支山一千多里，攻击匈奴，杀死并俘虏了匈奴一万八千多人，打败了休屠王，并获得了他的祭天金人。那年夏天，骠骑将军霍去病又联合合骑侯几万名骑兵从陇西、北地出塞二千里，攻打匈奴。霍去病越过居延，攻击祁连山，杀死并俘虏了匈奴三万多人，其中裨小王以下官员七十多人。这时匈奴也来入侵代郡、雁门，杀死并掳走了几百人。汉朝派博望侯张骞和李广将军从右北平出塞，攻打匈奴左贤王。左贤王包围了李广将军，李广的军队大约四千人，即将全军覆没，但他们斩杀匈奴的数目，远远超过了自己军队的损失。适逢博望侯张骞的军队赶来救援，李将军才得以解围。博望侯张骞因为耽误了骠骑将军约定的日期而被判为死刑，后来出钱赎罪，成为平民。

单于由于损失了几万人，十分愤怒，他认为责任都在据守在那的浑邪王、休屠王，因此要召他们来杀掉。浑邪王和休屠王很害怕，商量投降汉朝，汉朝就派骠骑将军前去迎接他们。休屠王害怕卫青的威势，害怕投降后被杀掉就想反悔，浑邪王就杀死了休屠王，吞并了他的部众，率领部众投降了汉朝，总共有四万多人，号称十万。

汉朝在浑邪王投降后，陇西、北地、河西遭受匈奴的侵扰越来越少了。汉武帝把关东的贫苦人家，迁调到从匈奴那里夺得的河南、新秦中地区，并将北地以西的戍卒减少了一半。

第二年春天，汉朝大臣商量说："翕侯赵信为单于出谋划策，让单于居住到大沙漠以北，他们认为汉军不能到达，我们就出其不意去攻击他们。"于是汉武帝命令用粟喂养马匹，发动十万名骑兵，加上自愿携带军需品参军的骑兵，共有十四万人，运输粮食的车马还不在这数目内。武帝命令大将军卫青、骠骑将军霍去病平分军队，大将军从定襄出塞，骠骑将军从代郡出塞，约定越过沙漠攻打匈奴。

单于听到消息，就把辎重运到远处，率领精兵在沙漠北边等候。匈奴同大将军卫青交战这一天，适逢傍晚，刮起了大风，汉军散开左右两翼包围单于。单于估计自己打不过汉朝军队，就独自和精壮的几百名骑兵击溃了汉军的包围圈，从西北方逃跑。汉军连夜追赶，没有捉到单于。但汉军一边追赶，一边斩杀并活捉了匈奴一万九千人，一直到达北边的阗颜山赵信城才退回来。

单于逃跑的时候，他的军队常常和汉军混战在一起，没法跟随单于一起逃跑。单于很久没有和他的大部队会合，右谷蠡王认为单于已死，就自己继位做单于。真单于再次找到了他的部众后，右谷蠡王就舍弃了自己的单于王号，又做了右谷蠡王。

汉朝骠骑将军从代郡出塞二千多里，和左贤王交战，汉军杀死并俘虏了匈奴七万多人，左贤王和将领们都逃跑了。骠骑将军在狼居胥山祭天，在姑衍山祭地，直到翰海才回师。

从此以后匈奴远远地逃开，沙漠以南没有了匈奴的足迹。汉朝军队渡过黄河，从朔方向西到了令居，在那里修通沟渠，开垦田地。

当初，汉朝两位将军大举出动围攻单于，杀死并俘虏了有八九万人，而汉朝士兵死去的也有几万人，汉朝的马匹死掉了十多万。匈奴虽然疲惫不堪，远远地离去了，而汉朝也因为马匹减少，无法再前去攻打。

匈奴采纳赵信的计策，派使者到汉朝，好言好语请求和亲。天子把这事交给大臣们商议，大臣们有的赞成和亲，有的主张趁机让匈奴臣服。丞相长史任敞说：“匈奴刚被打败，处境窘困，应该让他们做外臣，每年春秋两季在边境朝拜皇上。”于是，汉朝就派任敞出使匈奴，去见单于。单于听了任敞的计划，十分气愤，就扣留了任敞，不送他回去。在这之前，汉朝也招降过匈奴使者，匈奴单于也就扣留汉朝使者相抵偿。汉朝重新收集士兵、马匹，可是适逢骠骑将军霍去病去世，于是汉朝很长时间没有向北攻打匈奴。

几年后，伊稚斜单于在继位十三年后去世，他儿子乌维继位为单于。这一年，是汉武帝元鼎三年（公元前114年）。乌维单于继位，汉天子开始出去巡视郡县。那以后汉朝正向南诛灭南越和东越，没有进攻匈奴，匈奴也不入侵边境。

乌维单于继位三年时，汉朝已经灭亡了南越，于是又派前太仆公孙贺率领一万五千名骑兵从九原出塞二千多里，到浮苴井才回来，没有看到一个匈奴人。汉朝又派前从骠侯赵破奴率领一万多名骑兵从令居出塞几千里，到匈河水而回来，也没有看到一个匈奴人。

这时天子巡视边境，到了朔方郡，统领十八万骑兵来显示军威。而单于始终没有到汉朝边境侵扰。而是休养士兵和马匹，练习射箭打猎，还多次派遣使者到汉朝，好言好语请求和亲。

这时汉朝在东边攻取了秽貉、朝鲜，设置了郡，在西边设置了酒泉郡来隔绝匈奴和羌的交往道路。汉朝又向西沟通了月氏、大夏，把公主嫁给乌孙王做妻子，来分离匈奴在西方的援国。汉朝又向北扩大田地，

○ 品画鉴宝

掳掠扣饰（西汉） 整个扣饰造型反映的是椎髻的滇族掳掠昆明人的情景。气氛紧张，造型写实。

作为边塞，而匈奴始终不敢对此表示不满。

这年，翕侯赵信去世，汉朝掌权的大臣认为匈奴已经衰弱，可以让他们臣服了，就派杨信出使匈奴。杨信为人刚直倔强，一向不是汉朝显贵的大臣，单于不亲近他。单于召他进入毡帐里，但他不肯放弃符节，单于就坐在毡帐外面接见杨信。

杨信见过单于后，劝他说："如果您想和汉朝和亲，就应该将单于太子送到汉朝做人质。"

单于说："这不符合以往的盟约，以往的盟约，汉朝常常派公主来匈奴，供给不同数量的绸布、丝棉和食物，来结和亲，匈奴也不去侵扰边境。如今竟然要违反古时的盟约，让我的太子做人质，那和亲没有希望了。"

匈奴的风俗是，如果汉朝使者不是皇宫中受宠的宦官，而是儒生，就会认为他们是来游说的，便设法驳倒他的辩辞；如果是少年，就认为

他是来斥责匈奴，便没法摧毁他的气势。每次汉朝使者进入匈奴，匈奴总要给予报偿。如果汉朝扣留了匈奴使者，匈奴也扣留汉朝使者，一定要求对等才肯罢休。

杨信回到汉朝后，汉朝又派王乌出使匈奴，匈奴的法律规定，汉朝使者不放弃符节用墨黥面，就不能够进入毡帐。王乌是北地人，熟悉匈奴的习俗，就放弃符节，用墨黥面，得以进入毡帐。单于很高兴，就用好话作出许诺，说要派遣他的太子进入汉朝做人质，来请求和亲。他还欺骗王乌说："我想进入汉朝朝见天子，当面缔约结为兄弟。"

王乌回来报告汉朝，汉朝就专门为单于在长安修筑了官邸。匈奴又说："得不到汉朝尊贵的人出使，我不同他讲实话。"

这边，匈奴也派他们身份尊贵的人到汉朝出使，可他患了病，汉朝送给他药，想治好他，可是他不幸死了。

汉朝就派使者路充国佩带二千石的印信，出使匈奴，顺便护送他的灵柩，之前，因为丰厚的葬礼就花费了几千斤黄金，说："这是汉朝的贵人，应该厚葬。"但单于还是认为"汉朝杀害了我尊贵的使者"，就扣留路充国，不让他回去。单于所说的那些话，只是凭空欺骗王乌，根本没有进入汉朝和送太子来做人质的意思。

此后，匈奴多次派突击队侵犯边境。汉朝任命郭昌为拔胡将军，和浞野侯驻守朔方以东，防御匈奴。路充国被匈奴扣留了三年。

单于死去后，乌维单于继位十年后也死去，他的儿子乌师庐继位做了单于。乌师庐年纪小，号称儿单于。这年是汉朝元封六年（公元前105年）。从这以后，单于越发向西北迁移，左边的军队直到云中郡，右边的军队直到酒泉郡、敦煌郡。

儿单于继位后，汉朝派来两位使者，一位吊唁单于，一位吊唁右贤王，想据此来离间他们的君臣关系，使国家混乱。使者进入匈奴，匈奴人把他们都送到单于那里。单于很生气，把汉朝使者全都扣留了。汉朝使者被匈奴扣留的前后有十多批，而匈奴使者来，汉朝也总是扣留对等数量的匈奴使者。

这年，汉朝派贰师将军李广利向西征伐大宛，命令因杆将军公孙敖修筑受降城[1]。冬天，匈奴下大雪，牲畜大多受饥寒而死。儿单于年纪小，喜好战争，国人大多感到不安。左大都尉想杀死单于，派人暗中报告汉朝说："我想杀了单于投降汉朝，汉朝离得远，如果派兵来迎接我，我就行动。"汉朝听到了这话，就修筑受降城，天子认为城离匈奴较远。

第二年春天，汉朝派浞野侯赵破奴率领二万多骑兵从朔方出塞向西北二千多里，约定到浚稽山才回师。浞野侯按时到达了那里，左大都尉想行动而被发觉，单于诛杀了他，发动左边的军队攻打浞野侯。浞野侯边走边捕杀匈奴几千人。回来时，距离受降城还有四百里，匈奴军队八万骑兵包围了他。浞野侯夜晚自己出来寻找水，被匈奴捉拿，他们活捉了浞野侯，趁机加紧攻击他的军队，汉军全军覆没。匈奴的儿单于十分高兴，就派突击队攻打受降城。没有能够攻下。第二年，单于要亲自攻打受降城，还未到那里，就病死了。

儿单于继位三年后死去。他的儿子年纪小，匈奴就立他叔父乌维单于的弟弟右贤王呴犁湖当单于。这年是汉朝太初三年（公元前102年）。犁湖单于继位一年后就死了。匈奴立他的弟弟左大都尉且鞮侯做单于。

第二年，汉朝派贰师将军李广利率领三万骑兵从酒泉出塞，在天山攻打右贤王，杀死、俘虏了匈奴一万多人。

那以后第二年，汉朝又派贰师将军率领六万骑兵，十万步兵，从朔方出塞。强弩都尉路博德率领一万多人，和贰师将军会合。游击将军韩说率领步兵、骑兵三万人，从五原出塞。另外，公孙敖率领一万骑兵、三万步兵，从雁门出塞。

匈奴听说了，把他们贵重的东西全部远远地运到了余吾水以北，单于率领十万骑兵等待在余吾水的南面，和贰师将军交战。贰师将军和单于接连交战了十多天。贰师将军听说他的家属因为巫蛊罪[2]被灭族，就和军队一起投降了匈奴。他的军队只有千分之一二的人，能够回到汉朝。公孙敖和左贤王交战，形势不利，就带兵回来。这年汉朝军队出塞攻打匈奴，损失惨重。皇帝下令逮捕了太医令随但，因为他说出贰师将军家人被灭族，使贰师将军投降了匈奴。

相关链接

[1] 受降城：古城名，汉武帝时为接受匈奴的投降而修建的城池，在今内蒙古乌拉特中旗东。

[2] 巫蛊罪：旧时因施巫蛊术害人而导致的犯罪。巫蛊，即祈求鬼神等加害他人或施以邪术使人迷惑昏狂的行为。

皇上加封卫青六千户，又要封卫青的儿子为侯，卫青坚决辞谢说："我有幸在军队中供职，仰仗陛下的神灵，军队才取得大胜。陛下已经加封了我，我的儿子们年纪还很小，还没有功劳，他们怎么敢接受封赏呢！"

大将军卫青，是平阳县人。他父亲叫郑季，是个小官吏，在平阳侯曹寿[1]家中供事。郑季和平阳侯的小妾卫媪私通，生下了卫青。他的同母姐姐卫子夫在平阳公主家做歌女时，得到了天子的宠幸，卫青就冒充姓卫。

卫青是平阳侯家的仆人，小时候回到他父亲那里，他父亲让他牧羊。父亲前妻的儿子都把他当作奴仆对待，不把他当作亲人。卫青曾经跟随别人进入到甘泉宫的居室，有一个脖子上套着铁圈的犯人给卫青相面说："你是贵人，将来，会做官封侯。"卫青笑着说："我是奴婢生的，能够不受打骂就满足了，怎么可能有封侯的事呢！"

卫青长大后，做了平阳侯家的骑兵，跟随平阳公主。武帝建元二年（公元前139年）春天，卫青的姐姐卫子夫进入皇宫。皇后是景帝的姐姐长公主的女儿。还没有皇子。大长公主听说卫子夫受皇上宠幸，有了身孕，十分嫉妒，可又不敢惹卫子夫，就将气撒在了卫子夫的异父兄弟卫青身上，找了个借口逮捕了卫青，要杀死他。幸亏卫青的朋友公孙敖和一些壮士去抢了出来，这才捡了一条命。

皇上听说这件事，就召见卫青，任命他做建章监，加侍中官衔。连同他同母的兄弟们都得到了赏赐。他的朋友公孙敖因此也越发显贵，做了大中大夫。

元光五年（公元前130年），卫青任车骑将军，去攻打匈奴。他从上谷出塞；太仆公孙贺任轻车将军，从云中出塞；大中大夫公孙敖任骑将军，从代郡出塞；卫尉李广任骁骑将军，从雁门出塞；各支军队各有一万名骑兵。卫青到达茏城，斩杀了几百名敌人；公孙贺没有功劳；骑将军公孙敖还损失了七千骑兵；卫尉李广被匈奴捉住，后来逃脱回来；他们两人都应当处以死刑，后来出钱赎罪，成为平民。

元朔元年（公元前128年）春天，卫夫人生了个男孩，被立为皇后。秋天，卫青任车骑将军，从雁门出塞，率领三万骑兵攻打匈奴，杀死了几千名敌人。第二年，卫青从云中出塞，向西直到高阙[2]，占领了河南一带，直打到陇西，俘获了几千名敌人、几十万头牲畜，赶跑了白羊王、楼烦王。汉朝将河南一带设为朔方郡。

天子下诏嘉奖卫青说："匈奴违背天理，悖乱人伦，摧残长辈，欺凌老人，依恃武力，多次侵犯边境，所以朝廷发动军队，来讨伐它的罪恶。车骑将军卫青渡过黄河，直到高阙，往西平定了河南一带，他斩杀敌军几千人，缴获了许多战车、辎重和牲畜财产，赶回马、牛和羊一百多万，军队也没有太大的损失，特加封他为平安侯，另加三千户。"后来，卫青又多次带兵和匈奴交战。元朔五年春天，汉朝命令卫青率领三万骑兵，从高阙出塞，攻打匈奴。匈奴右贤王率兵抵御卫青等人的军队，他认为汉军到不了那么远的地方，便放松地饮酒，喝得大醉。他做梦也没有想到，汉军晚上就到达了，包围了右贤王，右贤王十分惊慌，连夜逃跑，他带着几百名精壮骑兵，突破包围、向北逃去。汉朝轻骑追赶了几百里，没能赶上。这次，汉军捉到了男男女女一万五千多人、牲畜上千万头，收获颇丰，于是率领军队返回。到了关塞，天子已经派使者拿着大将军的官印在等候卫青！

天子说："大将军卫青亲自率领战士作战，军队获得大胜，捉到匈奴小王十多人，加封卫青六千户。"又要封卫青的儿子为侯，卫青坚决辞谢说："我有幸在军队中供职，仰仗陛下的神灵，军队才取得大胜，这全是各位将军、校尉奋力作战的功劳。陛下已经加封了我。我的儿子们年纪还很小，没有功劳，他们怎么敢接受封赏呢！"

天子说："我没有忘记各位校尉的功劳，本来就要封赏他们。"于是下诏令都做了赏赐。匈奴还是不停侵扰边境，卫青又几次出塞，去和匈奴人作战。一次，卫青带领全军又从定襄出塞攻打匈奴，斩杀敌军一万多人。右将军苏建、前将军赵信率领的三千多骑兵，单独遇上了单于的军队，足足打了一天，战势十分惨烈，汉军快要死光了。前将军赵信以前是匈奴人，后来投降汉朝被封为翕侯，看到形势危急，匈奴又诱降他，就率领剩余的大约八百名骑兵，跑去投降了单于。

右将军苏建的军队全军覆没，他独自一人逃回，回到了大将军那里。大将军卫青向军正闳、长史安和议郎周霸等人征询："苏建的罪该怎么判决？"周霸说："自从大将军出征以来，还没杀过副将，如今苏建抛弃军队，可以杀他来显示将军的威严。"闳、安不赞成，他们说："不对，兵法上说：'小部队再拼死力战，也会被大部队所击败。'苏建拿几千人抵挡单于的几万人，奋力作战一天多，士兵都死光了，他却不敢有任何叛逃的想法，自己回来了。如果这样斩杀他，这会让浴血奋战的将士寒心，今后如果遭逢失败，他们就不敢再返回汉朝了，所以不应当处死他。"

大将军说："我有幸凭借皇帝亲戚的身份在军队中供职，没考虑过威严的问题，可周霸劝我要显示威严，十分不合人臣的本意。而且，即使我的职权允许我斩杀有罪的将军，但是作为位高受宠的大臣，也不应该擅自在国境之外诛杀，而应该把详细的情况报告天子，由天子自己来裁定，这样也表明做臣子的不敢专权，不是更稳妥吗？"军官们都说："好！"于是把苏建拘禁起来，送往皇帝巡行的所在处。卫青带兵进入关塞，停止出兵。

相关链接

〔1〕曹寿：为曹参之曾孙，因娶汉武帝姐姐平阳公主为妻，故封平阳侯。

〔2〕高阙：古地名，在今内蒙古杭锦后旗东北，阴山至此中断，形成缺口，望之若高大门阙，故名。

霍去病在元狩六年（公元前117年）去世。那时，他才二十四岁，天子对他的死很悲伤，调派了边境五郡的铁甲军，从长安到茂陵排成阵来为他守灵，为他修的坟墓像祁连山一样。

这年，卫青的外甥霍去病，十八岁，当了皇帝的侍中。霍去病善于骑马、射箭，两次跟随卫青出征，卫青奉皇上的诏命，要挑选一些壮士。于是他就让霍去病当剽姚校尉。霍去病作战十分勇猛，立下不少军功。

于是天子说："校尉霍去病斩杀敌人二千零二十八人，其中有相国、当户官员，活捉了单于叔父罗姑比，他的功劳两次在全军中获第一，封霍去病为冠军侯。"卫青因为损失了两位将军，翕侯又逃跑了，所以军功不多没有得到加封。右将军苏建回来后，天子没有诛杀他，赦免了他的罪，他交了赎金，成为平民。

卫青回来后，皇上赏赐他千金。当时王夫人正受到皇上的宠爱，宁乘就劝大将军说："将军功劳还不很多，自己却已经有万户食邑，三个儿子都做到侯，这都是因为卫皇后的缘故。如今王夫人得到宠幸，她的同族还没有得到富贵，希望将军拿皇上所赐的千金给王夫人的双亲祝寿。"卫青就拿了五百金去祝寿。天子听说了，很高兴。卫青如实说都是宁乘的主意，皇上就任命宁乘做了东海都尉。

张骞跟随大将军出征，因为他曾经出使大夏，被扣留在匈奴很长时间，熟悉有水草的地方，他给大军引路，军队不用受饥渴的困扰，加上他以前出使遥远国家的功劳，被封为博望侯。

元狩二年（公元前121年）春天，皇上任命冠军侯霍去病为骠骑将军，率领一万骑兵从陇西出塞，他率领战士，转战了六天，和匈奴短兵相接，杀死了折兰王，砍死了卢胡王，活捉了浑邪王的儿子，斩杀敌人八千多人，还收缴了休屠王的祭天金人，因此霍去病又被加封二千户食邑。

那年夏天，骠骑将军霍去病和合骑侯公孙敖从北地出塞，分路进发；博望侯张骞、郎中令李广从右北平出塞，分路进发：一起攻打匈奴。李广率领四千骑兵最先到达，张骞率领一万骑兵随后到达。匈奴左贤王率领几万骑兵包围了李广，李广和匈奴交战两天，损失了大半人马，等到博望侯赶到时，匈奴军队已经撤去。张骞犯了行军滞留的罪，应被处死，他出钱赎罪，成为平民。

骠骑将军霍去病从北地出塞，深入到匈奴腹地，越过居延山到达祁连山，捕获了很多敌人。合骑侯公孙敖因犯有行军滞留、没有和骠骑将军会合的罪，应当被处死，他出钱赎罪，成为平民。各位老将军所率领的士兵、马匹、武器都不如骠骑将军的，他所率领的士兵都是经过精心挑选，敢于深入敌人境内，而且军队也有好运气，没有遇到过大的危险。可是各位老将却经常因为行军留滞落后，遇不到好的战机。从此以后，骠骑将军日益受到皇上亲近，更加显贵，和大将军卫青相仿佛。

那年秋天，单于因为浑邪王居守在西方，多次被汉朝打败，损失了几万人，觉得十分气愤。单于发怒，想召浑邪王来将他杀掉。浑邪王和休屠王等人商量准备投降汉朝，他们派人先到边境上等候，汉朝兵士见到浑邪王的使者，就马上驾乘专车去报告。

天子知道这件事，害怕他们用诈降的办法来袭击边境，就命令骠骑将军率领军队前去迎接。骠骑将军渡过黄河后，和浑邪王的部众相互远远观望。

浑邪王的副将们看到汉军，多数不想投降，有很多人逃离了。骠骑将军于是奔入敌阵和浑邪王相见，斩杀了那些想要逃跑的士兵八千人，然后派浑邪王一人乘着专车先到皇上巡行的地方，然后他带着全部投降的人渡过黄河，浑邪王投降的有几万人，号称十万。

回到长安后，天子又大加封赏。过了不久，朝廷就调迁投降的匈奴人到边境五郡，它们在原来的关塞以外，但都在河南地区，沿袭他们以前的风俗，作为汉朝的属国。

第二年，匈奴入侵右北平、定襄，杀死、掳走了汉朝一千多人。

天子和诸位将军商议说："翕侯赵信替单于出谋划策，常常认为汉军不能越过沙漠轻易久留，如今大举发动士兵，势必会打他们个措手不及。"

元狩四年（公元前119年）春天，皇上命令大将军卫青、骠骑将军霍去病分别率领五万骑兵，几十万步兵和转运物资的人跟随其后，那些敢于奋力作战、深入敌阵的士兵都归属于骠骑将军。骠骑将军开始准备从定襄出塞，迎击单于。俘虏的匈奴人说单于在东边，于是改令骠骑将军从代郡出塞，命令大将军从定襄出塞。郎中令李广任前将军，太仆公孙贺任左将军，主爵赵食其任右将军，于阳侯曹襄任后将军，他们都隶属于大将军。军队越过沙漠，连人带马共五万骑兵，和骠骑将军一起攻打匈奴单于。

　　赵信为单于出计说："汉军已经越过沙漠。人马都很疲惫，匈奴可以坐着收纳汉军俘虏了。"于是把辎重全部运到远远的北边，率领所有的精兵等候在沙漠的北边。

　　适逢大将军的军队出塞一千多里，看到单于的军队列阵等候，于是大将军命令用武刚车排成环形阵营，又命令五千骑兵纵马去抵挡匈奴。

匈奴也有大约一万骑兵冲杀过来。正赶上太阳将要落山，刮起大风，沙石打在人脸上，两军都相互看不见，汉军又派左右两翼急驰去包围单于。

单于看到汉军人多，而士兵、马匹都很健壮，交战会使匈奴不利。在天快黑的时候，单于乘着车子，同几百名的精壮骑兵，径直冲开汉军的包围，向西北奔去。当时已经黄昏，汉朝军队和匈奴军队相互厮杀，死伤人数大致相当。汉军左校尉捉到的俘虏说单于在天未黑时已经离去，汉军于是派出轻骑兵连夜追赶，大将军的军队跟随其后。那时，匈奴军队已经散开逃跑了。

将近天亮的时候，汉军追击了二百多里，没有捉到单于，却捕获、斩杀敌兵一万多人，于是到了寘颜山赵信城，获得匈奴积存的粮食来供给军队。军队停了一天后回师，把剩余在赵信城的粮食全都烧光。

大将军和单于会战的时候，前将军李广、右将军赵食其另外从东边的道路进军，因为迷了路，没有如期到来，攻打单于。大将军带兵回到大沙漠以南，才碰到李广、赵食其，大将军卫青派使者回去禀报天子，命令长史按文书所列罪状审讯李广，李广自杀了。赵食其回到京城，自己出钱赎罪，成为平民。卫青的军队进入边塞，这次总共斩获敌人一万九千多人。

骠骑将军也率领五万骑兵，所带辎重和大将军的相等，却没有副将。他就把李敢等人全部任命为大校，充当副将，从代郡、右北平出塞一千多里，遇上左贤王的军队，斩获敌军的数目远远超过了大将军。

军队回来后，天子说："骠骑将军霍去病率领军队，又亲自率领所俘获的匈奴勇士，携带少量的物资，越过大沙漠，渡河捉到单于近臣章渠，诛杀匈奴小王比车耆，转而攻打匈奴左大将，斩杀敌人缴获他们的军旗和战鼓。翻过离侯山，渡过弓闾河，捉到屯头王、韩王等三人，以及将军、相国、当户、都尉八十三人，在狼居胥山祭天，在姑衍山祭地，登上高山，眺望翰海。共捕获俘虏和杀敌七万零四百四十三人，汉军大概损失了十分之三。

"他们从敌人那里取得粮食，能够远行到极远的地方而没有断绝军粮，拿五千八百户加封骠骑将军。"

当卫青和霍去病两支军队出塞时，所带的马匹共有十四万匹，他们再入边塞时，所剩下的马匹不足三万匹。于是朝廷添设大司马官位，大将军、骠骑将军都当过大司马。天子定下法令，让骠骑将军的官阶和俸禄与大将军相等。

从这以后,大将军卫青的权势日渐减退,而骠骑将军霍去病日益显贵。举凡大将军的老朋友、门客大多都离开他去侍奉骠骑将军。

骠骑将军为人寡言少语,不露声色,但他敢于任事,很有气魄。有人曾经想教给他孙子和吴起的兵法。他回答说:"战争只看策略如何就行了,不必学古人的兵法。"天子为他修造府第,让他去看,他推辞说:"匈奴还没有消灭,不用考虑家的事情。"

因此,皇上更加重视、喜欢他。但是。骠骑将军从少年时起就任侍中,一直显贵,不会体恤士兵。他率军出征,天子派遣太官[1] 送给他几十车食物,可他回来时,辎重车上丢弃了许多剩余的米和肉,而士兵中还有挨饿的人。

他在塞外打仗时,士兵缺少粮食,有的饿得无法站起来,而骠骑将军还在画地做球场来玩踢球游戏。他做的事多是这样。大将军则为人仁慈善良,谦恭礼让,凭着宽和柔顺取悦于皇上,天下没有人不称赞他。

不过骠骑将军霍去病在元狩六年(公元前117年)就去世了。那时,他才二十四岁,天子对他的死很悲伤,调派了边境五郡的铁甲军,从长安到茂陵[2] 排成阵来为他守灵,为他修的坟墓像祁连山一样。

他的儿子霍嬗代袭侯爵。霍嬗年纪小,皇上很喜欢他,希望他长大以后像父亲一样当将军。可过了六年,霍嬗就去世了,被谥为哀侯。他没有儿子,断绝了后代,封国就被废除了。

骠骑将军死后,大将军卫青的长子宜春侯卫伉因犯法失去了侯爵。五年后,卫伉的两个弟弟,都因罪而失去了侯爵。他们失去侯爵两年后,冠军侯的封国被废除。又过了四年,大将军卫青去世,被封谥号为烈侯。他的儿子卫伉接替爵位做长平侯。

相关链接

[1] 太官:官职名,负责掌管帝王膳食及宴饮等事务。

[2] 茂陵:古县名,公元前139年,汉武帝在当时的槐里县(今陕西兴平东南)茂乡筑茂陵,同时迁移户口设置茂陵县,治所在今兴平市东北,武帝死后即葬于此,为汉朝陵墓中最大的一座。

主父偃正尊贵受宠的时候，他的宾客数以千计，到他被灭族而死时，却没有一个人为他收尸。

主父偃是齐地临菑人。他起初学习纵横家的学说，晚年才专心学习《周易》《春秋》、诸子百家的学说。他游学于齐地的儒生中间，那些儒生都一起排斥他，没有一个人肯厚待他，逼得他无法留在齐地。又因为家境贫穷，向人家借贷也没法借到，于是游学到北方的燕、赵、中山等地，各地都没有谁能赏识他，他的游学很艰难。

孝武帝元光元年间，他认为诸侯中没有值得去游学的，就向西进入函谷关，去拜见卫青将军。卫青将军多次向皇上推荐他，皇上不肯召见。他的钱财很少，留在长安很长时间，许多达官贵人的宾客们都很讨厌他，于是他就向皇帝上书。主要言说自己对国事的意见。早晨递上奏书，傍晚时皇帝就召他进去相见。他在奏书中主要陈述了九件事，其中八件是法律条令方面的事，一件是劝谏皇上攻打匈奴的事。其原文说：

"我听说圣明的君主不厌恶深切的谏言，而是广泛地观察；忠诚的大臣不逃避重重的处罚而直言进谏，所以事情得以进行而功名流传万代。如今我不敢隐讳忠心、逃避死亡来献出我愚昧的想法，希望陛下赦免我的罪过，稍微考察一下我的建议。

"《司马法》上说：'国家虽然大，如果喜欢战争就一定会灭亡；天下虽然太平，如果忘记战争就一定有危险。'天下已经平定，天子高奏《大凯》的乐章，春秋两季分别举行狩猎活动，诸侯在春天整顿军队，在秋天训练军队，是为了不忘记战争。况且发怒是悖逆的行为，兵器是不祥的东西，争斗是最末的节操。古代君主一发怒就一定尸首伏地、流血遍野，所以圣明的天子对发怒的事非常慎重。致力于穷兵黩武的事情的人，没有不招致后悔的。

"从前秦始皇凭借胜利的兵威，蚕食天下，吞并了交战的国家，统一了天下，功业和夏、商、周三代开国君主相当。他追求胜利没有休止，又想攻打匈奴，李斯劝谏说：'不可以攻打匈奴。匈奴没有城郭居住，也没有堆积的财物可守，流动迁移，像飞鸟一样，难以制服他们并加以控制。如果派轻便军队深入匈奴，粮食必然断绝，如果携带军粮进兵，粮重难运，解决不了问题。得到了他们的土地也无利可图，遇到他们的百姓，不但不能役使，还要加以守护。所以战胜了就一定要杀死他们，可这又不是作为百姓父母的君主所应该做的事。使得国中疲敝，并且以攻打匈奴为快事，这不是好的计策。'

"可是秦始皇没有听从李斯的劝谏，他派蒙恬率领军队攻打匈奴，开辟土地千里，以黄河为国界。那里的土地本来就是盐碱地，不生长五谷。接着，秦始皇调发天下成年男子去守卫北河地区。军队在旷野驻守了十多年，死的人不计其数，始终没能渡过黄河向北进军。这难道是人马不足，装备不齐备吗？这是形势不允许呀。

"秦始皇又让天下百姓急速转运粮草，从黄县、腄县和琅邪郡靠海的地方起，转运到北河，一般是发运了三十钟[1]粮食，到达时才得到一石。男人努力耕田，满足不了粮食的需要，女人纺线织麻，满足不了军队帷幕的需要。百姓疲惫不堪，孤寡老弱的人得不到供养，路上死的人一个挨着一个，就是由于这个原因，天下才开始反叛秦朝。

"等到高皇帝平定了天下，占领了边境的土地，听说匈奴聚集在代郡的山谷以外，就想攻打他们。御史成进谏说：'不可以进攻匈奴。匈奴的习性，像野兽聚集和鸟儿飞散一样，追赶他们如同捕风捉影一样。如今凭借陛下的盛德去攻打匈奴，我私下里认为是危险的。'

"高帝没有听从，率兵向北到达了代郡的山谷，果然发生了平城被围的危险。高皇帝大概十分后悔，于是派刘敬去缔结和亲的盟约，这以后，天下的百姓忘记了战争之事。所以《孙子兵法》上说：'发兵十万，每天耗费千金。'秦朝经常聚积民众、驻扎军队几十万人，虽然有歼灭敌军斩杀敌将、俘虏单于的功劳，但是也因为这样结下深仇大恨，不足以抵偿天下耗费的财物。这样上使国库空虚，下使百姓疲惫，扬威于外国，并不是完美的事情。

"匈奴难以得到和控制，这并非一代的事。他们偷盗、侵犯城池，以此作为职业，天性本来就是这样。上自虞舜、夏朝、商朝和周朝，本来就不向他们征课赋税，不对他们督察责罚，只把他们当作禽兽看待，而不视为人类。皇上您上不借鉴虞、夏、商、周的经验，下却遵循近世的错误做法，这是我最大的担忧，也是让老百姓感到痛苦的事。况且战争时间长了，就会发生变乱；做事艰苦，思想就会起变化。这样会使得边境的百姓疲惫愁苦而产生离心，将军和官吏们互相猜疑而与外国勾结，所以尉佗和章邯才能成就他们的个人野心。

"秦朝政令之所以不能推行的原因，就是因为国家大权被这两个人瓜分，这就是政治得失的证明。所以《周书》上说：'天下安危在于天子出什么样的号令，国家存亡在于天子用什么样的人物。'希望陛下仔细考察这个问题，稍微加以注意，深思熟虑。"

　　这时，赵人徐乐、齐人严安都向皇帝上书谈论当代政务，每人讲了一件事。

　　徐乐上书说：

　　"我听说国家的忧患在于土崩，而不在于瓦解，古今都是一样的。什么叫土崩呢？秦朝末年就是。陈涉没有诸侯的尊贵，没有一尺的封地，自身也不是王公大人和名望贵族的后代，没有乡里的称誉，没有孔子、墨子、曾子的贤能，陶朱、猗顿的富有，可是他从贫穷的乡间起兵，举起戟矛，袒臂大喊，天下闻风响应，这是什么原因呢？这是因为人民贫困而君主不加以体恤，下面怨恨而上面的人却不知道，世俗已经败坏而政治不修明，这三项是陈涉用来作为凭借的客观条件。这就叫作土崩。所以说国家的忧患在于土崩。

　　"什么叫瓦解呢？吴、楚、齐、赵的军事叛乱就是。吴、楚等七国阴谋叛乱，他们都自称万乘君王，有披甲的士兵几十万，威严足以整饬他们国家的境内，财力足以劝勉他们国家的百姓，可他们不能向西夺取尺寸的土地而自身却被朝廷擒获，这是什么原因呢？这不是因为他们的权势比匹夫小，兵力比陈涉弱，而是因为在那时候，先帝的恩德遗泽尚未衰减，安于乡土、喜欢时俗的百姓很多，所以诸侯没有封国境外的援助。这就叫作瓦解。

　　"所以说国家的忧患不在于瓦解而在于土崩。从这一点看来，天下如果真有土崩的形势，即使是穿粗布衣服、住穷巷茅屋的人也会首先发难而使国家遭到危害，陈涉就是这样。何况还有三晋国君一类的人物可能存在呢！天下虽然还没有大治，如果真能没有土崩的形势，即使有强国劲兵起来造反，也会在转身之间遭到擒灭，吴、楚、齐、赵就是这样，何况群臣百姓没能够起来造反呢！这两个主要方面，是关系国家安危的根本所在，贤明的君主对此都要留心并深入考察。

"近来关东地区五谷歉收，年景还未恢复，百姓大多穷困，再加上边境的战事，按照规律和常理来看，人民将会有不安心本地的情况了。不安心就容易骚动。容易骚动，就是土崩的形势。所以，贤明的君主能够看到万物变化的各种原因，明白安危的关键，只在朝廷上治理政事，却能消除尚未形成的祸患，其中最关键的就是想办法使国家不出现土崩的形势。所以，即使有强国强兵，陛下仍然可以追赶走兽，射击飞鸟，扩大游宴的场所，无节制地纵情观赏，极尽驱马打猎的欢乐，安然自若。各种乐器的演奏声不绝于耳，帷帐中与美女的情爱和俳优[2]侏儒的笑声总在面前出现，然而天下没有积久的忧患。名声何必要像汤王、武王那样高，民俗何必要像成王、康王时那样好？

"虽然这样，我私下里认为，陛下是天生的圣人，有宽厚仁爱的资质，果真以治理天下作为自己的根本职责，那么汤王、武王的名声就不难赶上，而成王、康王时的世俗也可重兴再现。这两种情况确立了，然后可以处于尊贵安逸的实际境地，在当代传扬美名，扩大名誉，亲近天下人而降服四方蛮夷，你的余恩遗德将盛传几代。面朝南方，背影屏风，卷起袖子，向王公大臣拱手行礼，这就是陛下所要做的事。我听说想实行王道，即使不成功，最差也可以使国家安宁。天下安宁，陛下哪会需要什么而得不到，要干什么而不成功，征讨谁而不降服呢！"

严安上书说：

"我听说周朝占据天下，统治了三百多年，成王、康王时代是它的鼎盛时期，刑罚搁置不用有四十多年。待到周朝衰落，也经历了三百多年，所以春秋五霸相继兴起。五位霸主经常辅助天子兴利除害，诛伐暴虐，禁止奸邪。在海内匡扶正道，使天子得以尊贵。五霸去世后，没有圣贤的人继起，天子孤立衰弱，号令不能颁行。诸侯恣意行事，强大的欺凌弱小的，人多的损害人少的，田常篡夺了齐国的政权，六卿瓜分了晋国的土地，共同形成了战国，这是人民受苦的开始。于是，强国致力于战争，弱国备战防守，出现了合纵、连横，车马驱驰，来往相撞，战士的盔甲生满了虮虱[3]，百姓无处诉苦的局面。

"待到秦王嬴政，蚕食天下，吞并列国，号称'皇帝'，掌管全国的政治，毁坏诸侯的都城，销毁他们的兵器，用来铸为钟鼎，表示不再用兵。广大人民得以免于战争的祸害，遇上了圣明天子，人人都自以为得到了新生。假使秦朝宽缓它的刑罚，少征赋税，减轻徭役，贵仁重义，贱视权势利益，崇尚忠厚，鄙视智巧，移风易俗，使全国百姓得到教化，那么世世代代一定就可以永享太平。但是秦朝不推行这种风气而因循以前的风俗，使那些长于智巧权利的人得以进用，忠厚诚信的人被斥退；法律残酷，政治严峻，阿谀奉承的人很多，天天听到他们的赞美声，于是就想入非非。想要肆行威权于海外，就派蒙恬率领军队向北攻打匈奴，扩张土地，推进国境，在北河驻守，就让百姓急速转运粮食跟随其后。还派尉官屠睢率领水兵去攻打南方的百越，派监御史名叫禄的凿通运河，运送粮食，深入越地，使得越人逃跑。经过长时间的相持，粮食缺乏，越人攻打秦兵，秦兵大败。秦朝于是派尉佗率领士兵戍守越地。

　　"正在那时，秦朝在北方和匈奴结怨，在南方和越人结仇，在无用的地方驻扎军队，只能前进而不得退守。经过十多年，成年男子都要披甲当兵，成年女子都要转运粮食，痛苦得无法活下去，上吊自杀在路旁的树上，死的人一个接一个。

　　"等到秦始皇逝世，天下发生大叛乱。陈胜、吴广攻取陈县；武臣、张耳攻占赵地；项梁攻占吴县；田儋攻占齐地；景驹攻占郢、周。所以说国家的忧患不在于瓦解。从这一点看来，天下果真有土崩的形势，即使是穿粗布衣服、住穷巷茅屋的人也会首先发难而使国家遭到危害，陈涉就是这样。何况还有三晋国君一类的人物可能存在呢！天下虽然还没有大治，如果真能没有土崩的形势，即使有强国劲兵起来造反，也会在转身之间遭到擒灭，吴、楚、齐、赵就是这样，何况群臣百姓能够起来造反呢！这两个主要方面，是关系国家安危的明显的根本所在，贤明的君主对此都要留心而深入考察的。"

　　上书奏呈给天子之后，天子召见了主父偃等三人。皇上任命主父偃为郎中。主父偃多次进见，上疏述说事情，皇帝下诏任命主父偃为谒者，后提升为中大夫。一年之间，四次提升主父偃。

　　主父偃向皇上劝谏道：

　　"古代诸侯的土地不超过一百里，强弱的形势容易控制。如今诸侯有的拥有相连的城市几十座，土地纵横千里，平常的时候，他们骄奢放纵，容易做出淫乱的事，危急的时候，他们就会倚恃自己的强大，联合起来反叛朝廷。现在用法令来分割削弱他们，那么他们反叛的行为就会产生，以前晁错就是这样。

　　"现在诸侯的子弟有的多达十几个，而只有嫡长子世代继袭，其余虽然也是诸侯的亲骨肉，却没有一点土地受封，那么仁爱孝道就不能显示出来。希望陛下命令诸侯可以推广恩德，把土地分给子弟，封他们为侯。那些子弟人人高兴地得到他们所希望的，皇上用这个办法施与恩德，实际上是分割了诸侯的封国，不用削减封地而诸侯就会逐渐衰弱了。"于是皇上听从了他的计策。主父偃又劝皇上说："茂陵刚设置县，可以将天下豪强兼并之家和作乱的人，都迁到茂陵去，内则充实京城，外则消除奸猾的人，这就是不用诛杀而消除祸害。"

　　皇上又听从了他的主张。

　　在尊立卫子夫为皇后，以及揭发燕王刘定国的各种犯法阴事的过程中，主父偃都是有功的。大臣们都害怕主父偃那张嘴，贿赂、赠送给他的钱累计有千金。有人劝主父偃说："你太横行了。"主父偃说："我从束发游学以来四十多年了，自己不得志，父母不把我当作儿子，兄弟不收留我，宾客抛弃我，我困难的日子很长久了。况且大丈夫生不能列五鼎而食，死受五鼎烹煮的刑罚。我到了日暮途远的时候，所以要倒行逆施，横暴从事。"主父偃极力说朔方土地肥沃，外有黄河为凭借，蒙恬在那里筑城来驱逐匈奴，内省转运和戍守漕运的人力物力，这是扩大中国疆土，消灭

匈奴的根本所在。皇上看了他的奏议，就交给公卿们议论，大家都说不利。公孙弘说："秦朝的时候曾征发三十万人在北河筑城，最终没有筑成，不久就放弃了。"主父偃极力讲述它的便利，皇上终于采纳了主父偃的主张，设立了朔方郡。

元朔二年（公元前127年），主父偃向皇上讲了齐王刘次景在王宫内淫乱、行为邪僻的事，皇上任命主父偃为齐相。主父偃到了齐国，把他的兄弟和宾客都召来，散发五百金给他们，数落他们说："当初我贫困时，兄弟不给我吃穿，宾客不让我进门；如今我做齐相，你们有的人远道欢迎我到了一千里以外。我从现在起跟你们绝交，不要再进我的大门！"于是派人用齐王和他姐姐通奸的事来震动齐王，齐王认为自己最终也不能摆脱罪责，害怕像燕王刘定国那样被判处死刑，就自杀了。有关部门的官吏把这事报告给皇上。

主父偃当初为平民时，曾经游历燕、赵，等到他当了大官，就揭发燕王的隐私。赵王害怕他成为赵国的祸害，想要上书陈述他的隐私，因为他当时在朝中得势，不敢揭发他。等他当了齐相，走出函谷关，赵王就派人上书，告发主父偃接受诸侯的金钱，诸侯子弟中有很多因此得以封侯。等到齐王自杀的事情传到皇上那里，皇上十分生气，他认为一定是主父偃威胁齐王使他自杀，于是把主父偃召回交给法官治罪。主父偃承认接受了诸侯的贿金，但他辩解说确实没有威胁齐王并迫使他自杀。皇上本来不想处死他，当时公孙弘任御史大夫，就对皇上说："齐王自杀，没有后代，齐国废除为郡，归入朝廷，主父偃是这事的首恶，陛下不诛杀主父偃，无法向天下人交待。"于是皇上就将主父偃灭族了。

主父偃正尊贵受宠的时候，他的宾客数以千计，到他被灭族死时，没有一个人为他收尸，只有汶县人孔车为他收尸并埋葬了他。天子后来听说了，认为孔车是个忠厚长者。

相关链接
〔1〕钟：古代容量单位，一钟合十釜，战国时期齐、魏、秦都曾使用。
〔2〕俳优：古代专门表演杂耍滑稽节目供人娱乐的艺人。
〔3〕虮虱：虮子和虱子。虱，一种人或其他动物身上的寄生虫，靠吸取血液为生；虮为虱所产的卵。

汉武帝平南越

南越国自赵佗自立为王开始，历经五代共九十三年，最后于汉武帝时被汉朝最终平定。

赵佗死后，他的孙子赵胡继承王位，当了南越王。这时候，闽越王郢发动军队攻打南越边境的城镇，赵胡派人向汉朝天子上书说："南越和闽越都是汉朝的藩国，不该擅自发兵互相攻打。如今闽越发兵侵犯我，我不敢发兵迎击，希望天子下诏指示。"于是天子更加称赞南越王讲道义，遵守职责和盟约，立即为他们出兵，派遣两位将军前去讨伐闽越。军队还未翻过阳山岭，闽越王的弟弟馀善就杀死了郢，投降了汉朝，于是汉朝停止进兵。

天子派庄助前往南越，向南越王解释朝廷的意图，赵胡叩头说："天子竟然为我派兵讨伐闽越，我到死也无法报答这个恩德！"赵胡就派太子到朝廷去任宿卫[1]。赵胡对庄助说："国家刚刚遭受侵犯，请使者先走吧。我正在日夜整装准备入朝去拜见天子。"

庄助离去后，他的大臣向赵胡劝谏说："汉朝派兵诛杀郢，同时杀鸡警猴，用这个行动来威吓南越。况且先王过去说过，侍奉天子只要求不要失礼，总之不可以因为喜欢好话而入朝拜见天子。去朝见后就不能再回来，这是亡国的势头啊。"于是赵胡假称有病，终于不再去朝见天子。十几年后，赵胡真的病得很严重，太子婴齐请求回国。赵胡死了，被封谥号为文王。

太子婴齐代立为南越王后，就把他祖先武帝的印玺藏起来。婴齐到长安在朝廷当宿卫的时候，娶了邯郸樛家的女儿做妻子，生了个儿子叫赵兴。到他继位时，他就向天子上书请求立樛家女子为王后，赵兴为太子。汉朝多次派使者委婉劝说婴齐去朝见天子，婴齐喜欢恣意杀人，害怕进京朝见天子，会被强迫使用汉朝的法度，像内地诸侯一样，就坚持推说有病，终于没有进京朝见。他派儿子次公到朝廷去任宿卫。他死后被封谥号为明王。

太子赵兴代立为南越王，他的母亲为太后。太后在还未做婴齐的妾时，曾经和霸陵人安国少季通奸。等到婴齐死后，元鼎四年，汉朝派安国少季前去规劝南越王、王太后进京朝见天子，和内地诸侯一样；命令辩士、谏大夫、终军等人宣达有关的言辞，勇士魏臣等人辅助不足的地

方，卫尉路博德率领军队驻扎在桂阳[2]，等候使者。

南越王年轻，太后是中原人，曾经和安国少季通奸，这次出使前来，又得以私通。南越国中很多人都知道这事，大多数人不依附太后。太后害怕发生动乱，也想倚靠汉朝的威势，就屡次劝说南越王和大臣们请求归属汉朝，通过使者向天子上书，请求比照内地诸侯，三年朝见天子一次，并撤除边境的关塞。

于是天子答应了他们的请求，把银印赐给南越丞相吕嘉，还赐给了内史、中尉、大傅等官印，其余的官职都可以由南越王自己设置。废除了他们以前的黥刑、劓刑，用汉朝法律，和内地诸侯一样。使者都留下来镇抚南越。南越王、王太后整治行装和贵重的礼物，为进京朝见天子作准备。

南越丞相吕嘉年纪很大，做过三位国王的丞相，他的宗族中当官做长吏的有七十多人，男的都娶王女做妻子，女的都嫁给王子和其兄弟宗室的人，他同苍梧郡[3]的秦王有婚姻关系。吕嘉在国内很有权威，南越人都很信任他，很多人都做了他的耳目，在得民心方面远远胜过南越王。

南越王上书给汉朝皇帝，多次受到吕嘉的劝阻，南越王都没有听从他。渐渐地，他产生了背叛的想法，多次推说有病，不肯会见汉朝的使者。使者都非常留意吕嘉，只是因为形势的关系，没能诛杀他。南越王、王太后也害怕吕嘉等人事先发难，就摆设酒宴，想借助汉朝使者的权势，图谋诛杀吕嘉等人。

酒宴开始了，使者都面朝东坐，太后面朝南坐，南越王面朝北坐，丞相吕嘉、大臣们都面朝西坐，陪坐饮酒。吕嘉的弟弟任将军，率领士兵守在宫外。正饮着酒，太后对吕嘉说："南越归属汉朝，这是国家的利益，丞相您抱恨这不好，为什么

○品画鉴宝

竹节熏炉（西汉） 此炉通体鎏金银，子母口下饰浮雕蛟龙出水。据考证为未央宫之器。

662

呢？"用这话来激怒使者。使者犹豫不决，终于没敢动手杀吕嘉。吕嘉看到周围人不是自己的亲信，警觉起来，立刻起身出去。太后发怒，想用矛戟冲刺吕嘉，南越王阻止了太后。吕嘉终于顺利出去了。

吕嘉分取了他弟弟的一部分士兵来护卫自己回家，推说有病，不愿意再见南越王和使者。暗中和大臣准备发动叛乱。南越王向来没想到要诛杀吕嘉，吕嘉知道这一点，因此过了几个月都没有发动叛乱。

王太后有淫乱的行为，国中人不依附她，她想独自诛杀吕嘉等人，可是力量又不足。

天子听说吕嘉不听从南越王，南越王、王太后又势力孤弱，无法制服吕嘉，使者又怯懦不能决断，考虑到南越王、王太后已经归附汉朝，只有吕嘉作乱，不值得派军队，想派庄参带二千人前去出使。庄参说："如果为了友好而前往，几个人就足够了；如果为打仗前往，二千人干不了什么。"就推辞不干，天子便不让庄参前去了。

郏地壮士、原济北王的丞相韩千秋愤然说："凭这么一个小小的南越，又有南越王、太后做内应，独有一个吕嘉从中破坏，有什么好怕的呢？我愿意带领一二百人的勇士，斩杀吕嘉回来报告。"于是天子派韩千秋和王太后的弟弟樛乐率领二千人前往，进入南越境内。

吕嘉看到情势已经十分紧迫，如同箭在弦上、不得不发，终于决定造反了。他动员国内说："国王年轻，太后是中原人，又和使者淫乱，一心想归属汉朝，把先王的珍宝重器全都献给天子，来谄媚汉天子，带走了很多随从。到长安后，便把他们卖给汉人做僮仆。她只想为自己取得一时的好处，从不考虑赵氏的国家利益，没有为子孙万世着想的意图，实在是罪该万死！"

于是吕嘉和他的弟弟率领士兵攻打并杀死了南越王、太后和汉朝使者。吕嘉派人告知苍梧郡秦王和各郡县官员，立明王的长子同南越妻子生的儿子术阳侯赵建德为南越王。这时韩千秋的军队进入南越，攻下了几座小城镇。以后，南越径直让开道路，供给饮食，诱敌深入，待汉军走到离番禺四十里的地方，南越迅速派兵攻击韩千秋等人，把他们消灭了。

吕嘉派人用匣子封装使者的符节，放置在边塞之上，谦卑地讲了一通骗人的话，向汉朝谢罪，同时派兵把守着要害地方。于是天子说："韩千秋虽然没有成功，但也够得上作战先锋之冠了。"就封他的儿子韩延年为成安侯。樛乐，由于他的姐姐是王太后，是最先愿意归属汉朝的，天子便封樛乐之子樛广德为龙亢侯。

天子又颁下赦令说："天子力量衰弱，诸侯就大力互相攻打，人们就讥讽大臣不讨伐反叛之贼。如今吕嘉、赵建德等人造反，心安理得地自立为王，我谕令罪人与长江、淮河以南的水兵共十万前去讨伐他们。"

元鼎五年（公元前112年）秋天，卫尉路博德任伏波将军，带兵经过桂阳，直下汇水；主爵都尉杨仆任楼船将军，带兵经过豫章，直下横浦；原来归降汉朝后受封为侯的两个南越人为戈船将军和下厉将军，带兵经过零陵，一部分直下离水，一部分直抵苍梧；派驰义侯依仗巴蜀的罪人，发动夜郎的军队，直下牂牁江。几支奇兵全都会师在番禺。

元鼎六年冬天，楼船将军率领精兵首先攻陷了寻陕，又攻下了石门，缴获南越的战船和粮食后又向前推进，挫败了南越的先头部队，率领几万人等候伏波将军。伏波将军率领被赦免的罪人，路途遥远，误了军期，和楼船将军相会合的才有一千多人，于是一同前进。楼船将军在前边，先到达了番禺。

赵建德、吕嘉都据城防守。楼船将军先选择了一个有利的地方，驻兵在番禺的东南方；伏波将军驻兵在西北方。

天黑时，楼船将军攻击并迅速打败了南越人，开始放火烧城。南越人平时就听说过伏波将军的大名，现在天黑，不知道他有多少军队。伏波将军扎下营寨，派使者去招引来投降的人，赐给他们官印，又把他们放出，让他们去招降南越的将士。楼船将军奋力攻打、焚烧敌军，又驱赶敌军进入伏波将军营中投降。

黎明时，番禺城中的敌军都投降了伏波将军。吕嘉、赵建德已经在夜里和他们的属下几百人逃跑到了海上，乘船西去。伏波将军趁机询问已投降的南越贵族，得知吕嘉逃跑的地方，便派人追赶。后来，原为南越校尉而现为汉军司马的苏弘捉到了赵建德，被封为海常侯；南越的郎官都稽捉到了吕嘉，被封为临蔡侯。

○ 品画鉴宝
朱雀灯（西汉）此灯造型优美,形象生动,结构合理,
灯体厚重平稳。

　　苍梧王赵光，同南越王同姓，他听说汉军来到了，就和南越揭阳县县令赵定一起归属了汉朝；南越桂林郡监居翁，告知瓯骆归属汉朝：他们都被封为侯。戈船将军、下厉将军的军队，以及驰义侯所调发的夜郎军队还没来到，南越已经被平定。于是汉朝在南越设置了九个郡。伏波将军受到加封。楼船将军的军队因为攻破了敌人的坚固防守，被封为将梁侯。

　　从尉佗开始称南越王以后，经过五代共九十三年，南越国至此灭亡。

相关链接

〔1〕宿卫：指古人在宫禁中值宿警卫。
〔2〕桂阳：古郡名，治所在今湖南郴州，辖今湖南南部及广东北部部分地区。
〔3〕苍梧郡：古郡名，治所在今广西梧州，辖今广东、湖南部分地区。

刘长叛乱

孝文帝登位，淮南王自认为和皇上最亲，所以变得很骄横，屡次犯法，胡作非为。皇上念他是至亲，常常宽容他，赦免他的过错。由此他的举动越发傲慢，常常称呼皇上为"大哥"。

淮南厉王刘长，是高祖的小儿子。

他的母亲本来是原赵王张敖的妃子。高祖八年，高皇帝出游经过赵国，赵王把自己的妃子献给高皇帝。厉王的母亲与高祖同房，有了身孕。之后，高祖离开，就把这件事抛到了脑后。赵王张敖不敢再接纳这名妃子入宫，就特意替她修建了一座宫室，给她居住。后来，贯高等人在柏人县准备谋杀高祖，事发被查，赵王也被连累逮捕，他的母亲、兄弟、嫔妃全都被抓了起来，囚禁在河内。厉王的母亲也被囚禁，她告诉狱官说："我受皇上宠幸，现在已有了身孕。"

狱官把这件事告诉皇上，皇上当时正在为赵王的事生气，就没有理会厉王的母亲。厉王母亲的弟弟赵兼找到辟阳侯审食其，让他去求吕后帮忙，可是吕后醋意大发，不肯去说服皇上，辟阳侯觉得这件事不好办，也没有尽力争辩。

不久之后，厉王母亲生下了厉王，心中委屈怨恨，就自杀了。狱官抱着初生的厉王，送到皇上面前，皇上悔恨万分，命令吕后抚养他，并把厉王的母亲安葬在真定。真定是厉王母亲的家乡，她的祖祖辈辈都居住在那里。

高祖十一年（公元前195年）七月，淮南王黥布造反，高祖马上立自己的儿子刘长为淮南王，掌管黥布原有的封地，一共有四个郡。皇上亲自率军消灭了黥布，厉王于是登了王位。

厉王从小就失去了母亲，一直依靠吕后，跟吕后关系不错，孝惠帝和吕后时期，因为这样的原因，所以才没有遭到什么祸害。但他内心里一直怨恨辟阳侯，只是不敢发作而已。后来，孝文帝登位，淮南王自认为和皇上最亲，所以变得很骄横，屡次犯法，胡作非为。皇上念他是至亲，常常宽容他，赦免他的过错。文帝三年（公元前177年），他进京朝见，所有举动都十分傲慢。他跟随皇上进入御苑打猎，和皇上同乘一辆车，常常称呼皇上为"大哥"。

厉王有才能，很勇敢，而且身体好，力能扛鼎。他觉得报复辟阳侯的时机已经成熟了，于是就去拜见他。辟阳侯出来接见，他就从袖中抽出铁椎，一椎就打死了辟阳侯，再让随从魏敬割下辟阳侯的头。

随后，厉王骑着马跑到宫门前，裸露上身，向皇帝请罪说："贯高谋反的时候，我母亲一点罪责都没有，不应当受到牵连。这一点，辟阳侯清清楚楚，只要他多求求吕后，我母亲就不至于冤死；可是他没有帮忙，这是一项罪过。赵王如意母子没有罪，吕后杀了他们，辟阳侯没有争劝，这是第二项罪过。吕后封吕氏家族人为王，想抢夺刘家天下，辟阳侯袖手旁观，这是第三项罪。我现在已经替天下人诛杀了奸贼辟阳侯，也为母亲报了仇，特来宫门前请求治罪。"

孝文帝可怜他的出身，还考虑到他是至亲，就没有判罪，赦免了他。这件事之后，薄太后和太子，还有众位大臣，都很害怕厉王。厉王回到封国后，越发骄横放纵，不尊重汉朝法令，出入都要戒严，发布的命令称为"制"，自己还制定了法令，处处模拟天子。

文帝六年（公元前174年），淮南王派了大夫但等七十人出去，联合棘蒲侯柴武的太子柴奇，一起商议反叛事宜，然后，让他们在谷口县[1]造反。同时，还派人出使闽越、匈奴，开展外交事务。阴谋被查清之后，朝廷立刻派使者召见淮南王，淮南王被带到了长安。

丞相张仓、典客冯敬等很多汉朝大臣上奏皇上，列出了淮南王的很多罪状，请求杀掉淮南王：

"淮南王刘长抛弃了先帝的法令，不听从天子诏令，平日生活起居没有法度，处处模仿天子，还任命他的郎中春做丞相。同时，他收容了诸侯各国的人才以及罪犯，偷偷安置他们，甚至为他们安顿家室，赐给他们金钱财物，还有爵位和田宅，封爵有

667

的达到关内侯，享受二千石的俸禄，淮南王想借这些人的力量，危害汉室。大夫但、有罪失官的开章等七十人和棘蒲侯的太子柴奇阴谋造反，想要危害汉朝。开章给刘长出主意，让他派人出使闽越和匈奴，让他们发兵响应。开章到淮南拜见刘长，刘长多次和他坐在一起谈话、饮食，还为他娶妻成家。开章派人告诉但，说已经和淮南王商量过。春也派使者报告但等人，彼此呼应。不久，阴谋败露，长安县县尉奇等人前往逮捕开章。

"刘长把开章藏了起来，拒不交人。又怕藏不住，就杀了开章来灭口，把他埋在肥陵邑，欺骗官吏说：'开章去哪了，我怎么知道？'为了混淆耳目，又伪造坟堆，在上面树立标记说：'开章的尸体，就埋在这下面。'

"刘长这几年，犯了不少罪。亲自杀过无罪者一人，命令官吏杀死无罪者六人；为了藏匿犯死罪逃亡的人，只好拿无辜的人来顶罪；擅自给人判罪，罪人没有地方上诉，还随便赦免罪犯，其中犯死罪的有十八人；赐人爵位，关内侯以下的有九十四人。前些日子，刘长患重病，陛下很为他担忧，派使者送去书信、枣干。刘长并不感激，连使者都不愿意见。另外，住在庐江郡内的南海民造反，淮南郡的官兵奉旨征讨，陛下体恤淮南人民的疾苦，派使臣赐赠刘长布帛五千匹，让他转发给出征的官兵。可是刘长不想接受，谎称：'我们的军队没吃什么苦，用不着赐赠。'南海人王织给皇帝写信，还向皇帝敬献玉璧，刘长的大臣烧了信，不予上奏，玉璧也留下不报。朝中官员请求惩治这名大臣，刘长拒不下令，谎称那个大臣有病。国相春曾经想来朝见皇上，请求刘长的允许，刘长大怒说：'你是不是想背叛我，要去投靠汉廷？'刘长这么嚣张，应当判处死刑，告戒天下。"

皇上见了奏章，没有马上定夺，而是说："淮南王毕竟是我的亲人，我不忍心动用法律，你们再商议一下吧！"

不久，大臣们把商议的结果呈奏给皇上：

"我们和列侯、还有夏侯婴等四十三人商议过了，大家一致认为：'刘长不遵守法度，不服从天子诏令，竟然暗中聚集同党，豢养亡命之徒，想要反叛朝廷，该杀！'我们讨论的结果，是认为应该依照法律定罪。"

皇上说："我还是不忍心用法律处置淮南王，就赦免刘长的死罪，废掉他的王位吧！你们看这样行不行？"

大臣们进言：

"刘长谋反，罪大恶极，本应杀掉，以告天下。既然陛下不忍心，那就免他一死，废掉王位。我们请求，把他迁到蜀郡邛崃山邮舍居住，允许他的姬妾中有孩子的随同前往，县里为他们供给粮食、柴、菜、盐等等，还有竹席、草垫子等生活必需品。我们还请求皇上，希望能把这件事布告天下，警告臣民。"

皇上于是命令手下说："还可以供给刘长每天肉五斤、酒二斗，让原来受过他宠幸的妃嫔十人随同他居住。其他就按你们说的办。"

所有参与谋反的人都被杀掉后，皇上就派人遣送淮南王，用盖着黑布的槛车 [2] 载运，命令沿途各县依次接送。这时袁盎劝谏皇上说："皇上平时放纵淮南王，让他为所欲为，因此才弄到这个地步。淮南王为人刚烈，现在他突然从天上掉到地下，我担心他一时适应不过来，恐怕在路上遇到风寒之类，那他很快就会病死。如果真是这样，那么陛下就难逃杀弟的罪名，您觉得怎么办好？"

皇上心里也有些担心，就说："我只是让他受点苦罢了，并不想整死他。现在就让他回来。"

皇上的命令还没有传到，沿途各县仍旧在传送淮南王，谁都不敢打开槛车的封门。淮南王整天不见天日，就委屈地对侍候他的人说："谁说我勇敢？我哪里还谈得上勇敢！我一向骄纵霸道，从不承认自己有过失，最后犯了大罪，弄到了这个地步。人生一世，怎么能像这样郁闷呢！"于是不再吃饭，绝食而死。到了雍县，雍县县令打开封门，发现淮南王已经僵硬了，马上把死讯告诉皇上。

皇上哭得很悲伤，抽抽搭搭地对袁盎说："我没听您的话，淮南王真的死了。"袁盎安慰他说："这事谁都没有料到，谁都无可奈何，希望陛下自己想开一点。"

皇上问："这事怎么处理才好呢？"

袁盎考虑了一下说："事已至此，只好斩杀丞相和御史大夫，来向天下人谢罪。也可以转移民众对您的埋怨。"皇上于是下令，让丞相和御史大夫逮捕沿途各县没有打开封门的官僚，一律处死示众。随后，皇上又杀掉了丞相和御史大夫。这些事情处理完毕，就用埋葬列侯的礼仪，把淮南王葬在了雍县，安排三十户人家守墓祭祀。

孝文帝八年（公元前172年），皇上还是惦记着淮南王。淮南王有四个儿子，都七八岁，于是封他儿子刘安为阜陵侯，儿子刘勃为安阳侯，儿子刘赐为阳周侯，儿子刘良为东成侯。

孝文帝十二年（公元前168年），民间有人传唱歌谣，暗示淮南王和皇帝的故事："一尺麻布，可以缝衣；一斗谷子，可以舂米。兄弟两人，不能相容。"皇上听说了，大发感慨："尧、舜放逐自己的家人，周公杀死管叔、蔡叔，都是伤害自己的亲人，可是天下人都称赞他们圣明。为什么呢？因为他们不因私情而损害公义。天下人难道认为我是贪图淮南王的封地吗？"于是调城阳王掌管淮南王原来的封地，并且追加尊贵的谥号给淮南王，称他为厉王，像对待诸侯一样为他设置陵园。

孝文帝十六年（公元前164年），免去了淮南王刘喜，仍然让他做原来的城阳王。皇上封立了淮南厉王的三个儿子：阜陵侯刘安为淮南王，安阳侯刘勃为衡山王，阳周侯刘赐为庐江王，原厉王的封地由三家分享。厉王的另外一个儿子是东城侯刘良，在这以前就去世了，没有后代。

相关链接

〔1〕谷口县：又作谷口，古县名，故址在今陕西醴泉东北。

〔2〕槛车：古代囚禁罪犯或装载猛兽的车子。《释名·释车》："槛车，上施阑槛以格猛兽，亦囚禁罪人之车也。"

○ 品画鉴宝

彩绘扁身男立俑（西汉）　俑人拱手肃立，头戴巾，着三重深衣，服饰处理巧妙，既省去了许多细节，又保持了身体线条的流畅完整。

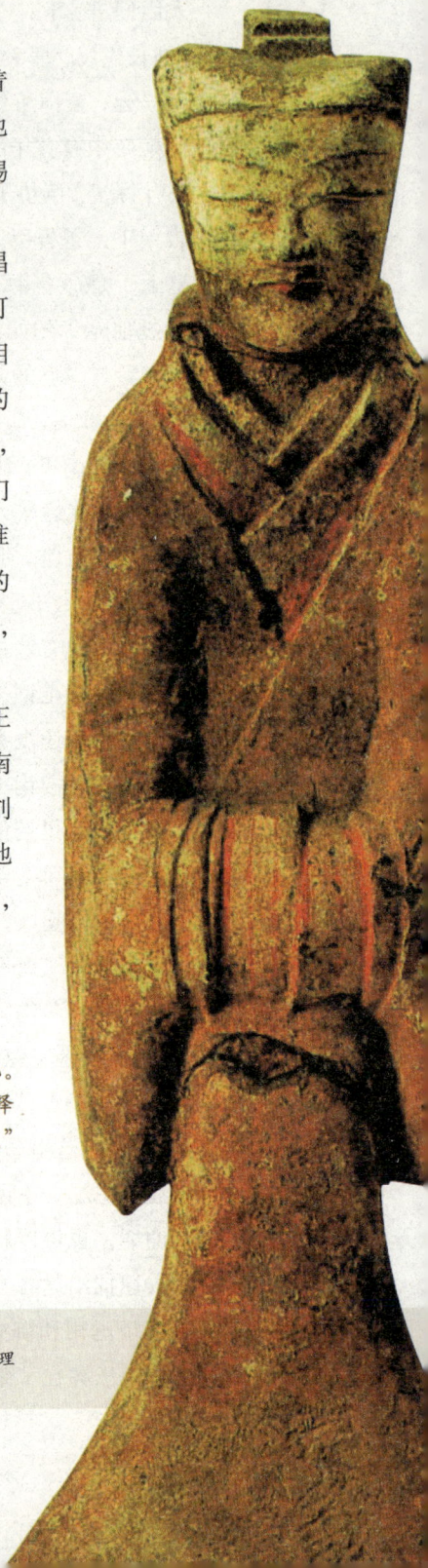

淮南王听说朝廷来人了，很惊慌，找到太子，商议召见国相等高官，想尽快杀掉他们，好发兵起事……

孝景帝三年（公元前154年），吴、楚等七国叛乱，吴王派使者到淮南，淮南王刘安想派兵响应。刘安的国相说："大王如果一定要派兵响应吴王，那我愿意担任将领。"

淮南王于是把军队委托给了国相。国相取得军权后，便守卫着淮南国，不听从淮南王而为汉朝廷效劳。朝廷觉得淮南国忠于朝廷，马上派曲城侯率军来救助淮南，最后，淮南国没有参与反叛，也没有被七国所侵害，得以保全。

吴王又派使者去劝说庐江王，庐江王不答应，却派人与越国联系。吴王还派使者到了衡山，衡山王坚守城池，毫无二心。孝景四年，吴、楚叛军被平定，衡山王入京朝见，皇上认为他坚贞诚实，就调任他为济北王，作为奖赏。他去世的时候，皇上赐他谥号为贞王。庐江王被调任为衡山王，掌管江北。淮南王没有被调任，还是在淮南。

淮南王刘安为人高雅，喜欢读书弹琴，不爱好射猎、走狗、跑马，想暗中广施恩惠，来抚慰百姓，在全天下传播自己的美名。他对父亲厉王的死耿耿于怀，常常想背叛朝廷，只是还没有找到机会。

汉武帝建元二年（公元前139年），淮南王入京朝见。武安侯是淮南王的好朋友，当时担任太尉，亲自跑到霸上去迎接淮南王，还偷偷对淮南王说："当今皇上没有太子，这是个机会。大王是高皇帝的嫡孙，施行仁义，天下人谁不知道？皇上一旦逝世，如果大王不继位，那谁还有资格！"淮南王听了，十分高兴，送了武安侯很多金钱和物品。

回到封地后，淮南王开始暗中结交各路人才，抚慰百姓，具体谋划反叛的事。建元六年（公元前135年），有彗星出现，淮南王内心感到奇怪，不知道这意味着什么。

有人对淮南王解释说："以前，吴王军队起兵的时候，彗星也出现过，长达几尺，不久之后，上千里的土地上大兴干戈、死伤无数。如今彗星又出现了，而且比当初那次还长，差不多长达满天，这说明就要天下大乱了，肯定有新的力量要兴起。"

淮南王心想，皇上没有太子，天下如果大乱，那么诸侯王肯定要互相争斗，于是就更加紧全力整修军械，积蓄金钱收买郡守、游士和奇才。那些能言善辩的游士，蜂拥群集，根本不顾及汉朝江山和淮南王的安危，只要自己得利就行，于是专门阿谀奉承淮南王。淮南王被哄得很高兴，赐给他们很多金钱，谋反之心更加强烈。

淮南王有个女儿，名叫刘陵，非常聪明，口才出众。淮南王喜爱刘陵，给了她不少金银珠宝，让她在长安刺探内情，结交皇上身边的人。元朔三年（公元前126年），皇上赐给淮南王几案、手杖，并且允许他不用入京朝见。

淮南王的王后叫荼，很受淮南王宠爱。王后生太子刘迁，刘迁娶了修成君的女儿为妃子。淮南王策划谋反，制造反叛所需的刀剑等器具，害怕太子妃知道向朝中泄露，于是和太子商议，让太子假装不喜欢她，整整三个月时间不和妃子同床。

随后，淮南王假装对太子生气，把太子关了起来，让他和妃子在一间房里住了三个月，可是太子始终不亲近妃子。妃子无奈，请求离去，淮南王于是马上派人送她回去。她离开之后，淮南国没有了外人，王后荼、太子刘迁和女儿刘陵都得到淮南王的宠爱，肆无忌惮，为所欲为，到处侵夺百姓田地住宅，胡乱加罪拘捕别人。

元朔五年（公元前124年），淮南太子学习剑术，学了一段时间，就自以为学成了，认为没有人能比得上自己。后来，他听说郎中雷被剑艺高超，于是就召他来比试。雷被一再退让，太子得寸进尺，雷被无奈，只好还击，误伤了太子。太子受伤，大怒。

雷被非常害怕，不知道如何是好。当时，汉朝在全国范围内征兵，只要想参军的，就马上送往京城集训，雷被觉得自己在淮南国混不下去了，还不如去当兵打仗，就自愿参军，准备去攻打匈奴。这时候，太子刘迁不停地在淮南王面前诋毁雷被，淮南王于是就派人去抓他。雷被仓惶出逃，到了长安，向皇上上书来表白自己。

皇上下诏，让廷尉和河南郡处理这件事。河南郡查清了事情的真相，准备逮捕淮南太子，让淮南王交出太子。淮南王和王后听说了，舍不得遣送太子，想干脆兴兵造反，可是又下不了决心，过了十多天还没定下来。不久，皇上又下了一封诏书，允许就地审讯太子，淮南王和王后这才松了一口气。

可是，在这个时候，淮南国的国相横生枝节，他恼怒寿春县县丞留住太子而不加逮捕遣送，对汉朝不敬，于是就把他告到了汉朝朝廷。淮南王请求国相，争取大事化小、小事化了，可是国相不肯听从。淮南王没有办法，就派人上书朝廷，控告国相谋反。朝廷派廷尉调查国相，调查来调查去，发现案中有很多线索牵连到淮南王，发现不像是国相谋反，而是淮南王有问题。

淮南王心里不安，派人暗中打探朝中公卿大臣的意见，得知公卿大臣们都主张逮捕淮南王治罪。淮南王慌了，不知道如何是好，太子刘迁献计说："如果朝廷使臣来逮捕父王，父王可以叫贴心人穿上卫士的衣裳，持戟站在庭院之中，父王身边一旦有不测，就刺杀使臣。同时，我可以派人刺杀淮南国中尉，就此举兵起事，还不算迟。"

公卿大臣都主张逮捕淮南王，但皇上没有同意，而是改派朝中中尉[1]殷宏去向淮南王查证。淮南王听说朝中使臣前来，以为大事不好，就按太子的计划作了准备。朝廷中尉到达后，淮南王看他态度温和，只询问自己罢免雷被的因由，觉得自己没有什么危险，就没有发作，也没有动用武力。

中尉回朝，把查询的结果上奏给皇上。公卿大臣中负责办案的人说："淮南王刘安阻挠雷被参军抗击匈奴，还拒不执行天子下达的诏令，应该处死示众。"皇上听了，马上下诏，绝对不许。公卿大臣觉得淮南王实在是个威胁，就请求废掉他的王位，皇上还是不同意。公卿大臣再退一步，请求皇上削夺他五个县封地，皇上考虑再三，诏令削夺二县。

决定之后，皇上派中尉殷宏去淮南，宣布赦免淮南王的罪过，用削地来示惩罚。淮南王早就听说，朝中公卿大臣都请求皇上杀死自己，并不知道最后获得了宽赦，只是削地；现在看到朝廷使臣又来了，害怕被捕，就和太子按先前的计划准备杀死他。中尉来到后，立即祝贺淮南王获赦，淮南王很意外，长出了一口气。

使者走后，淮南王感到不平，哀叹说："我施行仁义，功德无量，现在却被削地，这可是奇耻大辱！"于是，他开始更加集中精力，全心全意地策划反叛。那些从长安来的使者，有些人知道淮南王心怀不轨，就投其所好，声称皇上无儿，汉家天下不会太平，淮南王每次听到这样的话，都高兴万分；如果谁说汉朝朝廷太平，皇上有儿，淮南王就生气，

认为是胡说八道。

　　淮南王日日夜夜与伍被和左吴等人查看地图，部署军队进攻的方向。淮南王说："皇上没有太子，他一旦驾崩，大臣们一定会征召胶东王或者常山王，诸侯意见不一致，肯定会打起来，我能不准备吗？再说，我是高祖的孙子，而且施行仁义，深得民心。现在陛下对我很优厚，我愿意服从他的统治；可是陛下去世后，我难道能侍奉那些根本就不值得

尊重的小儿？"

有一次，淮南王坐在东宫，召来伍被，大声说："将军上殿！"伍被不高兴地说："皇上宽赦大王，大王怎么能说这亡国的话呢？当初，伍子胥劝谏吴王，吴王不听，伍子胥就说：'唉，我现在就能预见到亡国之后，仿佛可以看到麋鹿野兽游荡在姑苏台上。'现在呢，您说这样的话，我也能看到宫殿中长满荆棘，露水沾湿衣服。"淮南王大怒，拘捕了伍被的父母，囚禁了三个月，然后又召见伍被问："将军现在怎么看？愿意帮我成事吗？"

伍被说：

"不，我只是想帮大王出出主意，希望大王不要像吴王那样不听规劝。

"秦朝灭亡很多年了，它为什么灭亡呢？是因为它弃绝了圣人之道，杀害儒生方士[2]，焚烧《诗》《书》，废弃礼义，崇尚欺诈和武力，提倡严刑峻法。当时，男人奋力耕作，却连糟糠都吃不饱，女人整天织布，却衣不蔽体。

"秦始皇派蒙恬修筑长城，东西长达几千里，军人和劳工不知道死了多少，百姓精疲力尽，想造反的十家有五家。又派徐福到海中寻找神仙和奇异的东西，送去童男童女三千人，带着五谷的种子和各种工匠。徐福找到了肥沃的原野和辽阔的湖泽，就留在那里称王，不再返回秦朝。百姓痛失亲人，想造反的十家有六家。还派尉陀翻过五岭去攻打百越，尉陀知道中原已经没有什么希望，不打算再回到秦朝，就上书皇上，要求朝廷给他三万还没有出嫁的妇女，来给士兵缝补衣裳。秦始皇不知道是计，就给了他一万五千人。这些人一到，尉陀马上就在百越地区称王。于是百姓人心离散，想造反的十家有七家，秦朝马上就要土崩瓦解。

"这个时候，有人对高皇帝说：'时机到了。该起兵了。'高皇帝说：'再等等，应该有人先起兵才对。'果然，不到一年，陈胜吴广就起事了。高皇帝于是在丰沛起事，天下不约而同来响应的人不计其数。这是借助秦朝的破落而行动，符合民心，所以他能一发而不可收，很快就取得了天下，出身低微却被拥立为天子，功业高过了三王。

"如今天下大势与那个时候大为不同。大王只看到高皇帝轻易地得到了天下，可是为什么偏偏看不到近代的吴国和楚国呢？想当初，吴王没有反叛的时候，得到皇帝的恩宠，掌管四个郡的人民，土地有几千里，物产丰富，既能销熔铜矿来铸钱，又能蒸煮海水制盐，还可以砍伐江陵的木材建造大船，一只船的载重量相当于中原的几十辆车。可是他反叛之后怎么样呢？没坚持多久，就被汉朝平定，自己身死不说，还断了后代，被天下人讥笑。

"吴、楚那么富足，那么多军队，却没能成功，为什么呢？因为违背天道，不懂得时运啊！

"当今您的实力，跟吴、楚相比，差的太远了。希望大王能听从我的意见。当初，纣王不采纳比干的劝谏，所以死得很惨，希望您能避免这种结局。《孟子》说：'纣王作为天子是够尊贵的，然而死时竟不如一个普通百姓。'您可要注意啊！"伍被说完，泪流满面，然后起身离去。

淮南王有个庶出的儿子叫刘不害，年纪最大，淮南王、王后和太子都不喜欢他，不把他当作儿子或兄长。刘不害有个儿子叫刘建，才能出众，怨恨淮南王待人不公。当时的诸侯王都可以分封子弟为列侯，淮南王只有两个儿子，一个当了太子，另外一个就是刘建的父亲，不但不能当上太子，连封侯都没有机会。刘建心里憋着一股劲，暗中结交能人，想击败太子，让自己父亲取代太子。太子知道后，多次拘捕并拷打刘建，但刘建就是不服。

刘建知道太子曾经企图杀害汉朝的中尉，就派他的好朋友庄芷向天子上书说："良药苦口利于病，忠言逆耳利于行。淮南王的孙子刘建，才能出众，淮南王王后荼和太子刘迁嫉妒他，总是陷害刘建。刘建的父亲刘不害从来没有什么罪过，他们想抓他就抓他，还想杀死他。如果陛下不信，可以招刘建来询问，他知道淮南王的全部隐秘。"

奏书呈上后，皇上把这事交给廷尉处理，廷尉又交给河南郡处理。原辟阳侯的孙子审卿跟丞相公孙弘很好，他怨恨当初淮南厉王杀死了自己的祖父，于是趁机极力向公孙弘强调淮南王的罪状，公孙弘于是怀疑淮南王有谋反的可能，就深入调查这个案件。河南郡审问刘建，刘建就供出了淮南太子及其同党。

淮南王很担忧，想发动反叛，问伍被说："依你看，现在汉朝太平不太平？"

伍被回答："天下太平。"

淮南王心里不高兴："何出此言呢？"

伍被回答说："我观察过朝廷的政治，发现，君臣间的礼义，父子间的亲情，夫妻间的区别，长幼间的秩序，都很合理。皇上施政，能遵循古代的治国之道，毫无过失。再看国内，富商遍布天下，道路四通八达，贸易盛行，人民富足。四周的蛮邦归顺汉朝，匈奴最难对付，但是他们现在翅断翼伤，无法振作。这样的朝廷，虽然比不上古代的太平盛世，但还算是太平的。"

淮南王听了，大怒，伍被只好不停地谢罪。

淮南王又问伍被："我们如果起兵，朝廷一定会派大将军卫青来交战，您认为大将军是怎样一个人呢？"

伍被回答说："我有个好朋友叫作黄义，曾跟随大将军攻打匈奴，回来后告诉我说：'大将军对待同僚很有礼貌，对手下兵将很关爱，大家都乐意为他效劳。大将军自己呢，英勇善战，骑马上下山冈疾驰如飞，才能过人。'我觉得他的确有这样的才干，熟习军事，不容易抵挡。另外，谒者曹梁出使长安回来，说大将军号令严明，作战勇敢，常常身先士卒。安营扎寨休息，井还没凿通时，他总是等士兵都喝上水，他才敢喝。军队出征归来的时候，他总是等到士兵都已过河之后，他才过河。皇太后赏给他的钱财丝帛，他都转赐手下的军官。总的看来，即使古代名将，也比不过他。"

淮南王沉默不语。

淮南王看到刘建已经被召去审讯，害怕自己的秘密保不住，想要起事，但伍被又认为不容易获胜，于是就又问伍被："您认为吴王发兵叛乱是对还是不对？"

伍被回答："我认为不对。吴王富贵到了头，偏偏还要反叛，自己被砍了头，连一个子孙都没留下来。吴王死前，十分后悔。希望大王不要轻举妄动，不要像他那样追悔莫及。"

淮南王说："如果我提前命令楼缓扼住成皋关口，再让周被攻下颍川，陈定率领南阳军队把守武关，那么整个河南就只剩下洛阳罢了，还有什

○ 品画鉴宝
人物屋宇（西汉）此器为"干栏"式建筑的模型，饰物精巧繁多，极为写实。

么值得担忧的呢？人们说：'占领成皋关口，就能遏制天下'，如果我们能占据成皋、三川，然后招集山东的军队，这样起事，您认为怎么样？"

伍被回答："我只能看到灾祸，看不到福运。"

淮南王说："左吴、赵贤、朱骄如都认为十拿九稳，只有您偏偏认为没有把握，为什么呢？"

伍被回答说："大王的群臣中，值得信任的、平时能号令众人的，都在以前的案子里被捕了，其余的人没有谁值得您重用，别听他们胡说。"

淮南王说："当初的陈胜、吴广没有立锥之地，聚集了一千多乌合之众，在大泽乡起事，最后却聚集了一百多万军队，灭亡了秦朝。如今我的王国虽然小，然而可以作战的壮士有十多万，并且不是被迫戍边的乌合之众，武器也不只是木弩和戟柄，您凭什么说我没有把握？"

伍被回答："从前秦朝暴虐无道，残害天下。天下人处于水深火热之中，对秦朝恨之入骨，所以陈胜一起事，天下人就积极响应。可是现在跟秦朝大不一样。如今陛下当政，爱护百姓，广施恩德，臣民都主动响应皇上，可谓一呼百应。而且，汉朝多大将，其才能也不次于秦朝大将章邯等人。大王要是以陈胜、吴广来自喻，可就大错特错啦！"

淮南王还是不死心："难道我一点侥幸成功的机会都没有吗？"

伍被说："我倒是有个愚蠢的计策。"

淮南王忙问："怎么样？说来听听。"

伍被说："如今各位诸侯没有二心，百姓没有怨气，这种情况下，我们根本没有机会。要想起事，必须把全国弄乱。现在汉朝的朔方郡土地广阔，但百姓不足。我的愚蠢计划是，伪造丞相和御史写给皇上的奏章，请求迁徙全国各地的豪强、游侠以及犯人，赦免他们的罪，派他们去充边；同时，把他们的家属迁徙到朔方郡，并且调派士兵催促他们如期到达。然后，再伪造皇上亲发的办案文书，去逮捕诸侯王、太子和近臣。这样一来，百姓怨恨，诸侯害怕，全国就乱了，我们也就可以趁乱起事，说不定还能侥幸有一点取胜的希望！"

淮南王说："这个主意还可以。不过，好像不至于像您说的那么复杂。"

淮南王于是就命令官奴进入宫里，伪造皇帝印玺、丞相、御史、大将军、军吏、京师各官府令、丞的官印，以及邻近郡国的太守、都尉的官印，还有朝廷使者和法官所戴的官帽，打算按照伍被的计策行事。同时，派人假装犯罪后逃向京师，去侍奉大将军和丞相，准备在起事之后，派他们刺杀大将军卫青，并劝说丞相参与反叛，否则就杀了他。

这些事办好之后，淮南王想要发动王国中的军队，但又担心国相和其他一些大官不服从，就和伍被商议，想要预先杀掉这些人，最后达成的计策是：假装宫内失火，国相等人来救火，人一到就杀死他们。这个计策的细节还没确定，他们又想出了另外一个计策：派人身穿士兵服装，手拿紧急文书，从南方奔来，大喊："南越兵入界了"，然后借此发兵。

两个计策都计划得差不多了，淮南王又感到心里没有谱，问伍被说："我率兵进攻汉朝，必须得有诸侯王响应，否则不可能成功；如果没有响应，那怎么办？"

伍被提出了一些建议，淮南王稍微放宽了心。

这个时候，廷尉已经审讯完了淮南王的孙子刘建，发现淮南王太子刘迁的确问题很大，就马上把这件事报告了皇上。皇上很重视，密令廷尉趁着前去拜见淮南国中尉的机会，逮捕太子。廷尉立刻出发，到了淮南国，急召中尉面谈。

淮南王听说朝廷来人了，很惊慌，找到太子，商议召见国相等高官，想尽快杀掉他们，好发兵起事。国相应召到来；可是内史正好外出，来不了；而中尉正在会见朝廷来的廷尉，也不能来。淮南王考虑再三，觉得只杀掉国相，而内史和中尉能够活命，对自己一点好处都没有，就只好放弃了原先的计划，让国相回去。

事情办到这个地步，淮南王浑身都是冷汗。太子也觉得大势不好，考虑到参与这次密谋的人都已经死了，只剩下了自己，干脆自己顶罪受死算了，那么这件事就没了活口，淮南王和整个家族就可以保住。于是太子对淮南王说："值得我们重用的大臣都不在了，抓的抓，死的死，现在我们连一个可以依靠的人都没有。这种时候发兵，肯定不会成功。这样吧，让我去认罪，那么这件事就算了了。"淮南王也早就想罢休，就答应了太子。太子于是就刎颈自杀，但没有死成，躺到了病床上。

就在这个时候，伍被跑到汉朝法官那里自首，坦白了淮南王谋反的详情。

法吏马上逮捕了淮南太子、王后，包围了王宫，搜捕所有参与谋反的人，找到了谋反的各种器具，然后报告给皇上。皇上大惊，责令公卿大臣详细审理。

案件牵连到很多人，列侯、高官、豪强加在一起，一共有好几千

○ 品画鉴宝

猴蛇钮钺（西汉）　此器扁圆銮，銮侧有一猴形钮，猴嘴中衔一蛇，生动活泼。

人，大部分都被处以死刑。衡山王刘赐，是淮南王的弟弟，也受到了牵连，负责办案的官员请求逮捕衡山王。天子说："诸侯王各有各的王国，不应当彼此牵连。你们再商量商量吧。"众位官员知道天子不忍，再考虑到衡山王的确没多大罪责，就把衡山王的过失压下了。

赵王彭祖、列侯曹襄等四十三人商议怎么处理淮南王，大家都一致认为，淮南王刘安谋反的罪状清清楚楚，应当处死。胶西王刘端建议说："淮南王刘安的罪行很清楚，比叛乱还严重，理当受到法律制裁。还有淮南国中的其他官员，他们不能尽职，不能阻止淮南王谋反，也应当全部免官，贬为士兵，再也不能做官。那些没有官职的犯人，可以用二斤八两黄金抵偿死罪。另外，朝廷应该公开刘安的罪状，让天下人都明白应该怎样做臣子，让他们不敢再有背叛的胆量。"

丞相公孙弘、廷尉张汤等人把建议报告给皇上，皇上批准了这些意见，然后派人去审理淮南王。使者还没到，淮南王刘安已经畏罪自杀。王后荼、太子刘迁和那些参与谋反的人没来得及逃跑，都被灭门九族。伍被曾经劝阻过淮南王，还说了朝廷的很多好话，天子想留他不杀。廷尉张汤不同意："淮南王谋反，最后是用的伍被的主意，他的罪不能免。"于是诛杀了伍被。

从此，淮南国被废为九江郡，淮南王刘安的家族消失了。

相关链接

〔1〕中尉：官职名，始置于战国时期的赵国，秦汉时负责率领禁军维护京城治安，汉武帝时更名执金吾。

〔2〕方士：即方术士，或称为有方之士。后称道士。

680

衡山王日夜谋划，多次参考吴楚反叛时的策略，来完善自己的谋反计划。他不像淮南王那样渴望成为天子，而只是担心淮南王起事后吞并了自己的王国。他的策略是：等淮南王西进攻打汉朝之后，自己就发兵平定长江、淮河之间的地方，然后据守。

衡山王刘赐儿女众多。王后乘舒生了三个孩子，长子刘爽是太子，次子叫刘孝，第三个是女儿，叫刘无采。另外，姬妾徐来生了儿女四人，厥姬生了两个孩子。

衡山王和淮南王虽然是兄弟，但关系疏远，不和睦。淮南王制造各种器具、准备反叛的时候，衡山王也网罗天下能人，准备对付淮南王，害怕被他吞并。

元光六年（公元前 129 年），衡山王入京朝见。他的手下人卫庆懂得方术，想要上书请求侍奉天子，衡山王知道了，大发雷霆，就造谣说卫庆犯有死罪，然后用严刑拷打逼他承认。衡山国内史觉得这样做太不公道，拒绝接受这件案子。衡山王更是生气，就向皇上诬陷内史，内史无奈，只好按照衡山王的意思处理案子，但直言衡山王不合理。衡山王霸道惯了，还屡次侵占别人的土地，毁坏人家的坟墓来作田地。

有关官员实在无法忍受，就上书天子，请求惩治衡山王。但天子不答应，只是加强了对衡山国的监督。衡山王因此非常愤恨，与奚慈、张广昌等大臣密谋造反，到处寻找谙熟兵法和懂得星象[1]与占卜的人，准备一旦时机成熟就发兵反对汉朝。

王后乘舒死后，徐来被立为王后，同时，厥姬也得到了宠幸。两人争宠，互相嫉妒，厥姬找到太子，诬陷王后徐来害死太子的母亲，太子信以为真，从此对徐来恨之入骨。有一次，徐来的哥哥来到衡山，太子与他饮酒，席间发生冲突，太子拔刀刺伤了王后的哥哥。王后对此怀恨在心，屡次向衡山王诋毁太子。两人之间的仇恨越来越深。

太子的妹妹刘无采，出嫁后不守妇道，被休回娘家。回家之后还不甘寂寞，与奴仆通奸，还勾搭外面来的宾客。太子多次责备刘无采，刘无采听得不耐烦，就拒绝再与太子交往。王后听说了这件事，就拉拢刘无采，对她照顾得无微不至。刘无采和二哥刘孝年少就失去母亲，依靠王后，王后就别有用心地关怀他们，引导他们一起攻击太子，衡山王因此多次拷打太子。

元朔四年（公元前125年），王后的继母遭人行刺，衡山王怀疑是太子派人干的，就用竹板拷打太子，太子拒不承认。后来，衡山王重病，太子总是自称有病，不愿前去侍候。刘孝、王后、刘无采趁机跑到病重的皇上那里，大说特说太子的坏话，想立刻废掉太子，立他弟弟刘孝为太子。

王后得知衡山王决意废掉太子，心里高兴极了，又想连刘孝一起废掉。王后有一个女仆，能歌善舞，很受衡山王的宠爱，王后想让这个女仆勾搭刘孝，与他私通，这样就可以让衡山王讨厌他。如果成功，那么太子和刘孝就可以一并废掉，就可能立自己的儿子刘广代为太子。

太子刘爽猜透了王后的意思，考虑到王后屡次诽谤自己，看起来无休无止，就想与她淫乱，借此来堵住她的嘴。

有一次，王后饮酒作乐，太子上前给她祝寿，趁机靠着王后的大腿，低声挑逗王后，要求跟她同宿。王后发怒，把这事告诉了衡山王。衡山王就召来太子，想把他捆绑起来拷打。太子知道衡山王总是想废掉自己而立刘孝，就大声对衡山王说："刘孝和您最宠幸的女仆通奸，刘无采和奴仆通奸。您努力加餐吧！我马上去上书皇上。"说完，快速逃出了王宫。

衡山王马上派人阻拦，没能拦住，就亲自驾车追捕太子。太子抓到了，衡山王怕他乱说坏话，就用镣铐把他囚禁在宫中一个很秘密的地方。

太子被囚禁后，刘孝越来越受到宠爱。衡山王发现刘孝挺有才能，就给他佩上王印，封为将军，让他住在宫廷附近，还给他很多金钱，用来招纳贤人宾客。来投靠的宾客很多，大部分都知道淮南王和衡山王准备谋反，就积极鼓动衡山王，帮他出主意。衡山王觉得有了依靠，就派刘孝的宾客救赫、陈喜等人制造战车和箭支，偷刻天子印玺将相军吏的官印。衡山王多次参考吴楚反叛时的策略，来完善自己的谋反计划。

衡山王跟淮南王不同，他不像淮南王那样渴望成为天子，而只是担心淮南王起事后吞并自己的王国。所以，衡山王的策略是，等淮南王西进攻打汉朝之后，自己就发兵平定长江、淮河之间的地方，然后据守。

元朔五年（公元前124年）秋天，衡山王准备入京朝见，路过淮南国。当时，淮南王正准备造反，想拉拢衡山王，就对他说了些"兄弟间要互相亲爱"之类的话。衡山王感动，于是两人就消除了以前的嫌隙，相约共同制作反叛的器具。衡山王很高兴，就不准备去京城朝见天子了，于是上书推托有病，皇上马上回信，允许他可以不入京朝见。

元朔六年（公元前123年），衡山王派人上书皇上，请求废掉太子刘爽，立刘孝为太子。刘爽听到后，就派他的好友白嬴去长安上书，说刘孝制造战车和箭支，准备谋反，而且与衡山王的女仆通奸，乱了人伦。白嬴与淮南王谋反的事有牵连，所以一到长安，还没来得及上书，就被抓了起来。

衡山王听说刘爽派白嬴上书，害怕自己的秘密被皇上知道，就上书控告太子刘爽干了大逆不道的事，应该被判处死刑。皇上拿到奏章，把这件事交给沛郡处理。元狩元年（公元前122年）冬天，负责办案的公卿大臣来到沛郡，到处搜捕跟从淮南王谋反的人，一个都没有抓到，却在衡山王儿子刘孝的家里抓到了陈喜。

陈喜平时多次与衡山王策划造反，刘孝害怕他会把这件事泄露出去，心里非常害怕。不但如此，他还很担心白嬴，不知道他是不是已经向皇帝透露了衡山王谋反的事。想了很久，刘孝觉得没有什么出路，就主动去自首，揭发参与谋反的有救赫、陈喜等人。廷尉审讯验证后，公卿大臣们请求天子，主张立刻逮捕衡山王。

天子说："用不着逮捕！"随即派中尉司马安、大行令李息赶到衡山国审讯衡山王，衡山王知道大势已去，就据实回答，毫无隐瞒。最后，刎颈而死。

其他几个反叛的人，结局各不相同。刘孝因为主动自首，被免罪；但又因为犯有与衡山王侍女通奸之罪，最后还是被处死示众。王后徐来犯有用巫术杀害前王后乘舒的罪行，太子刘爽犯了不孝的罪行，都被处死，以告天下。其他那些参与谋反的人，基本上也都被灭族。从此以后，衡山国被废除，成了衡山郡。

相关链接

〔1〕星象：又称占星，一种通过观察星体的运动变化来预测吉凶祸福的方术。

〔2〕巫术：企图通过超自然力对客体加以影响或控制的活动，起源于原始社会，是后世宗教、天文、历算等的源头。

汲黯精通黄帝和老子的思想，喜欢用清静无为的方法来治理官民。他处理政事，只求大处恰当无误，不苛求小节。大家都很佩服汲黯，交口称赞。皇上听说了，召他来出任主爵都尉，位列于九卿之中。

躺着治国的汲黯

汲黯[1]字长孺，本来是淮阳县人。他的先辈曾受到卫国国君的宠爱，整整七代都出任卿大夫的职务。汲黯继承父亲的职务，在孝景帝时期担任太子洗马[2]，为人严肃认真，大家都很敬畏他。孝景帝去世后，太子登位，汲黯担任谒者。

有一次，东越人内乱，互相攻打，皇上派汲黯去视察。汲黯出发，但是没有到达东越，而是到了吴县就返回来，报告说："东越人互相攻打，其实是他们的习俗，不值得烦劳天子，不用管。"

还有一次，河内郡发生火灾，大火蔓延，烧了一千多户人家，皇上派汲黯前去视察。他回来报告说："普通人家失火，由于房屋相连，以致大火蔓延，不值得忧虑。值得忧虑的事情倒是有。臣经过河南郡的时候，发现河南郡的百姓饱受水旱灾害之苦，有一万多家无以为生，有的甚至父子相食。臣考虑再三，就拿着您给我的符节，命令河南郡的官吏开仓放粮，来赈济贫苦灾民。臣请求缴回符节，愿意接受假传圣旨的罪行。"

皇上听了，并不生气，反而认为他贤良，提升他出任荥阳县县令。汲黯认为当县令是一种耻辱，就托病回到乡下。皇上听说，就改任他为中大夫。汲黯梗直，屡次向皇上直言进谏，无法久留朝廷，就提升他任东海郡太守。

汲黯精通黄帝和老子的思想，喜欢用清静无为的方法来治理官民，他自己不怎么处理具体政事，而是选择合适的郡丞等官员，把事情委托他们来办。他处理政事，只求大处恰当无误，不苛求小节。另外，汲黯体弱多病，经常躺在卧室内不出来，处理的政事就更少。不过，就这样过了一年多，东海郡却变得十分太平。大家都很佩服汲黯，交口称赞。皇上听说了，召他来出任主爵都尉，位列于九卿之中。

汲黯性格傲慢，很少礼貌，总是当面指责对方，不能容忍别人的过失。与自己相投的人就很好地对待他，要是与自己不相投，就懒得接见。因为这种性格，所以朋友不多。不过，他喜欢学习，很博学，又好仗义行侠，有气节，品行好，所以很多人打心底里敬佩他。他仰慕傅柏、袁

盎的为人，喜欢直言进谏，屡次触犯皇上的面子。他和灌夫、刘弃等人合得来，关系很好，这几个人都因为说话直率而得罪了不少人，无法保住自己的官位。

汲黯做京官的时候，窦太后的弟弟武安侯田蚡做丞相。田蚡傲慢，很多高官来谒见田蚡的时候，都行跪拜礼，田蚡却不答礼。可是汲黯会见田蚡的时候，根本就没行过跪拜礼，只是拱手作揖就可以了。田蚡多少有些不快，但是也没有办法。

天子招选文学之士和儒生的时候，总是反复地说"我想要如何如何"，汲黯在旁边听了，就上前说："陛下内心有太多的欲望，只是在表面上施行仁义，这样下去，怎么能仿效唐尧、虞舜的治绩呢！"皇上沉默不语，但心里很生气，脸色都变了，拂袖而去，这次朝会只好不欢而散。公卿大臣都替汲黯捏了一把冷汗。皇上退朝后，对身边的人说："他也太大胆了！像汲黯这样愚直的人还真是太少见！"

群臣中有人责备汲黯，觉得他过了头，汲黯坚持说："天子设置公卿大臣来辅佐自己，难道是让他们阿谀奉承，让君主拐入斜路吗？我既然占着这个职位，就不能只顾自己，那会损害朝廷的！"

汲黯身体多病，每次生病都要持续三个月以上，皇上只好常常让他休假，但是他的身体还是越来越坏，最终也没能痊愈。最后一次生病，庄助替他请假。皇上问："你觉得，汲黯是什么样的人呢？"庄助回答："汲黯当官，要论才能，实在没有什么地方能超过别人。但是他能辅助年少的君主，能坚守自己的事业，有操守，光明正大，不为利诱，这一点最为难得。"皇上感叹："对啊！古代有安邦定国的臣子，汲黯就是他们那种人。"

皇上从内心里敬畏汲黯，在所有大臣里面，对他最为礼貌。大将军卫青入宫拜见，皇上曾经蹲在厕所里接见他；丞相公孙弘平日觐见，皇上有时连帽子也不戴。但是如果汲黯来觐见，皇上不戴帽子就不敢接见。有一次，皇上坐在帐子旁边，恰好汲黯前来禀奏政事，皇上当时没戴帽子，见汲黯来了，就躲进帐内，派人批准了他的奏议。皇上对他的尊敬和礼遇可见一斑。

张汤因为改定刑法条令有功，被任命为廷尉。汲黯不喜欢他，屡次在皇上面前指责张汤："你身为正卿，对上不能褒扬先帝的功业，对下不能抑制天下人的邪念，无法使国家安定、人民富足，无法使监狱空无犯人，这些方面你连一样都没有做到。相反，你偏偏要制定严刑峻法，让人动不动就犯罪，通过别人的苦来成就自己的事业。你凭什么把高祖皇帝定下的规章制度乱改一气呢？就凭这一点，你就肯定得断子绝孙！"

张汤不服，经常和汲黯辩论。张汤辩论的时候，喜欢深究条文，苛求小节，而汲黯则出言刚直严肃，志气高昂，不肯屈服，还发怒大骂张汤说："天下人说，不应该让刀笔吏做公卿，果真是这样！如果大家都必须得按照张汤的法令行事，那么天下人就不得不整天提心吊胆！"

当时，汉朝正征讨匈奴，招抚四方少数民族。汲黯不喜欢武力，就劝皇上与匈奴和亲，不要派兵打仗。皇上正倾心于儒学，尊重公孙弘等人的建议，对汲黯的建议不予理睬。后来，国内事情越来越繁多复杂，官吏和百姓犯的错也越来越多，皇上于是就开始重视各种法律条文，张汤等人因此得到了宠幸。

汲黯对儒学和细碎的法令都很反感，就当面指责公孙弘等人，说他们心里奸诈而装作厚道，阿谀奉承皇上来博取欢心；而刀笔吏则专门把法律条文弄的无比复杂，致力于编织罪名陷害别人，不重视真相，只重视自己的判断，为了立功而无所不为。皇上觉得汲黯的说法夸大其辞，就置之不理，反而越发信任公孙弘和张汤。公孙弘和张汤心里面憎恨汲黯，再加上天子也不喜欢他，就想借故杀死他。公孙弘是丞相，于是向皇上进言说："右内史管辖的地方有很多大官和皇族，难于管理，没有声威的大臣根本就管不了，请您调汲黯任右内史。"汲黯于是被调任右内史。

当时，大将军卫青越来越尊贵，姐姐还做了皇后，卫家更是威势无比。可是汲黯就像不知道这些一样，见到卫青还是跟他行平等的礼节。有人劝汲黯说："天子最重视大将军，大将军现在已经不是一般人啦，你不能不行跪拜礼！"汲黯回答："他卫青身为大将军，如果还有拱手行礼的客人，岂不是更显得平易近人，岂不是更受人敬重？"

大将军卫青听说了，觉得汲黯的确贤良，多次跑来向他请教问题，对待汲黯恭敬有加，超过他结交的其他人。

淮南王刘安阴谋造反，害怕汲黯，说："他这个人，喜欢直言进谏，坚守节操，能为正义而死，很难用利益来诱惑他。至于劝说丞相公孙弘，那很简单，可以说是易如反掌。"

汲黯当官比较早，他位列九卿的时候，公孙弘、张汤还只是下层的小官。后来，公孙弘、张汤逐渐显贵，很快就与汲黯同级。不久之后，公孙弘担任了丞相，被封为侯；张汤也官至御史大夫；甚至汲黯原来的手下也与汲黯同级，有的比他还受重用。

汲黯心胸狭窄，不可能没有一点怨气，于是直接去拜见皇上，上前直言道："陛下任用群臣，就像堆积柴垛一样，后来的在上面。"皇上听了，默不作声。过了一会儿，汲黯没有得到答案，只好退出去。皇上这才感慨地说："唉！一个人确实不可以没有学识。汲黯性格梗直，但是学识实在是差了些，听他这番话，可以看出来，他的愚直是在一天天地加深啊！"

过了一段时间，匈奴浑邪王带领部众来投降，汉朝很兴奋，就派了二万辆大车去迎接。官府没有钱，只好向百姓借马。百姓忙于农事，不愿借，有的人就把马藏起来。马数总也凑不够，皇上很生气，想要斩杀长安县县令。

汲黯说："长安县令没有罪，要杀就杀我吧！说不定杀了我，百姓就愿意拿出马匹！臣就是弄不明白，匈奴人背叛他们的单于投降汉朝，汉朝出动那么多人财物力，命令沿途各县好好款待他们，弄得全天下都鸡犬不宁！为什么要累死自己国内的民众，来侍奉外来的匈奴人呢？"皇上默不作声。

浑邪王到了之后，汉朝隆重地接待，并且优厚地款待他们。同时，皇上命人查处那些与匈奴人做买卖的商人，杀了五百多人。

汲黯对此很不满，请求接见，在高门殿见到皇上，很气愤地说：

"匈奴攻打我们，已经很多年了。我们要和亲，他们不干，和亲之后又多次翻脸。我们没有办法，只好发动军队征讨他们，战死和受伤的人不计其数，而且耗费了几百亿的钱财。现在他们来投降，我认为陛下不应该厚待他们，而应该把他们作为奴婢，赏赐给战死军人的家属；匈奴人的财物，应该分给国人，来答谢天下人的辛苦，满足百姓的心愿。

"可是陛下偏偏相反，浑邪王率领几万人来投降，汉朝却亏空府库来赏赐他们，强迫善良的百姓来服侍他们，就像奉养宠儿一般。陛下即使不能缴获匈奴的资财来酬谢天下，也不应该杀害我们那五百多个商人！您的所作所为，正是人们所说的'保护树叶而损伤树枝'的事，陛下这样做太不应该啦！"

皇上沉默不语，不表态，实际上不以为然。等汲黯走了，皇上才说：

"我很长时间没听到汲黯的话，现在他又开始胡说八道了。"几个月后，汲黯犯了点小罪，被免官回乡，隐居在淮阳自家的田园中。

过了几年，汉朝改铸五铢钱，百姓中很多人私下铸钱，楚地尤其严重。淮阳在楚地的范围内，于是皇上召见汲黯，任命他为淮阳太守，治理楚地。汲黯拜谢，不接受官印，皇上多次强迫，他才接受了诏令。汲黯对皇上哭述说："我还以为自己会老死在山沟里，再也见不到陛下了，没想到陛下又重新录用我。我经常犯有一些小病，精力不足，无法胜任一郡的工作。我愿意担任中郎，出入宫中，为您纠正过失，这才是我的愿望。"

皇上说："你看不上淮阳吗？其实淮阳是个很重要的地方。考虑到淮阳地方官吏与百姓关系紧张，我只好借助你的威望，你身体不好，可以躺着来治理。"汲黯没有办法，只好接受了。

告别了皇上后，汲黯去探望大行令李息，说："我被抛弃到外郡，不能参与朝廷政事了。您要特别注意御史大夫张汤，他心地邪恶，但是又非常聪明，不愿为天下人说话，专门迎合主上的心意。又喜欢无事生非，舞弄法律条文，召纳了一些危害社会的官吏来帮自己做恶。您位列九卿，应该趁早向皇上进言，否则，无论是您还是他张汤，都难逃一死。"李息听了，觉得有理，但是他害怕张汤，始终不敢进言。

汲黯回到淮阳，像以前为官时那样治理郡政，把淮阳郡治理得井井有条。后来，张汤果然乱政被杀，皇上得知了汲黯对李息说的话，就判处李息有罪。然后，诏令汲黯享受与诸侯相等的俸禄。七年后，汲黯死在了任上。

汲黯死后，皇上因为汲黯的缘故，让他的弟弟汲仁做官到九卿，他的儿子汲偃做官到诸侯国相。汲黯的姑母有个儿子，叫作司马安，年轻时也和汲黯同任太子洗马，他擅长法律，喜欢做官，官位四次就升到了九卿，后来在河南太守任上去世。总之，由于汲黯的缘故，他的兄弟们做了大官的达到了十个人。另外，他的老乡段宏也两次升官做到九卿。

相关链接

[1] 汲黯：？－公元前112年，字长孺，西汉濮阳（今河南濮阳）人，孝景帝时为太子洗马，武帝即位后为谒者，并先后任荥阳令、东海太守等官职。

[2] 太子洗马：即太子的侍从官员，负责辅佐太子，并教授文理、政事等。洗马：在马前驰驱之意。洗，音"先"。

申培公精通《诗经》，他教授学生，只用这本书作教材，从中阐发微言大义。他的学生赵绾、王臧得官之后，一起向天子推荐老师申培公。到了京师，几个人一起拜见天子。天子向申培公咨询有关国家的大事，申培公回答说："当政的人，用不着多说话，多说也没什么用，只要尽力实干就行了……"

精通《诗经》的申培公

申培公是鲁国人。

高祖经过鲁国的时候，申培公跟随他的老师去拜见高祖。吕太后时期，申培公到长安交游求学，与刘郢拜在同一个老师门下。不久，刘郢被立为楚王，让申培公做太子刘戊的老师。刘戊不好好学习，申培公总是斥责他，因此刘戊对申培公怀恨在心。楚王刘郢死后，刘戊继位为楚王，就把申培公囚禁起来，侮辱他。

申培公忍受不了这种羞耻，回到鲁地，在家里以教书为生，终身不出家门，又谢绝宾客交往，只有鲁王传令召见才去。各地民众都知道申培公有才学，都赶来学习，光是从远方来的就有一百多人。申培公精通《诗经》，只用这本书作教材，从中阐发微言大义，如果哪个地方有疑义，就留下来不讲，让大家思考。

兰陵[1]人王臧向申培公学习《诗经》后，去侍奉孝景帝，担任太子少傅，后来免职离去。汉武帝即位后，王臧上书请求皇上，表示愿意充当宫禁中值班警卫，武帝同意，于是王臧回到了宫里，升迁很快，一年里就当了郎中令。

代国的赵绾也曾向申培公学习《诗经》，后来当了御史大夫。赵绾、王臧得官后，一起请求天子，建议他修建明堂召集诸侯来朝会，但是没能办成这件事，就推荐老师申培公。天子派使者带着束帛[2]和玉璧，驾着四匹马拉的大车，去迎接申培公，学生二人乘着轻便的小车跟随。

到了京师，几个人一起拜见天子。天子向申培公咨询有关国家的大事，申培公当时已经八十多岁，年纪太大，不爱说话，只是回答说："当政的人，用不着多说话，多说也没什么用，只要尽力实干就行了。"当时天子喜欢的是能言善辩的人，见申培公这样回答，就沉默不语，心里暗自后悔。但既然已经把他召来，不好赶他回去，只好任命他为太中大夫，让他住在京城的公馆里，商讨建立明堂的事。

当时的窦太后喜欢老子的学说，不喜欢儒学，对赵绾和王臧建立明

堂的建议很反感，就调查两人，寻找他们的过失，然后报告给皇上。皇上于是停止了修建明堂的事，把赵绾、王臧交给司法官处置，两人无从辩驳，都自杀身亡。两人死后，申培公很灰心，也借口生病辞官回家，几年后死在了家里。

申培公的学生很多，当博士的有十多人，也有好几个做到高官，孔安国官至临淮太守，周霸官至胶西内史，夏宽官至城阳内史，鲁赐官至东海太守，缪生官至长沙内史，徐偃任胶西中尉，阙门庆忌任胶东内史。这些人治理官民，都能廉洁奉公，口碑甚好，深得民心。其余的弟子们，虽然比以上几位差一些，但做官做到大夫、郎中等职务的数以百计。

相关链接
〔1〕兰陵：古邑名，战国时期楚国始置，治所在今山东苍山西南兰陵镇。
〔2〕束帛：古人将五匹帛捆在一起，称为"束帛"。

春秋大义董仲舒

董仲舒被贬，回到家里，撰写了一本书，叫作《灾异之记》。主父偃忌妒他，就偷了这本书，上奏给天子。董仲舒被抓了起来，判处死刑。好在皇上开恩，赦免了他。

董仲舒是广川人，因为研究《春秋》出名，在孝景帝时期担任博士。

董仲舒有很多学生，在讲课的时候，他总是放下帷幕，坐在后面讲授《春秋》，资格最老的弟子们在帐外听讲。其他的学生不可能有这种亲聆教诲的机会，根据入学时间的长短，分为几个等级，从高往低，依次传授。所以，董仲舒的学生虽多，但是有很多学生连他的面都没见过。

董仲舒学习很用功，曾经三年不到后园游玩。他出入任何地方都时刻注意自己的仪容举止，不合礼仪的就绝对不做，学者们都很佩服，争着向他学习。

武帝的时候，董仲舒担任江都国相。他依据《春秋》所记载的自然灾害和特异现象，来推求阴阳交替运行的规律，于是在求雨的时候就关闭各种阳气，放出各种阴气，消雨时的方法则与此相反。他的方法在江都推行后，效果显著，大家都非常佩服。虽然如此，他还是得罪了人，被贬为中大夫。

董仲舒被贬，回到家里，撰写了一本书，叫作《灾异之记》。主父偃忌妒他，就偷了这本书，上奏给天子。天子召集众位儒生，把书拿给他们看，书里面有很多指责讥讽当代事务的内容。董仲舒的弟子吕步舒不知道这是他老师写的，当堂大声批判这本书，认为实在是愚蠢透顶，作者应该抓起来杀掉。于是董仲舒被抓了起来，判处死刑。好在皇上开恩，赦免了他。董仲舒死里逃生，终身不敢再谈论灾异，更不敢批评时政。

公孙弘[1]研究《春秋》比不上董仲舒，但善于迎

692

董仲舒（公元前179—前104年）广川（今河北景县西南）人，专治《春秋公羊传》，景帝时曾任博士，武帝时任江都相、胶西王相，主张『天人感应』『君权神授』，为西汉经学家、哲学家。

合世俗，处世圆滑，官至公卿。董仲舒为人廉洁正直，看不起公孙弘的阿谀逢迎，就到处抨击他。公孙弘很憎恨他，就对皇上说："董仲舒贤能，只有他能做胶西王的国相。"皇上于是就派他出京，去侍奉胶西王。胶西王早就听说董仲舒有德行，对他很好。但是董仲舒在官场上被吓怕了，害怕在胶西王这里也会得罪人，很快就辞职回家，一直到去世为止，再也没有做官。

在去世之前的那段日子里，董仲舒全心钻研学问，他的一生，弟子很多，成就突出的有：褚大，殷忠，吕步舒。褚大官至梁王国相。吕步舒官至长史，淮南王反叛的案子就是他负责调查的，他的权力很大，对诸侯王也可以自行裁决，不用请示皇上；他断案，凭据就是《春秋》的义理，每次都能得到天子的认可。除了这三个弟子外，官运通达的，做到了皇帝任命的大夫；而担任郎官、谒者等职的，数以百计。另外，董仲舒的儿子和孙子也都因为精通儒学而做了高官。

相关链接

〔1〕公孙弘：公元前200－前121年，字季，一字次卿，西汉淄川国薛人。公元前140年，汉武帝求贤，任命年过六旬的公孙弘为博士。

张骞通西域

张骞在月氏、大夏呆了一年多，然后沿着昆仑山、阿尔金山的北麓东行，想路经羌人地区而回长安，又被匈奴人抓住。被扣留一年多之后，单于去世，匈奴内乱，张骞和他的匈奴妻子、甘父趁机逃回了汉朝。汉朝任命张骞为太中大夫，甘父为奉使君。

大宛，是张骞发现的。张骞，汉中人，汉武帝建元年间担任郎官。

那时候，有匈奴人来投降汉朝，告诉汉武帝说，匈奴曾经击败月氏，拿月氏王的颅骨当酒杯，月氏民众逃亡到了很远的地方，非常痛恨匈奴，但他们力量不足，也没有人愿意和他们一道攻打匈奴，所以只好在远方游荡。汉武帝正打算灭掉匈奴，听到这个消息，就想派使者与月氏取得联系。但是，要去联系月氏，就必须经过匈奴境内，这是非常危险的任务，朝廷就到处招募愿意充当使者的人。张骞以郎官的身份前去应招，于是被派去出使月氏，同一个叫作甘父的匈奴人一起从陇西出发。

在经过匈奴境内的时候，他们被匈奴人抓住了，送到单于那里。单于扣留了他们，还故意气他们说："月氏在我的北面，要去见他们，应该从我的地面上飞过去，不能踩我的土地。如果我想派人出使越地，汉朝能听任我去踩它的地面吗？"张骞被扣留了十多年，在那里娶妻生子，但张骞没有忘记自己的使命，仍然手持汉朝的使节，没有抛失过。

在匈奴呆久了，匈奴对他的戒备越来越放松，于是张骞趁机逃跑，带着随从去寻找月氏。他们向西走了几十天，来到了大宛。大宛王早就听说汉朝物产丰富，很想交往，但一直都没有找到机会，见了张骞，心里欢喜，问道："你要到哪里去？"张骞回答说："我为汉朝出使月氏，却被匈奴人截留。现在总算逃了出来，希望大王能派人送我去月氏。我如果能到那里，并且返回汉朝，那么汉朝一定会拿相当多的礼物送给您。"大宛王认为条件不错，就派人一路送他，送到了康居 [1]。康居又送他到了月氏。

当时，月氏王已经死了很多年，太子被立为王。他们征服了大夏，占据了他们的全部土地，土地肥沃，物产丰富，所以月氏王耽于安乐，不想打仗；又觉得汉朝太远，联合起来费劲，就更是无心报复匈奴。张骞在月氏呆了很久，还是得不到同月氏王结盟的允诺。

张骞在月氏、大夏呆了一年多，然后回国。他沿着昆仑山、阿尔金

山的北麓东行，想路经羌人地区而回长安，不料又被匈奴人抓住。被扣留一年多之后，单于去世，匈奴内乱，张骞和他的匈奴妻子、甘父趁机逃回了汉朝。汉朝任命张骞为太中大夫，甘父为奉使君。

张骞为人坚强刚毅，待人宽厚，讲究诚信，外族人都很喜欢他。甘父本是匈奴人，擅长射箭，两人在出使月氏的时候经常朝不保夕，甘父就射猎禽兽来作为食物。起初，张骞出发的时候带了一百多人，在外十三年，只有他和甘父两人得以回归。

这十三年，张骞到过很多地方，比如大宛、月氏、大夏、康居等地，并且还打听到了它们附近的五六个大国的情况，他都把这些汇报给天子："大宛和大夏、安息[2]等国都是大国，有很多奇珍异宝，人民定居，与汉朝人的生活方式相仿，而且兵力薄弱，看重汉朝的财物，汉朝可以此来使它们前来朝拜。况且，如果汉朝真能用道义来使它们归附，那么就能够扩大土地，招来不同风俗的人们，汉朝天子的声威和恩德就会遍及四海。"

天子听了，心中高兴万分，深深认同张骞，于是命令张骞带领使者，分四路同时出发。结果，北方那一路被少数民族阻拦，南方那一路被昆明人隔绝。昆明之类的国家没有君长，善于抢劫，常常杀害、掠夺汉朝的使者，所以汉朝使者没能通过。但是，他们听说昆明西边有个人们都骑着大象的国家，名叫滇越，蜀地的商人有的到过那里。于是，汉朝开始和滇国往来。以前，汉朝想与西南夷沟通，但因花费太多，道路不畅，所以作罢了。现在张骞带人出使大夏，汉朝就又重新开始了沟通西南夷的事务。

张骞跟随大将军卫青攻打匈奴，他了解匈奴的地理，知道哪里有水草，因而汉朝军队才得以保暖无忧。于是，张骞被封为博望侯。第二年，张骞与李广将军一同去攻打匈奴。匈奴军队包围了李广，李广的军队损失惨重；而张骞的军队耽误了时间，他被判为斩刑，后来花钱赎罪，贬为平民。同年，汉朝派骠骑将军霍去病打败了匈奴军队好几万人。过了一年，浑邪王率领属下百姓向汉朝投降，从此，北方边境，再也没有匈奴人来入侵了。在以后的两年里，汉朝军队再接再厉，把匈奴单于赶到了大沙漠以北。

张骞虽然已经失去了官爵，但天子还是经常把他叫来，向他询问大夏等国的事。张骞于是说：

"臣居留在匈奴时，听说了乌孙王昆莫的故事。昆莫的父亲，是匈奴西边一个小国的国王。匈奴人前来攻打，杀了他的父亲。当时，昆莫刚好出生，被匈奴扔到了野地上。有鸟叼着肉在他上面飞来飞去，还有狼跑去哺乳他。匈奴单于觉得奇怪，认为他是神，就收养了他。他成年后，单于让他带兵打仗，战功赫赫，所以单于就把他父亲原来的百姓交付给昆莫，让他驻守在西边。昆莫安抚自己的百姓，教他们习武，光是能拉弓射箭的士兵就有好几万人，然后，他率领他们攻打附近的小城镇，战无不胜。匈奴单于死后，昆莫带领他的人民迁移到了很远的地方，不愿再归属于匈奴，建立了乌孙国。匈奴派军去打，无法获胜，只好作罢，但是一直威胁着乌孙国。陛下应该抓住这个时机，用丰厚的礼物来打动乌孙王昆莫，引他东来，劝说他居住在原浑邪王的土地上，和汉朝结为兄弟。如果能成功，那就相当于把匈奴右边的一只臂膀折断了。联合了乌孙以后，那么它西边的大夏等国就好办了。"

天子觉得有理，就任命张骞为中郎将，率领三百人，每人两匹马，牛羊几万只，还有钱财布帛，价值好几千万，派他们出使。

张骞到了乌孙之后，乌孙王昆莫用拜见匈奴单于的礼节来接待他，张骞不高兴地说："天子赠送礼物，大王要是不拜谢，就把礼物退回来。"昆莫于是起身拜谢赏赐，而其他礼节照旧。张骞把汉朝的意图告诉昆莫说："乌孙国如果愿意东迁，住到浑邪王的土地上，那么汉朝就送一位诸侯的女儿给您做夫人。另外，其他很多财宝您也可以得到。"

当时的乌孙国已经分裂，国王年纪大了，有些力不从心；又觉得汉朝太远，不知道它的大小，拿不准能得到多少好处；另外，臣服于匈奴的时间已经很长了，况且又接近匈奴，害怕匈奴，不想迁走。因为这些原因，昆莫不敢对张骞允诺什么。

张骞得不到确定的回答，于是就先派人出使大宛、康居、月氏、大夏、安息、身毒等国。乌孙国派出向导和翻译护送张骞回国，顺便让他们探视汉朝，看看它有多大。

张骞回到朝廷，被任命为大行，官位列在九卿之中。一年多以后，张骞去世。

乌孙的使者看到汉朝地大物博，人口众多，财物丰足，就回去向他们的大王报告。那些国家于是开始重视汉朝。这样，西北各国和汉朝就有了密切的交往。这种交往是张骞开创的，从张骞以后，汉朝出使西域的人都号称为博望侯，以此来取信于外国。

相关链接

〔1〕康居：三国名。在大月氏北、安息西北方（约今哈萨克斯坦南部及锡尔河中下游一带），属于中亚土耳其系游牧民族国家。

〔2〕安息：即帕提亚王国，处于今伊朗高原东北部的西亚古国，强盛时东与贵霜、西与罗马帝国相抗衡。

天子任命李广利为贰师将军，调发属国的六千名骑兵，还有各郡国品行恶劣的青年几万人，前往攻打大宛。由于是想到贰师城去获取好马，所以称李广利为"贰师将军"。

汉朝出使西域的人越来越多，那些从小就随从大人出使国外的，往往都向天子汇报他们所熟悉的情况，他们经常说："大宛最好的马在贰师城[1]，他们藏着不肯献给汉朝使者。"

天子喜欢大宛马，就派壮士带着千金和金马，去向大宛王换取贰师城的好马。当时，大宛国已经有了很多汉朝的东西，对新的礼物不像原先那么重视了。

大宛王召集大臣商议说："汉朝离我们很远，汉朝使者每年来好几批，每批几百人，常常因为缺乏食物而死亡，死掉的要超过半数。这样看来，他们不可能派大军前来！他们对我们无可奈何，我们不应该怕他们。贰师城的马，是大宛的宝马，不能给他！"

大宛王不肯把宝马给汉朝使者。使者生气，当面指责大宛王，用椎击打带来的金马，然后愤然离去。大宛的贵族和官员发怒说："汉朝也太轻视我们了！"于是命令大宛东边的郁成国拦击并杀死了汉朝的使者，并夺取了他的财物。

汉朝天子十分愤怒。几位曾经出使过大宛的人，比如姚定汉等，都说大宛兵力薄弱，如果动用汉朝军队，不用超过三千人，就能俘获大宛的军队。天子认为姚定汉等人的话不错，就任命李广利[2]为贰师将军，调发属国的六千名骑兵，还有各郡国品行恶劣的青年几万人，前去攻打大宛。由于是想到贰师城去获取好马，所以称李广利为"贰师将军"。

贰师将军李广利率军渡过了盐水，沿途小国都很惶恐，全都坚守城池，不肯供给食物。汉军攻打它们，但非常艰难。攻下城来就能得到食物，攻不下的，过几天就离去。到了郁成之后，汉军只剩下几千人，而且既饥饿又疲惫，根本就没有战斗力。汉军攻打郁成，大败，死伤惨重。李广利和手下李哆、赵始成等人商议："我们现在连郁成都不能攻下，何况到他们的国都呢？"于是就带军队返回。

这一去一回，花了两年时间。他们到了敦煌的时候，士兵已经只剩下十分之一。李广利派使者提前赶到国都，向天子报告说："此去路途遥远，又缺少食物，所以没有攻取大宛。希望能暂且退兵，增派军队以后再去。"天子听后，非常失望，特别生气，就派使者到玉门关[3]阻拦，说有谁敢进入玉门关，杀无赦！贰师将军李广利非常惶恐，就只好驻扎在敦煌。

那年夏天，汉朝在匈奴损失了两万多士兵。公卿大臣觉得应该停止攻打大宛，集中力量攻打匈奴。天子却不这样认为，他觉得如果连大宛这样的小国都攻不下，那么大夏等国就会轻视汉朝，而大宛的良马也绝不会到手，外国人也会耻笑。

于是，天子增调品行恶劣的青年以及边地骑兵，一年之内送到敦煌的共有六万人，还不包括自带衣食随军的人。这些士兵携带有牛十万头，马三万多匹，驴、骡、骆驼数以万计。考虑到大宛城中没有水井，要汲取城外的流水，于是汉军就改变了一条通往大宛的水道，使大宛无水可用。不仅如此，汉朝还调发大量民力，给贰师将军运送粮食物资，人山人海，络绎不绝。还任命两位熟习马匹的人随军，准备攻下大宛后挑选他们的良马。

准备妥当之后，贰师将军李广利再次出征。这次由于军队庞大，沿途小国没有哪个敢不迎接，都乖乖地拿出了食物。汉军到了仑头，仑头国不肯投降，于是汉军血洗仑头。此后，汉军再也没有受到阻拦，平安地到达了大宛的都城。大宛军队迎击汉军，汉军乱箭齐发，大宛军队只好退入城里坚守。汉军断绝了它的水源，然后包围了大宛城，攻打了四十多天，并且俘虏了大宛勇将煎靡。

大宛人十分害怕，大宛的高级官员商量对策，都说："汉朝攻打大宛，是因为大宛王毋寡藏匿良马并且杀死汉朝使者。如果我们杀了毋寡，并且献出良马，那么汉军应该会放过我们；如果他们还是围攻，我们再战斗也不迟。"

○品画鉴宝
铜弩机（汉）弩是古代利用机械力量射箭的弓，在汉代成为比弓重要的远射兵器。

于是，他们杀死了国王毋寡，拿着他的头，派人找到贰师将军，与他相约说："你们不要再打了。我们把良马全都献出，你们随便挑，并且我们会给你们提供食物。要是你们不答应，我们就把良马全部杀掉。康居的救兵快要到了，如果他们来了，那么我们在里面，康居军队在外面，汉军不见得有什么优势。希望你们好好考虑一下。"

贰师将军和手下商量说："听说大宛城内刚找到了汉人，懂得挖井，而且，他们城内的粮食还很多。我们之所以来到这里，是想诛杀罪大恶极的毋寡。毋寡的头已送来了，我们的目的已经达到，应该解围了。再说，康居的军队快到了，他们里应外合，而汉军疲乏，弄不好就会失败。"大家想了想，就答应了大宛的要求。

大宛于是献出良马，让汉人自己来挑选，并且拿出很多食物来供给汉军。汉军取走了几十匹良马，还有其他稍差的马匹三千多；又立大宛贵人中对汉朝友好的昧蔡为大宛王，与他订立盟约，而后撤兵。

贰师将军从敦煌出发的时候，觉得人员太多，沿途国家难以供给足够的食物，就把军队分成了几支，从南、北两路前进。王申生等率领一千多人，从另一条路到了郁成。郁成人坚守城池，不肯向汉军屈服，并且在一天早晨发动三千人攻打汉军，杀死了王申生等人。汉军被打败，几个人逃脱，跑到贰师将军那里。贰师将军命令上官桀前去，打败了郁成人。

郁成王逃亡到康居，上官桀就追到了康居。康居听说汉军已经攻下大宛，就把郁成王献给汉军，上官桀命令四名骑兵把郁成王捆好，押解到贰师将军那里。四名骑兵上路之后，很担心会有什么意外，就互相商议说："郁成王是汉朝最痛恨的人，如果发生什么意外，那可就耽误大事了。把他杀了还好带些。"于是就想杀了他，但没人敢先动手。

其中年纪最小的一个叫作赵弟，胆子大些，拔出剑来，杀了郁成王，然后带上人头上路，最后交给了贰师将军。

贰师将军这次出兵，基本上大获全胜。那些沿途小国听说大宛被攻破，都派他们的子弟跟随汉军到汉朝进贡，拜见天子，顺便留在汉朝做人质。这次出兵，军队并不缺乏粮食，战死的人也不多，但是官吏贪婪，不爱惜士兵，侵吞军饷，因此饿死的人很多。天子考虑到他们是万里远征，所以没有计较他们的过失，封李广利为海西侯。又封亲自斩杀郁成王的骑士赵弟为侯，任命上官桀为少府，等等，军官中位列九卿的有三人，任诸侯相、郡守等高官的有一百多人，小官一千多人。自愿参军的人，所封的官位都超过了他们自己的愿望。不但如此，朝廷还赏赐士卒，仅此一项就花了四万金子。

汉军讨伐大宛后，立昧蔡为大宛王，然后离去。过了一年多，大宛高级官员认为昧蔡只会奉承汉朝，却置自己的同族于不顾，于是杀了昧蔡，立毋寡的兄弟为大宛王，然后派他的儿子到汉朝做人质。汉朝派使者送去礼物，来安抚他们。

相关链接

〔1〕贰师城: 古代大宛国城名，在今吉尔吉斯斯坦西南部的马尔哈马特，古时以出产好马而闻名。

〔2〕李广利: ？－公元前88年，中山（今河北定州）人，西汉著名将领，封海西侯，其妹为汉武帝得宠夫人，曾出击匈奴，兵败投降，后为匈奴贵族所杀。

〔3〕玉门关: 古关隘名，故址位于今甘肃敦煌西北的小方盘城，汉武帝时始置，为当时通往西域各国的陆上交通要道，因从西方输入玉石时经过此地，故名。

图书在版编目（CIP）数据

史记故事：全 2 册 / 金敬梅主编 . -- 北京：世界
图书出版公司，2016.5（2021.4 重印）
ISBN 978-7-5192-0920-9

Ⅰ . ①史… Ⅱ . ①中… Ⅲ . ①中国历史－古代史－纪
传体－青少年读物 Ⅳ . ① K204.2-49

中国版本图书馆 CIP 数据核字 (2016) 第 049086 号

书　　　名	史记故事：全 2 册
（汉语拼音）	SHIJI GUSHI : QUAN 2 CE
编　　　者	金敬梅
总　策　划	吴　迪
责　任　编　辑	韩　捷
装　帧　设　计	刘　陶
出　版　发　行	世界图书出版公司长春有限公司
地　　　址	吉林省长春市春城大街 789 号
邮　　　编	130062
电　　　话	0431-86805551（发行）　0431-86805562（编辑）
网　　　址	http://www.wpcdb.com.cn
邮　　　箱	DBSJ@163.com
经　　　销	各地新华书店
印　　　刷	唐山富达印务有限公司
开　　　本	720 mm×1000 mm　1/16
印　　　张	44
字　　　数	780 千字
印　　　数	1—5 000
版　　　次	2019 年 6 月第 1 版　　2021 年 4 月第 3 次印刷
国　际　书　号	ISBN 978-7-5192-0920-9
定　　　价	88.00 元

阅读国学经典·品鉴古今智慧

领悟先贤哲思·创造人生辉煌